Arbeitsaufträge im Seydlitz/Diercke

etwas ausführen	etwas wiedergeben	etwas erklären und anwenden	über etwas urteilen und es bewerten
• zeichnen	• räumlich einordnen	• ein- und zuordnen	• begründen
• berechnen	• nennen/benennen	• vergleichen	• beurteilen
• befragen	• wiedergeben/ zusammenfassen	• analysieren	• bewerten/ Stellung nehmen
• beobachten	• darstellen/darlegen	• charakterisieren	• entwickeln
• messen	• beschreiben	• erklären	• überprüfen
• ergänzen	• gliedern	• erläutern	• erörtern
• erstellen			• diskutieren/ besprechen
• sich informieren/ ermitteln/ recherchieren/ finden			

M1 *Die Arbeitsaufträge im Seydlitz/Diercke Sachsen 10*

Wir erklären etwas und wenden es auf andere Dinge an:

Ein- und Zuordnen bedeutet, die Informationen aus Materialien zu bestimmten Themen zusammenzustellen. Danach müssen sie in einen Zusammenhang gebracht werden. Am Schluss stehen sie in einer Abfolge.

Vergleichen bedeutet, verschiedene Dinge gegenüberzustellen. Du kannst Unterschiede und Gemeinsamkeiten erkennen.

Analysieren bedeutet, etwas nach bekannten Ordnungsmerkmalen zu untersuchen und aufzugliedern.

Charakterisieren bedeutet, einen Sachverhalt in seinen Eigenarten zu beschreiben und typische Merkmale zu kennzeichnen.

Erklären bedeutet, einen Sachverhalt so darzustellen, dass Bedingungen, Ursachen und Gesetzmäßigkeiten klar werden.

Erläutern bedeutet, etwas so zu beschreiben, dass die vielen Beziehungen klar werden.

Wir urteilen über etwas und äußern unsere Meinung:

Begründen bedeutet, die oft gestellte Frage „Warum ist das so?" zu beantworten.

Beurteilen bedeutet, etwas zu überprüfen, ohne seine Meinung dazu zu äußern.

Bewerten, Stellung nehmen bedeutet, etwas zu beurteilen und seine Meinung zu äußern.

Entwickeln bedeutet, Materialien miteinander zu verbinden. Danach kannst du erkennen, wie etwas zukünftig sein könnte.

Überprüfen heißt, verschiedene Ansichten zu vergleichen und deren Richtigkeit zu prüfen.

Erörtern bedeutet, etwas genau und von vielen Positionen aus zu betrachten. Das Ziel ist am Ende eine Einschätzung der Lage.

Diskutieren und besprechen bedeutet, in einer Gemeinschaft (z. B. Klasse) unterschiedliche Aussagen zusammenzutragen, diese zu überprüfen, zu besprechen und zu bewerten.

Seydlitz | Diercke

Geographie

Gymnasium Sachsen

10. Klasse

Moderator:
Wolfgang Gerber, Leipzig

Autoren:
Kerstin Bräuer, Leipzig
Helmut Fiedler, Leipzig
Roland Frenzel, Glauchau
Wolfgang Gerber, Leipzig
Sascha Kotztin, Meißen
Frank Morgeneyer, Leipzig
Andrea Spiegler, Langebrück

Ernst von Seydlitz-Kurzbach (geb. in Tschöplau/Kreis Freystadt) lebte von 1784 bis 1849. Mit der Herausgabe des Lehrbuches „Leitfaden der Geographie" im Jahre 1824 begründete er das traditionsreiche Unterrichtswerk „Seydlitz". Ausführliche Informationen: www.schroedel.de/seydlitz-chronik.

Carl Diercke (geb. in Kyritz, Landkreis Ostprignitz/Preußen) lebte von 1842 bis 1913 und war Pädagoge und Kartograph. Von ihm stammt der bekannte Diercke-Schulatlas, der erstmals 1883 unter dem Namen „Schul-Atlas über alle Teile der Erde" erschien. Weitere Informationen: www.diercke.de.

Titelbild:
Taucher am Korallenriff vor der Insel Velidhu (Malediven)

Mit Beiträgen von:
Jürgen Bauer, Wolfgang Bricks, Klaus Claaßen, Sarah Franz, Anette Gerlach, Sigrun Hallermann, Kerstin Neeb, Ulrike Ohl, Dieter Radde und Jürgen Wetzel.

Druck A[1] / Jahr 2016
Alle Drucke der Serie A sind im Unterricht parallel verwendbar.

Redaktion: Jens Gläser, Monique Wanner
Umschlaggestaltung: Thomas Schröder
Layout: Artbox Grafik & Satz GmbH, Bremen
Druck und Bindung: westermann druck GmbH, Braunschweig

ISBN (Schroedel) 978-3-507-**52985**-4
ISBN (Westermann) 978-3-14-**144830**-6

Dies ist dein Geographiebuch – der **SEYDLITZ / DIERCKE Sachsen 10**.

Ganz wichtig ist für dich Folgendes:

Dein neues Buch zeigt dir unten auf den Seiten in grauer Schrift, was du unbedingt lernen musst. Das ist das **Grundwissen**.
Und du kannst sofort erkennen, was zur **Übung** dient. Auf diesen Übungsseiten gibt es oft Raumbeispiele und die Aufgaben.

Ganz am Ende eines jeden Hauptkapitels kannst du dich auf den Gewusst – gekonnt Seiten selbst testen.

Die Seiten zum **Grundwissen**:

Die fett gedruckten Wörter, die **Grundbegriffe**, werden dir am Ende des Buches im Geo-Lexikon in alphabetischer Reihenfolge noch einmal erklärt.

Die **Info-Kästen** geben dir interessante Informationen.

Grundwissen

Die Seiten zur **Übung**:

Diese Seiten enthalten interessante Beispiele und Zusatzinfomationen, die dir das Lernen erleichtern. Außerdem findest du hier die Aufgaben.

Aufgaben mit einem Pfeil ↝ sind etwas schwieriger zu lösen.

Übung

Auf den Seiten **Gewusst – gekonnt** sollst du dich selbst testen.
Hier, am Ende des Kapitels, findest du Aufgaben:

- zum **Grundwissen** und zu Fallbeispielen (**blau** umrandet),
- zu den **Methoden** (**gelb** umrandet),
- zum **Orientierungswissen** (**grün** umrandet) und
- zum **Informationsaustausch** (**rot** umrandet).

Du kannst hier dein Wissen und deine Fertigkeiten überprüfen.

Übung Übung

Dieses Symbol ist der Hinweis auf Seiten die in Lerngruppen bearbeitet werden können. Die Gruppenarbeitsseiten umfassen die Seiten 26 – 33.

Außerdem gibt es zwei Arten von Sonderseiten:

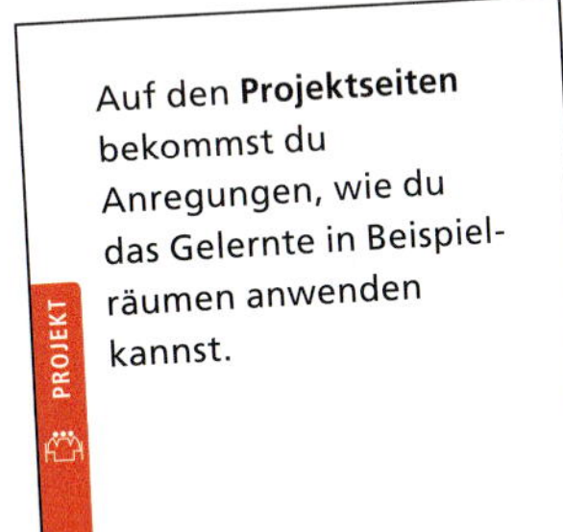

Auf den **Projektseiten** bekommst du Anregungen, wie du das Gelernte in Beispielräumen anwenden kannst.

So erweiterst du zum Beispiel dein Wissen zu Sachsen, indem du dir wichtige Kenntnisse zur Durchführung von Exkursionen in deinem Heimatbundesland aneignest.

PROJEKT

Projekt Projekt

Auf den **Methodenseiten** lernst du, wie du dir im Fach Geographie die Welt erschließen kannst.

Die gelben Kästen sind wichtige Gebrauchsanweisungen. Sie gehören zum Grundwissen.

METHODE

Grundwissen / Übung Übung

Online lernen

Durch Eingabe des Karten-Codes unter der Adresse www.diercke.de im Suche-Feld gelangst du auf die passende Doppelseite im Diercke Weltatlas 2015. Die Karten-Codes findest du jeweils unten auf den Schulbuchseiten

Auf www.diercke.de erhältst du außerdem Hinweise zu ergänzenden Karten, Informationen zur Karte sowie Zusatzmaterialien.

Inhaltsverzeichnis

Das Weltmeer und seine Nutzung

Nordseeküste bei Scheveningen (Niederlande)

Zukunft Weltmeer!

Das Weltmeer ist das größte Ökosystem der Erde. Es ist bis heute vor allem in seinen tieferen Regionen weniger erforscht als die Oberfläche des Mondes. Allein in den riesigen Tiefseebecken wurden bis heute nur einige fußballfeldgroße Flächen eingehend untersucht. Erst etwa 250 000 marine Pflanzen- und Tierarten sind wissenschaftlich beschrieben – insgesamt vermuten Wissenschaftler in den Ozeanen zwischen ein bis zehn Millionen Arten.

Die Erforschung dieses riesigen Lebensraumes steht also noch am Anfang. Sie ist aber extrem wichtig, da die zunehmenden menschlichen Eingriffe in die marinen Ökosysteme bereits unübersehbar und ihre mittel- und langfristigen Auswirkungen bislang nur sehr schwer oder noch gar nicht abschätzbar sind.

Dabei nutzt der Mensch das Meer immer mehr als Nahrungsquelle, Handelsweg, Erholungsraum, Rohstoffreservoir und Entsorgungsgebiet.

In den letzten Jahrzehnten sind zahlreiche nationale und internationale Vereinbarungen zum Schutz der Meere getroffen worden, z. B. das Verbot des kommerziellen Walfangs oder das Verbot der Verklappung giftiger Chemikalien. Trotz dieser Erfolge ist die Gefährdung der marinen Ökosysteme nicht gebannt.

Forschungs-U-Boote sind heute meist klein und vertreiben mit ihren Motorengeräuschen scheue Meerestiere.
Der vom französischen Architekten Jacques Rougerie entworfene Sea-Orbiter soll dagegen geräuschlos mit den Meeresströmungen dahintreiben. Das über 50 m hohe Schiff schwimmt dabei wie ein Seepferdchen senkrecht im Meer. Zwei Drittel des futuristischen Gefährts liegen unter der Wasseroberfläche. Bis zu 18 Besatzungsmitglieder können auf den zahlreichen Decks ihrer wissenschaftlichen Arbeit nachgehen. In den unteren Teilen des Schiffs wird der Luftdruck dem Umgebungsdruck des Wassers angepasst sein, sodass Taucher leicht Außeneinsätze durchführen können. Wenn die Finanzierung gesichert ist, soll der Bau beginnen. Die erste Fahrt ist im Bereich des Golfstroms geplant. Mit dem Sea-Orbiter will sich Rougerie nicht nur seinen Traum erfüllen, sondern er möchte viele Menschen für die Unterwasserwelt begeistern und neue wissenschaftliche Erkenntnisse gewinnen.

M1 *Sea-Orbiter*

Ölverschmutzung am Badestrand, Plastikmüll im Ozean, Rückgang der Fischbestände – Schlagzeilen, die zeigen, dass der Zustand des Weltmeeres durch die verschiedenen Nutzungen des Menschen direkt oder indirekt bedroht ist. Aber wie genau?
Amerikanische und kanadische Wissenschaftler haben mit dem Ozean-Gesundheits-Index eine Analysemethode entwickelt, mit der sich der Zustand der Meere vergleichen lässt. Analysiert und gemessen werden u.a. Artenvielfalt, Wasserqualität, Küstenschutz, Fischerei und Erholungswert. Diese Daten ergeben letztlich den Gesundheitsindex des Gewässers, der zwischen 0 (sehr schlecht) und 100 (sehr gut) liegt. Der Durchschnitt der weltweit bislang über 200 untersuchten Küstengewässer liegt bei 60. Spitzenreiter ist die unbewohnte Jarvi-Insel mit einem Index von 86, Sierra Leone liegt mit einem Index von 36 dagegen an letzter Stelle. Der Index der deutschen Nord- und Ostseeküste beträgt 73.

M2 *Ocean-Health-Index*

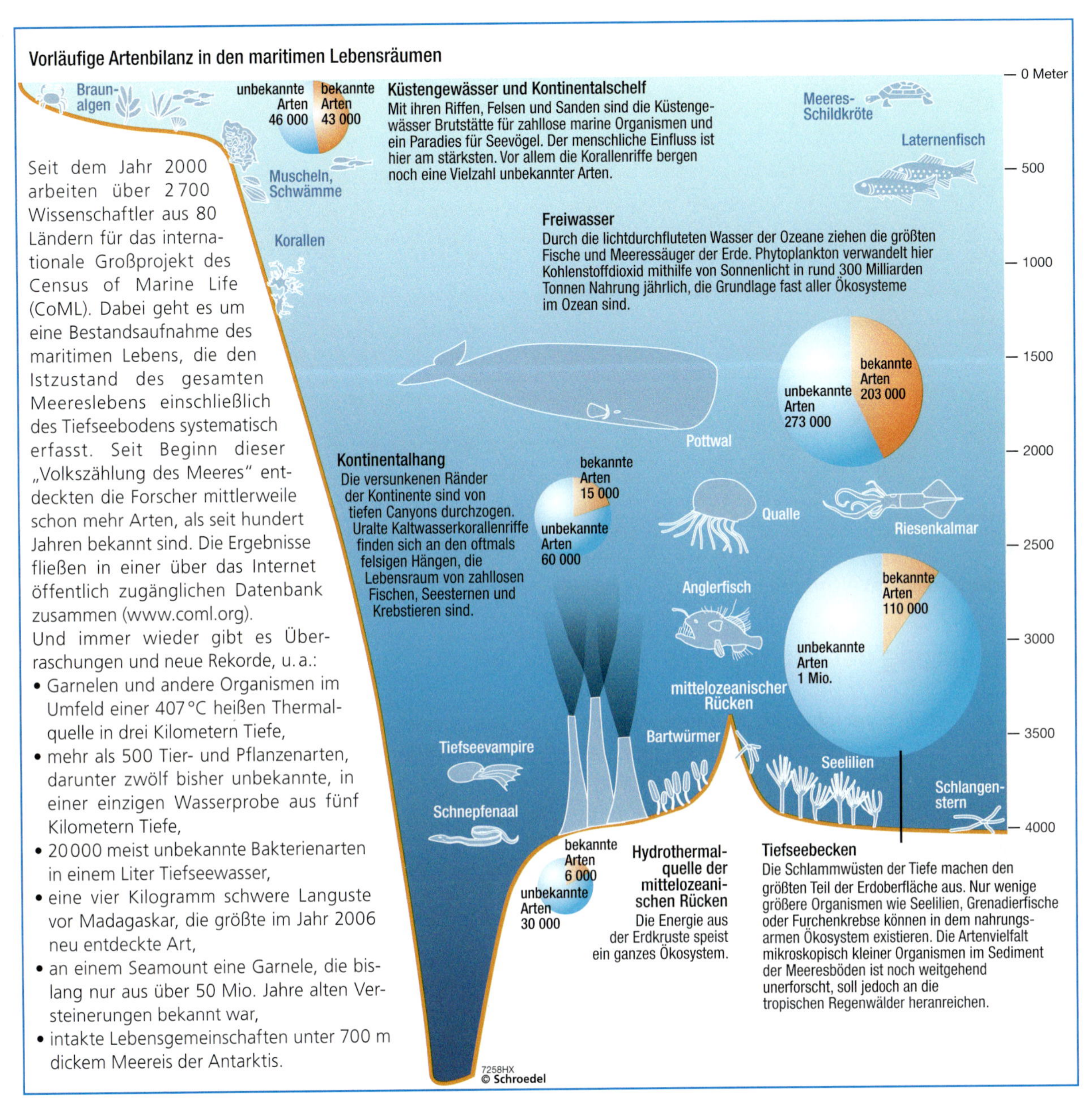

Seit dem Jahr 2000 arbeiten über 2 700 Wissenschaftler aus 80 Ländern für das internationale Großprojekt des Census of Marine Life (CoML). Dabei geht es um eine Bestandsaufnahme des maritimen Lebens, die den Istzustand des gesamten Meereslebens einschließlich des Tiefseebodens systematisch erfasst. Seit Beginn dieser „Volkszählung des Meeres" entdeckten die Forscher mittlerweile schon mehr Arten, als seit hundert Jahren bekannt sind. Die Ergebnisse fließen in einer über das Internet öffentlich zugänglichen Datenbank zusammen (www.coml.org).
Und immer wieder gibt es Überraschungen und neue Rekorde, u. a.:

- Garnelen und andere Organismen im Umfeld einer 407 °C heißen Thermalquelle in drei Kilometern Tiefe,
- mehr als 500 Tier- und Pflanzenarten, darunter zwölf bisher unbekannte, in einer einzigen Wasserprobe aus fünf Kilometern Tiefe,
- 20 000 meist unbekannte Bakterienarten in einem Liter Tiefseewasser,
- eine vier Kilogramm schwere Languste vor Madagaskar, die größte im Jahr 2006 neu entdeckte Art,
- an einem Seamount eine Garnele, die bislang nur aus über 50 Mio. Jahre alten Versteinerungen bekannt war,
- intakte Lebensgemeinschaften unter 700 m dickem Meereis der Antarktis.

M3 *Lebensraum Meer*

1 Über 70 Prozent der Oberfläche unseres Planeten sind vom Weltmeer bedeckt. Seit Jahrtausenden leben die Menschen von und mit dem Meer. Das Ökosystem ist jedoch durch die immer intensivere Nutzung bedroht.
a) Führt ein Brainstorming zum Thema „Faszination Weltmeer – bedrohtes Weltmeer" durch (M1, M2).
b) Präsentiert das Ergebnis z. B. in Form einer Mindmap.

2 Das Ökosystem Weltmeer wird in verschiedene Zonen untergliedert (M3).
a) Beschreibe diese.
b) Begründe den unterschiedlichen Erkenntnisstand über die Lebenswelten in den einzelnen Zonen der Ozeane.

3 Mit der Erforschung des Weltmeeres beschäftigen sich zahlreiche Projekte.
a) Recherchiert in eurer Lerngruppe zu einem der Projekte Sea-Orbiter, Ozean-Gesundheits-Index und Census of Marine Life (M1 – M3, Internet).
b) Stellt den aktuellen Stand der Forschung dieses Projekts und dessen Wirksamkeit in geeigneter Form dar (Internet).

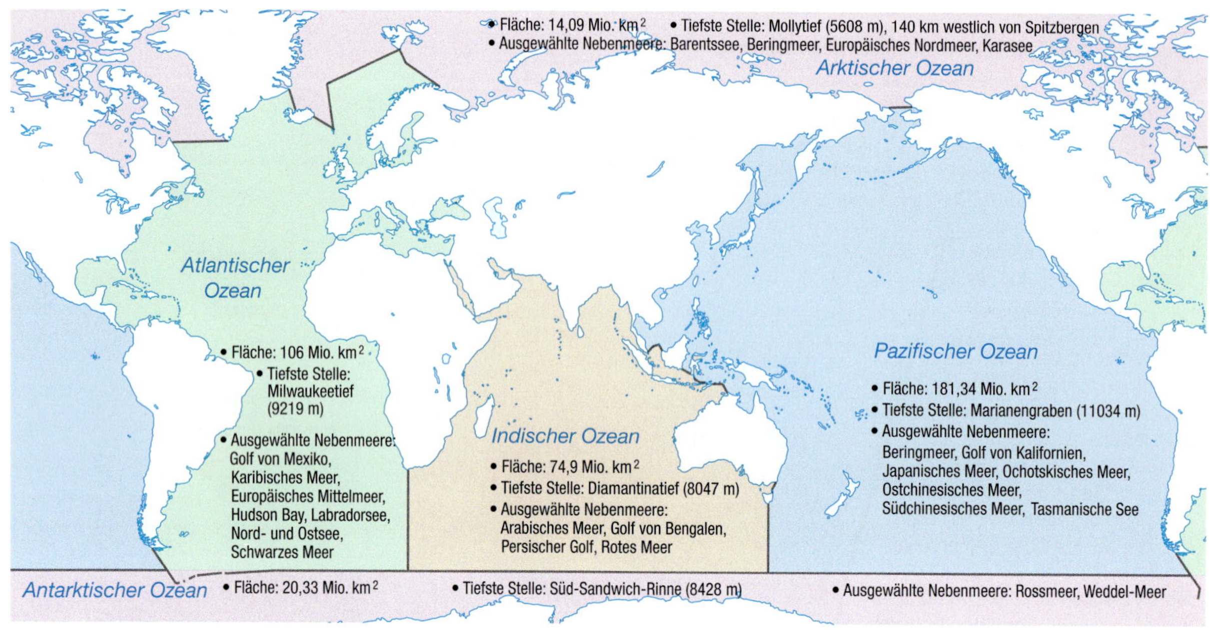

M1 *Gliederung des Weltmeeres*

Die Gliederung des Weltmeeres

„Das Land, das dich verschluckt" sagen die Ureinwohner der polynesischen Inselwelt respektvoll zu den endlosen Weiten des Meeres. Das Weltmeer, dazu gehört der gesamte zusammenhängende Salzwasserkörper der Erde, wird durch die gegenwärtige Lage der Kontinente in Ozeane gegliedert:

- Der *Pazifische Ozean* erhielt seinen Namen vom portugiesischen Seefahrer Magellan im Jahr 1520 – der friedliche (lat. pacificus) oder auch der Stille Ozean.
- Der *Atlantische Ozean* ist nach dem Titan Atlas aus der antiken Mythologie benannt.
- Der *Indische Ozean* ist der drittgrößte zusammenhängende Wasserkörper der Erde.
- Der *Arktische Ozean* ist in großen Teilen dauerhaft von ein bis zweieinhalb Meter mächtigem Eis bedeckt. Dass die Region der Arktis ein tiefes, mit Meerwasser gefülltes Becken ist, wurde erst Ende des 19. Jahrhunderts entdeckt.
- Der *Antarktische Ozean* liegt südlich von 60° s. B. und umschließt den antarktischen Kontinent. Erst seit dem Jahr 2000 grenzt die Internationale Hydrographische Organisation die südlichen Ausläufer des Indik, Pazifik und Atlantik als eigenen Ozean ab.

In den Randbereichen der Ozeane trennen bogenförmige Festlandsflächen oder lange Inselketten einzelne Meeresgebiete von den großen Freiwasserflächen ab. Diese werden als **Nebenmeere** bezeichnet. Nebenmeere, die nur eine sehr schmale Verbindung zu den Ozeanen haben, tragen die Bezeichnung **Binnenmeere** (z. B. Ostsee). Sie besitzen u. a. einen sehr eingeschränkten Wasseraustausch mit dem Ozean und unterscheiden sich häufig hinsichtlich des Salzgehalts. Dagegen sind **Randmeere** durch breite Meeresbereiche mit dem Ozean verbunden (z. B. Nordsee) oder nur durch eine Inselkette von ihm getrennt (z. B. Karibisches Meer).

M2 *Rand- und Binnenmeere*

Vom **Kontinentalschelf**, den vom Ozean überfluteten Rändern der Kontinente, bilden die **Kontinentalabhänge** den Übergang in die Tiefsee.
Die **Tiefseebecken** galten lange Zeit als völlig eben. Heute sind dort mehr als 30 000 größere Unterwasserberge, sogenannte **Seamounts**, bekannt, die ihre Umgebung um mehrere Tausend Meter überragen. Bekannte Beispiele sind die Gorringe-Bank im Atlantik, die Hawaii-Emperor-Kette im Pazifik sowie die Tiefseeberge Ferdinandea und Marsili im Mittelmeer.
Während an den **mittelozeanischen Rücken**, die alle Ozeane durchziehenden untermeerischen Gebirge, neue ozeanische Kruste entsteht, kommt es im Bereich der **Tiefseerinnen** zur Subduktion des Meeresbodens.

M3 *Das Relief des Meeresbodens*

Die **hypsometrische Kurve** ist die grafische Darstellung der Anteile der verschiedenen Höhenstufen am Relief der gesamten Erdoberfläche.
Dazu werden in einem rechtwinkligen Koordinatensystem die jeweiligen Flächenanteile der auf der Erde vorkommenden Höhen von der tiefsten Meerestiefe bis zur höchsten Erhebung des Festlandes eingetragen.
Aus der hypsometrischen Kurve wird u. a. deutlich, dass die Kontinentallithosphäre nicht an der Küste endet, sondern sich bis zu den Tiefseebecken fortsetzt.
Die größten Flächen auf der Erde werden von der Kontinentalplattform mit Höhen zwischen -200 m und 1 000 m und den Tiefseebecken zwischen -3 000 m und -5 000 m eingenommen.

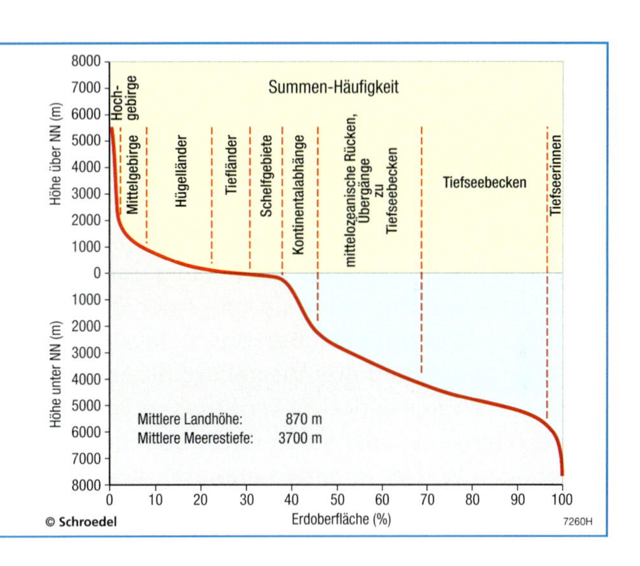

M4 *Die hypsometrische Kurve*

1 Das Weltmeer umfasst eine Gesamtfläche von 361 Mio. km². Diese riesige Wasserfläche wird in verschiedene Teilräume gegliedert.
a) Erkläre die Begriffe Weltmeer, Ozean, Neben-, Rand- und Binnenmeer (M1, M2).
b) Stelle die Begriffe aus 1a in einer Mindmap dar.
c) Vergleiche die Ozeane der Erde (M1).
d) Begründe, dass das Kaspische Meer per Definition nicht zum Weltmeer gehört.
e) Diskutiere die Einordnung des Weißen Meeres zu den gegebenen Begriffsklärungen (Atlas).

2 Durch den Einsatz von Echolot und Satellitentechnik ist heute das Relief des Meeresbodens weitgehend bekannt.
a) Beschreibe das Meeresbodenrelief des Atlantischen Ozeans (M3, Atlas).
b) Erkläre die hypsometrische Kurve (M4).
c) Begründe, dass die hypsometrische Kurve nur eine Momentaufnahme der Erdgeschichte abbildet.
d) Zeichne eine breitenkreisparallele Profilskizze vom Ostchinesischen Meer zum Hawaiirücken. Benenne die einzelnen untermeerischen Reliefformen. Stelle Verbindungen zur Plattentektonik heraus.
e) Erkläre, warum die mittelozeanischen Rücken in der hypsometrischen Kurve nicht direkt zu erkennen sind.

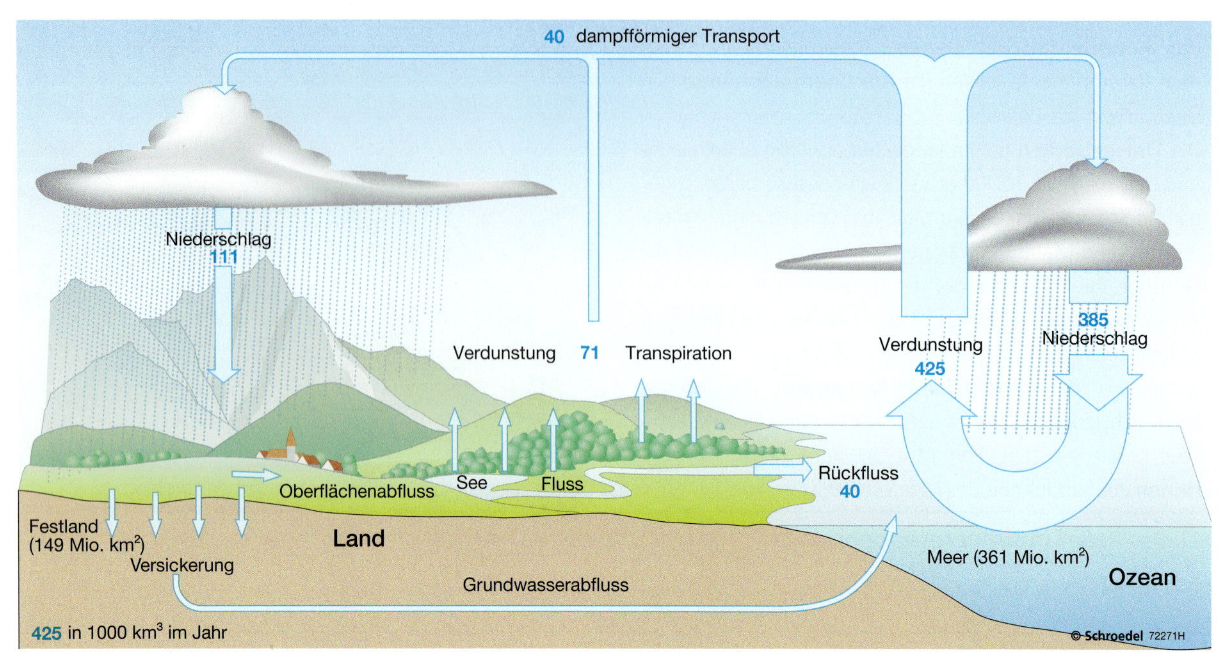

M1 *Der Wasserkreislauf der Erde*

Weltmeer und Klima

Der Wasserkreislauf der Erde

Wäre alles Wasser der Erde gleichmäßig über ihre Oberfläche verteilt, wäre sie mit einer 2,5 km mächtigen Wasserhülle überzogen. Tatsächlich sind aber „nur" rund drei Viertel des blauen Planeten mit Wasser bedeckt. Angetrieben von der Sonnenenergie und der Schwerkraft befindet sich das irdische Wasser in einem endlosen Kreislauf zwischen Atmosphäre, Kontinent und Weltmeer. Dieser Zyklus ist unter anderem die Voraussetzung dafür, dass aus dem für den Menschen ungenießbaren Salzwasser immer wieder neues Süßwasser entsteht.

Durch die Luftzirkulation wird den Kontinenten ständig Wasser von den Meeren zugeführt. Nur dadurch sind die Niederschlagsmengen, die über den Festländern fallen, höher als die Feuchtigkeitsmengen, die von den Landflächen verdunsten. So entstehen Wasserreserven, die das Leben auf dem Land erst ermöglichen.

Mit der **Wasserhaushaltsgleichung** $N = V + A + (R - B)$ sind Aussagen über die Wasserbilanz eines Festlandsgebietes über einen längeren Zeitraum möglich (N – Niederschlag, V – Verdunstung, A – Abfluss, R – Rücklage, B – Aufbrauch).

	Volumen (Mio. km³)	**Erneuerung** (Jahre/Tage)
Ozeane	1476	2911 Jahre
Grundwasser	60	5000 Jahre
Gletscher und Permafrost	30	7500 Jahre
Seen und Sümpfe	0,29	7,4 Jahre
Wasser im Boden	0,016	390 Tage
Wasser in der Atmosphäre	0,014	8 Tage
Flusswasser	0,002	17 Tage

M2 *Wasser der Erde*

Wasser besitzt eine sehr hohe spezifische Wärmekapazität, d. h. um einen Liter Wasser um ein Grad zu erwärmen, ist sehr viel Energie notwendig. Dadurch speichert das Meer im Sommer hohe Energiemengen, ohne sich dabei stark zu erwärmen. Im Winter gibt es diese nur langsam wieder ab. Aufgrund dieser Eigenschaft treten in küstennahen Regionen kaum große Temperaturschwankungen auf. Während z. B. in den zentralen Teilen Asiens oder Nordamerikas sehr heiße Sommer und extrem kalte Winter auftreten, sind an den Küsten milde Winter und kühle Sommer die Regel.

M3 *Maritimes Klima*

Seit etwa 200 Jahren setzt die Menschheit in immer größerem Maße Unmengen von klimabeeinflussenden Gasen, insbesondere Kohlenstoffdioxid, frei. Sie gelten als Hauptverursacher für den Anstieg der globalen Durchschnittstemperatur. Die Ozeane sind ein entscheidender Puffer bei der durch den Menschen verursachten globalen Erwärmung.

Aufgrund der hohen Wärmekapazität des Wassers absorbieren die Meere doppelt so viel Sonnenenergie wie die Kontinente und die Atmosphäre. Damit gleichen sie extreme Temperaturschwankungen aus und fangen längerfristige Klimaänderungen teilweise ab.

Das Wasser des Weltmeeres ist in der Lage, atmosphärisches Kohlenstoffdioxid zu lösen und zu binden. Wissenschaftler schätzen, dass die Ozeane bis heute etwa die Hälfte dieses vom Menschen seit dem Beginn der Industrialisierung ausgestoßenen und durch die Verbrennung fossiler Rohstoffe entstandenen Treibhausgases aufgenommen haben. Auch Meereslebewesen nehmen das Treibhausgas auf. Korallen verarbeiten während ihres Stoffwechselprozesses das gelöste Kohlenstoffdioxid, das in Verbindung mit Kalzium die aus Kalziumkarbonat bestehenden Korallenriffe entstehen lässt. Im Laufe der Erdgeschichte wurden so große Mengen dieses Gases in Kalkstein gebunden.

Die riesigen Wassermassen der Ozeane reagieren nur sehr träge auf Veränderungen, sodass die Auswirkungen des Klimawandels nur allmählich sichtbar werden. Allerdings können diese, wenn bestimmte, aber nicht genau bekannte Schwellenwerte überschritten sind, unumkehrbar sein. So ließe sich beispielsweise das völlige Abschmelzen der Gletscher Grönlands und ein damit verbundener Meeresspiegelanstieg um mehrere Meter ab solch einem „point of no return" nicht mehr aufhalten.

M4 *Weltmeer und Klimawandel*

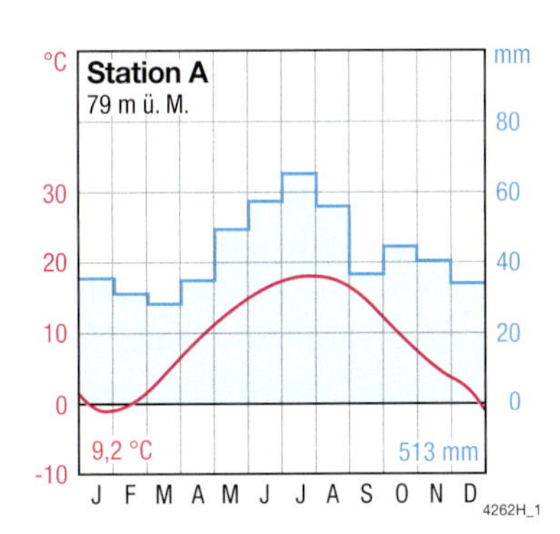

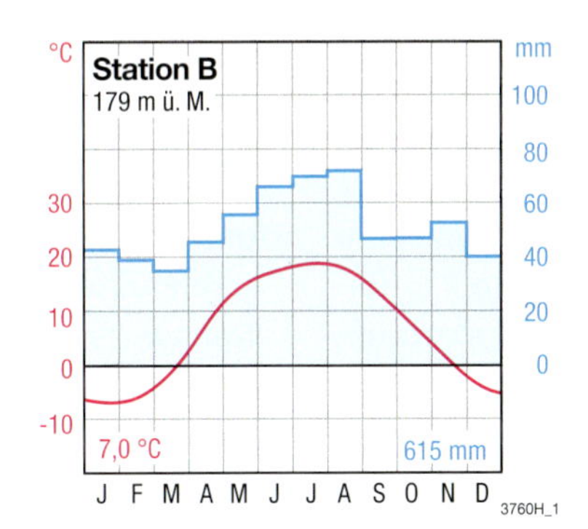

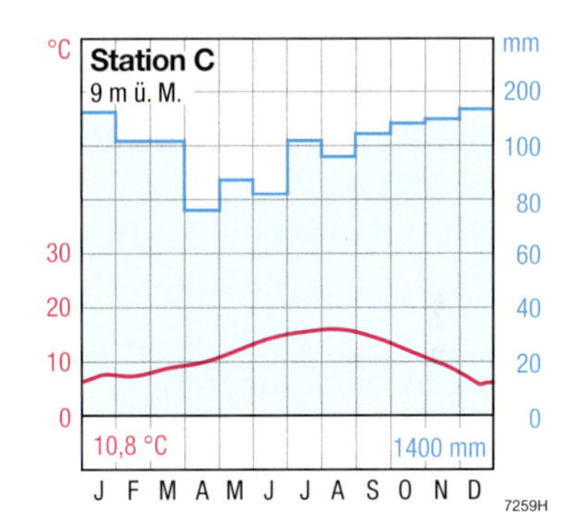

M5 *Klimadiagramme*

1 Die Erde ist ein „Wasserplanet".
a) Beschreibe die Verteilung des Wassers auf der Erde (M2, Atlas).
b) Ein Gedankenexperiment: Berechne den Durchmesser einer Kugel, in die alles Wasser der Erde passen würde. Vergleiche das Ergebnis mit dem Durchmesser der Erde (M2).

2 „So geht des Wassers Weise: Es fällt, es steigt, es sinkt in ewig gleichem Kreise, und alles, alles trinkt!" (James Krüss)
a) Analysiere den Wasserkreislauf der Erde und seine Teilkreisläufe (M1).
b) Stelle die besondere Bedeutung des Weltmeeres im Wasserkreislauf dar.
c) Erkläre die unterschiedlich langen Zeiträume, in denen das Wasser in den gegebenen Räumen komplett ausgetauscht wird (M2).
d) „Der Wasserkreislauf, der wichtigste Stoffkreiskauf der Erde, beeinflusst alle Landschaftskomponenten." Erläutere diese Aussage.

3 Das Weltmeer beeinflusst nicht nur das Klima der Festländer, sondern auch das des gesamten Planeten.
a) Valentia (Irland), Magdeburg und Kiew liegen etwa auf gleicher geographischer Breite, aber in sehr unterschiedlicher Lage zum Ozean. Ordne die Klimastationen A–C den drei Städten zu (M5).
b) Erläutere die Temperatur- und Niederschlagsunterschiede von Valentia und Kiew (M5).
c) „Das Weltmeer ist ein Klimapuffer." Erkläre diese Aussage (M4).
d) Warmes Meerwasser kann weniger Kohlenstoffdioxid aus der Atmosphäre aufnehmen als kaltes. Diskutiere diesen Fakt in Bezug auf die globale Erwärmung.

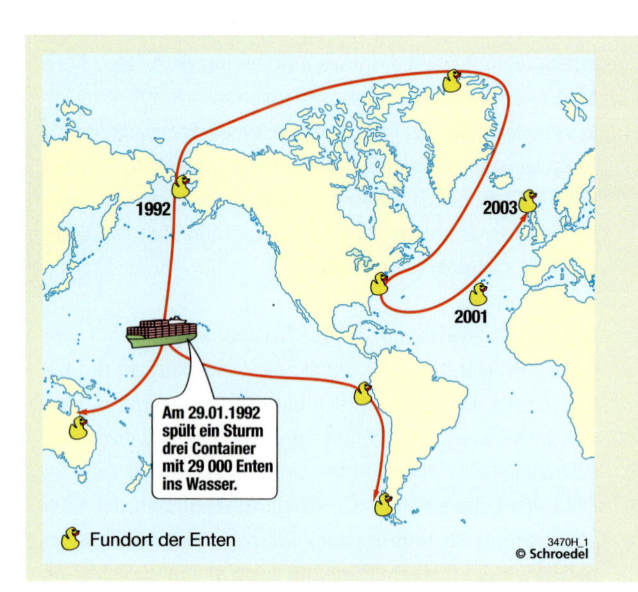

Im Januar 1992 verlor ein Frachter aus Hongkong auf seiner Reise nach Tacoma im US-Staat Washington im Ostpazifik einige Container mit insgesamt knapp 29000 Spielzeugtieren. Die Behälter öffneten sich, und die Plastikobjekte schwammen fortan auf dem Weltmeer dorthin, wo die Strömung sie hintrieb, und verteilten sich in verschiedene Richtungen.
Im Jahr 2000, acht Jahre nach dem Unglück, wurden einige Plastikenten im Nordatlantik zwischen Maine und Massachusetts gesichtet. Durch die Firmenaufschrift „Frist Years Inc." waren sie eindeutig zu identifizieren, obwohl Sonne und Meer die Oberfläche gebleicht hatten.

(Quelle: Tausende Quietsche-Enten nehmen Kurs auf England. In: www.spiegel.de, 30.06.2007)

M1 *Schwimmende Plastiktiere geben Auskunft über Meeresströmungen*

Bewegungen des Weltmeeres

Wellen und Meeresströmungen

Die oberen Wasserschichten, aber auch die tieferen Bereiche des Weltmeeres, sind in ständiger Bewegung.
Wind löst den Seegang aus, die Schwer- und Fliehkraft verursachen die Gezeitenwellen und untermeerische Erdbeben führen zu den gefürchteten Schockwellen (Tsunamis).
Während es sich bei den Wellen um reine Energieübertragung handelt, transportieren Meeresströmungen große Mengen Wasser über weite Entfernungen.
Der globale Kreislauf der Meeresströmungen, für den das Meerwasser etwa 3000 Jahre benötigt, spielt eine Schlüsselrolle innerhalb des Wärmetransports der Erde. Es gibt warme und kalte Meeresströmungen. Zudem sorgen die Strömungen dafür, dass gelöstes Kohlenstoffdioxid in die Tiefe der Ozeane gelangt.

Die bis zu 300 m tief reichenden **Oberflächenströmungen** erfahren ihren Antrieb durch die Schubkraft der Winde, die über längere Zeit aus denselben Richtungen wehen. Urheber dieser auch als Trift bezeichneten Strömungen sind die Passate und der Monsun in den Tropen sowie die Westwinde der mittleren nördlichen und südlichen Breiten. Die Richtungen der über große Entfernungen wirksamen Driftströmungen werden darüber hinaus von den Kontinenten, dem Meeresbodenrelief und der Erdrotation beeinflusst. Letztere erzeugt im zentralen Bereich aller Ozeane große Strömungswirbel, die auf der Nord- und Südhalbkugel verschiedene Strömungsrichtungen aufweisen.
Unterschiede im Salzgehalt (Salzwasser ist schwerer als Süßwasser) und der Wassertemperatur (kaltes Wasser ist schwerer als warmes) führen zu vertikalen Wasserbewegungen und treiben die **Tiefenströmungen** an. Diese vertikale Verlagerung ist ein entscheidender Motor für das weltumspannende Strömungssystem, denn das absinkende Wasser „saugt" neues Oberflächenwasser aus den Tropen an.
An den Ostseiten der Kontinente herrschen polwärts gerichtete warme Strömungen vor. Das Wasser der Meeresströmungen transportiert riesige Mengen Wärmeenergie aus den Tropen in die hohen nördlichen und südlichen Breiten. Es erwärmt die darüber liegende Luft und hat somit großen Einfluss auf die Temperaturen der Küstenregionen.
An den Westseiten der Kontinente verschieben die Passate warmes und nährstoffarmes Oberflächenwasser seewärts, das durch aufsteigendes kühles, aber nährstoffreiches Tiefenwasser ausgeglichen wird. Besonders der Küstenabschnitt von Zentralchile über Peru bis nach Ecuador im Bereich des Humboldtstroms gilt als beispielhaft unter den Auftriebsgebieten (Upwelling-Gebiete).

M2 *Entstehungsfaktoren von Meeresströmungen*

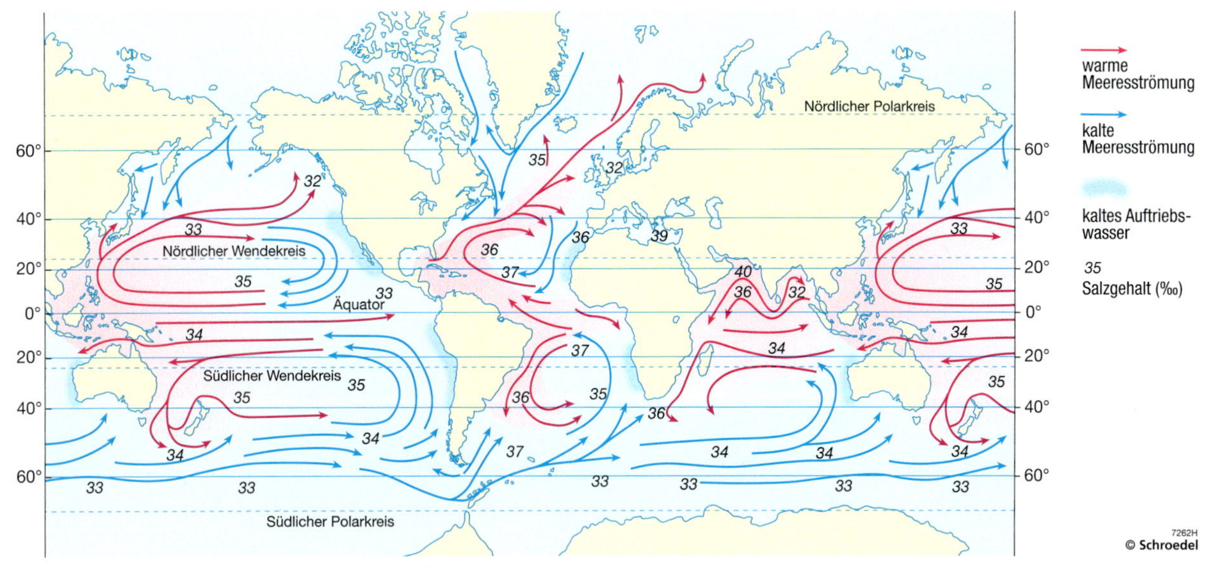

M3 *Oberflächenströmungen im Weltmeer*

Der Golfstrom transportiert pro Stunde etwa 100 km³ Wasser, mehr als das Hundertfache aller Flüsse der Erde zusammen. Pro Sekunde gelangen mit ihm rund 150 Mrd. Megawatt Wärmeenergie in den nordatlantischen Raum, 100-mal mehr als der gegenwärtige Energiebedarf der Menschheit. Der Golfstrom ist damit die kostenlose Warmwasserheizung Europas.

Auf ihrem Weg von der Karibik zum Nordatlantik verliert die Golfstromtrift an Geschwindigkeit, zugleich verdunstet unterwegs so viel Wasser, dass sie immer salzhaltiger wird. Vor Grönland trifft sie auf kaltes, arktisches Oberflächenwasser und kühlt ab. Die Dichte des Wassers ist jetzt so groß, dass es absinkt: In sogenannten Sinkschloten stürzen pro Sekunde etwa 17 Mio. m³ Wasser in das Tiefseebecken. Die Wassermassen fließen als Tiefenströmung in den Indischen Ozean.

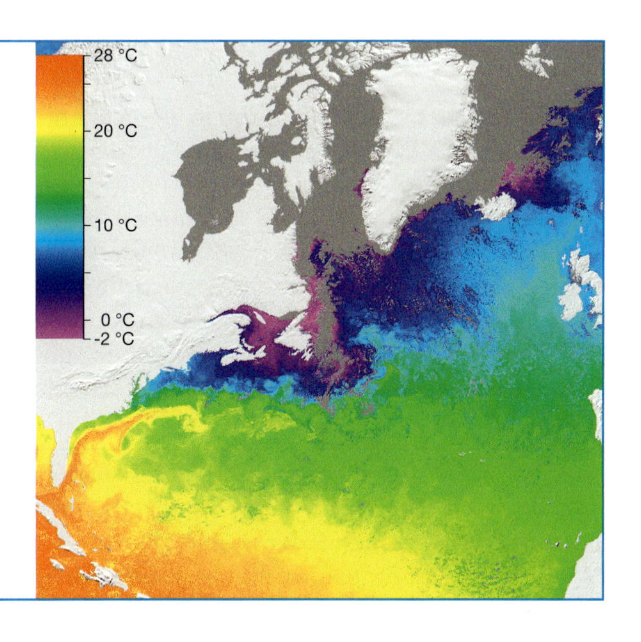

M4 *Der Golfstrom*

1 Die Ozeane sind durch ein System von Meeresströmungen miteinander verbunden.
a) Benenne die Meeresströmungen, die die Plastikenten transportiert haben (M1, M3, Atlas).
b) Analysiere das System der Oberflächenströmungen (M3).
c) Stelle die Antriebskräfte der Wasserbewegungen im Weltmeer in einer Mindmap dar (M2, M3).

2 Meeresströmungen spielen eine wichtige Rolle für das Klima und das Leben der Menschen.
a) Erläutere, wie die Meeresströmungen die Durchschnittstemperaturen im Norden und Süden Japans beeinflussen (Atlas).
b) Begründe, dass die Ostküste Südamerikas im Vergleich zur Westküste viel weniger für den Fischfang geeignet ist.
c) Eine Idee für die Endlagerung von radioaktivem Müll ist die Tiefsee. Beurteile diese Möglichkeit.
d) Erläutere die Bedeutung des Golfstroms für Europa (M3, M4, Atlas).
e) Ein Anstieg der Wassertemperaturen im Arktischen Ozean kann weitreichende Folgen für das Klima Europas haben. Begründe (M2, M4).

M1 Observatorium in der Atacama-Wüste

M3 *Küstenwüste Namib*

Küstenwüsten

Auf der Hochebene Chajnantor in der chilenischen Atacama-Wüste betreibt die Europäische Südsternwarte zusammen mit internationalen Partnern das Atacama Large Millimeter Array, kurz ALMA. Mit dem derzeit größten Observatorium der Erde erhoffen sich die Wissenschaftler, noch weiter in das Universum schauen zu können. Der Standort für die 66 Präzisionsantennen, die bis zu 16 km voneinander entfernt stehen, scheint auf den ersten Blick schlecht gewählt: In der Region gibt es keine Ansiedlungen, sie ist nur auf unbefestigten Pisten erreichbar, die Entfernungen zu den beteiligten Staaten betragen mehrere Tausend Kilometer. Aber der große Vorteil ist: An nahezu 365 Tagen im Jahr ist es an der chilenischen Westküste wolkenlos.
Verantwortlich für die extrem ariden Verhältnisse sind die Bedingungen vor der chilenischen Küste.

Atacama, Sonora und Namib sind drei der größten **Küstenwüsten** der Erde. Sie umfassen einen relativ schmalen Streifen entlang der Westküsten Südamerikas und Afrikas. Dass Wüsten in unmittelbarer Nachbarschaft des Meeres entstehen können, liegt an kalten Meeresströmungen.
Über dem Ozeanwasser kühlen die unteren Luftschichten stark ab. Die aus dem Inneren der Kontinente wehende, wärmere Passatluft strömt über der Kaltluft ab. Dadurch entsteht eine stabile Luftschichtung (Sperrschicht), die das Aufsteigen von Luft und damit die Bildung von Wolken verhindert. Somit fallen in den Küstenwüsten extrem selten Niederschläge. Nur während der Nacht und am frühen Morgen bilden sich Nebelbänke, die auch ins Landesinnere vordringen können. Der Nebel schlägt sich in den kalten Morgenstunden nieder und ist für die hier vorkommenden Pflanzen und Tiere die einzige Feuchtigkeitsquelle.

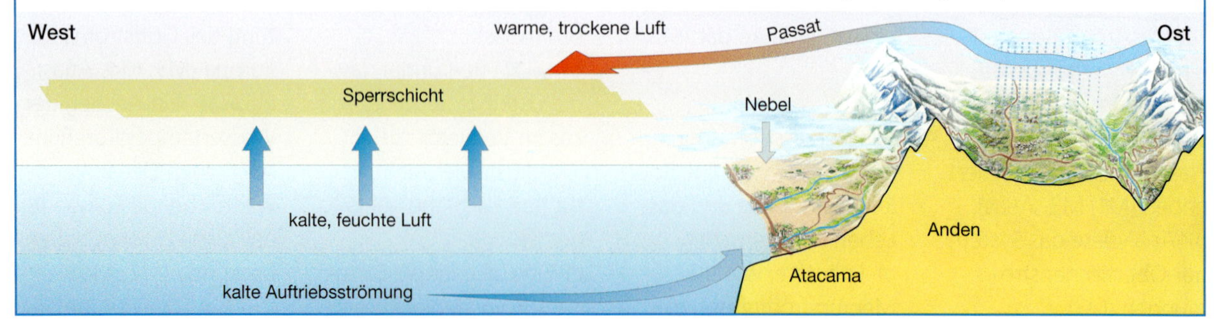

M2 *Die Entstehung von Küstenwüsten*

Bäume, mitten in der trockenen Atacama-Küstenwüste? Es sind Tamarugos. Diese Bäume können bis zu 20 m hoch werden, wachsen allerdings nur sehr langsam. Dass sie in der vollariden Wüste überhaupt existieren können, verdanken sie ihren bis zu 15 m langen Wurzeln. Damit können sie sogar das tiefer liegende Grundwasser erreichen. Außerdem kommen die Bäume mit salzigem Grundwasser aus. Andere Pflanzen in der Atacama nutzen die Niederschläge des morgendlichen Nebels. Der Tau sammelt sich an den Blättern und wird dann den Wurzeln zugeführt.

M4 *Pflanzen in der Wüste – Anpassungsformen*

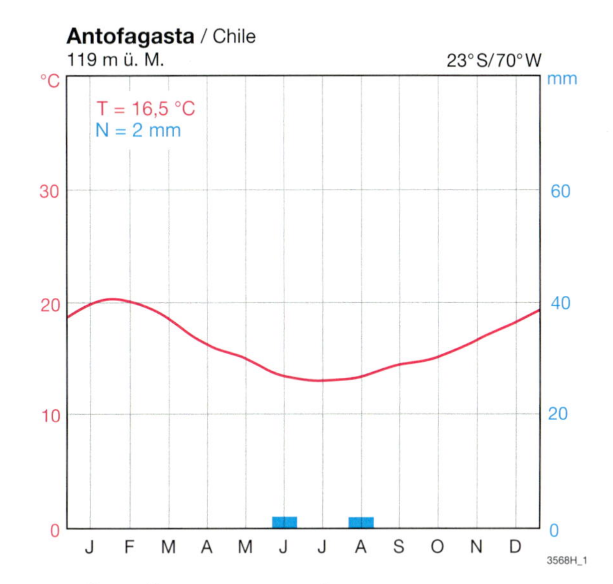

M6 *Klimadiagramm Antofagasta*

„Hier auf diesem Berg war immer Nebel, aber wir schenkten ihm keine Beachtung“, erzählt der Landwirt Daniel Rojas, während sein graues Haar vom eisigen Wind zerzaust wird. Mit einer ausladenden Handbewegung deutet er auf das, was durch den Nebel noch zu sehen ist: Steine, Kakteen, Sträucher. […]
Rojas ist der Bürgermeister von Peña Blanca, einem Dorf mit 85 Einwohnern südlich der Küstenstadt La Serena. Espinosa tüftelte und tüftelte – und fand schließlich die Antwort in einem dichten Netz, hergestellt aus Nylon. „Vorher hatten wir es mit Metallfäden versucht, aber die verschmutzten das Wasser. Nylon hingegen hat eine ähnliche, abkühlende Wirkung und hinterlässt keine Rückstände“, erzählt Espinosa. Der in dem Netz gefangene Kondenstropfen fiel durch die Schwerkraft in eine Rinne, die in ein Plastikfass führte.
1956 litt Espinosas Heimatstadt Antofagasta unter einer schweren Dürre, das Trinkwasser wurde knapp, und zusammen mit einem befreundeten Ingenieur stellte Espinosa die ersten Nebelfänger auf.
Sie lösten das Problem nicht wirklich. Die Menge war viel zu gering, zudem riss der Wind das Konstrukt mehrmals um. Doch vom Prinzip her funktionierte es.
Seine nächste Herausforderung war, den Prototyp zu verfeinern und Finanziers zu finden. Damit wurde er zum Pionier der Nebelfänger Chiles.

(Quelle: Weiss, Sandra: Die Nebelfänger der Atacamawüste. In: www.tagesspiegel.de, 2014)

M5 *Kondenswassernutzung in Chile*

1 Es scheint auf den ersten Augenblick ungewöhnlich, dass Wüsten direkt an Küsten entstehen können.
a) Beschreibe die Lage der Küstenwüsten Atacama, Sonora und Namib sowie die dort vorherrschenden Meeresströmungsverhältnisse (Atlas).
b) Erkläre die in diesen Regionen vorherrschenden extrem ariden Klimaverhältnisse (M2, M6).
c) Begründe, warum an den Ostküsten der Kontinente keine Küstenwüsten auftreten (Atlas).

2 Trotz der extrem ariden Bedingungen gibt es auch in den Küstenwüsten Leben und wirtschaftende Menschen.
a) Antofagasta ist eine Stadt mit über 300 000 Einwohnern, direkt am Rand der Atacama-Küstenwüste. Werte das Klimadiagramm von Antofagasta aus (M6).
b) Finde Gründe für die Lage der Stadt in diesem extremen Lebensraum.
c) Stelle Anpassungsformen der Pflanzenwelt an die Bedingungen der Küstenwüsten dar (M4).
d) Erläutere das Projekt der Nebelfänger in Chile (M5). Beurteile, inwieweit dieses Projekt die Probleme bei der Trinkwasserversorgung in dieser Region lösen kann.

M1 *Dürre und Brände an Australiens Ostküste*

M3 *Verheerende Überschwemmung in Peru*

El Niño – La Niña: „Klimaschaukel" im Pazifik

Peruanische Fischer haben den Wetterphänomenen im äquatorialen Pazifik ihre Namen gegeben – in regelmäßigen Abständen von zwei bis sieben Jahren kommt es vor der Küste Perus zu einem ungewöhnlichen Anstieg oder Absinken der Oberflächenwassertemperaturen gegenüber dem langjährigen Durchschnitt.

Normalsituation:
In Äquatornähe treiben im Pazifischen Ozean der Nordost- und Südostpassat die äquatorialen Meeresströmungen an. Sie sorgen im Westpazifik für einen höheren Meeresspiegel, tropisch-warme Wassertemperaturen und Niederschläge. Im Ostpazifik, vor der Küste Südamerikas, strömt dagegen kaltes Tiefenwasser an die Meeresoberfläche.

El-Niño-Situation:
Dieses Phänomen tritt meist in der Weihnachtszeit auf und wird daher als **El Niño** (span. = Christkind) bezeichnet. Alle zwei bis sieben Jahre schwächt sich die Schubkraft der Passate aus bislang noch nicht geklärten Ursachen ab. Dann strömt das vor Australien und Südostasien aufgestaute warme Oberflächenwasser nach Osten ab. Somit steigt kaltes Wasser an den Küsten auf. Die Luft kühlt sich ab und sinkt nach unten, was wiederum zur Wolkenauflösung führt. Vor der Küste Südamerikas dagegen wird der Kaltwasseraufstieg im Ostpazifik unterbrochen.

La-Niña-Situation:
Der „Gegenspieler" zu El Niño wird als **La Niña** (span. = Mädchen) bezeichnet. Häufig tritt La Niña nach einem El-Niño-Ereignis auf. In dieser Zeit wehen die Passate besonders kräftig aus östlicher Richtung und große Mengen Wasser werden nach Westen getrieben. Vor der Küste Südamerikas wird vermehrt kaltes Wasser an die Oberfläche transportiert. Die Wassertemperaturen können deutlich unter die Normalwerte sinken.

Die Auswirkungen auf die Natur und die Menschen sind nicht nur in Peru, sondern auch an den Pazifikküsten Amerikas, Australiens und Asiens spürbar.

Während eines El-Niño-Ereignisses ist die Wahrscheinlichkeit von Waldbränden in Indonesien, von Buschfeuern im Osten Australiens oder von Schäden aus Überflutung und Hangrutschungen an den Andenhängen Ecuadors, Südkolumbiens oder Nordperus sowie in Kalifornien deutlich erhöht. Andererseits nimmt in El-Niño-Phasen die Hurrikan-Aktivität im Nordatlantik ab; im Nordwestpazifik erhöht sich zwar im Schnitt die Anzahl der intensiven Taifune, jedoch treffen sie nicht häufiger auf Festland. Auch La Niña beeinflusst das weltweite Wetter. Die Auswirkungen sind verglichen mit El Niño jedoch tendenziell umgekehrt: In Gebieten mit beispielsweise häufigem Starkregen herrscht nun Trockenheit.

M2 *Ein Versicherungsunternehmen über El Niño und La Niña*

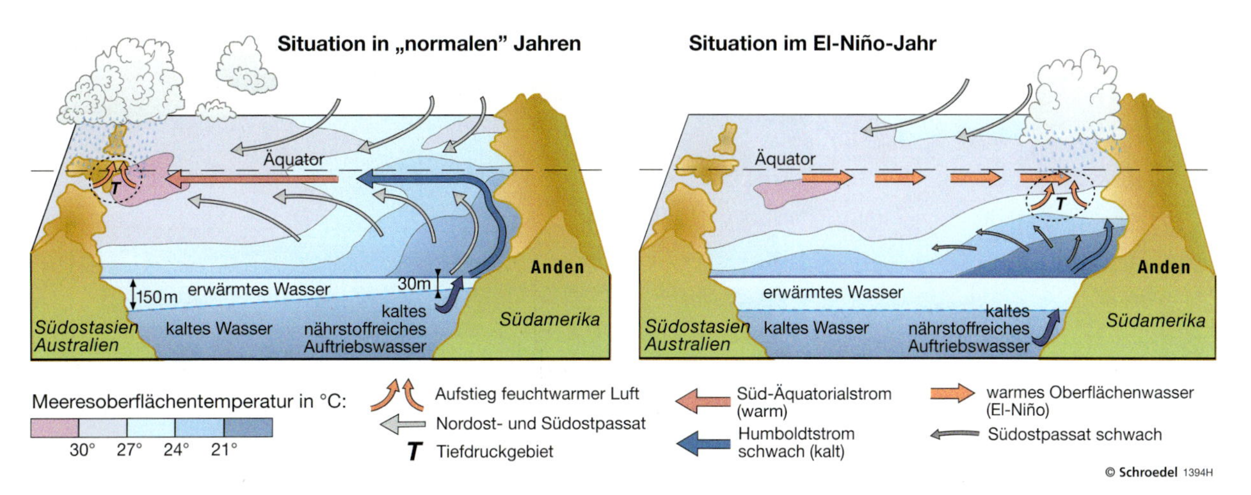

M4 *Zirkulation im Südpazifik*

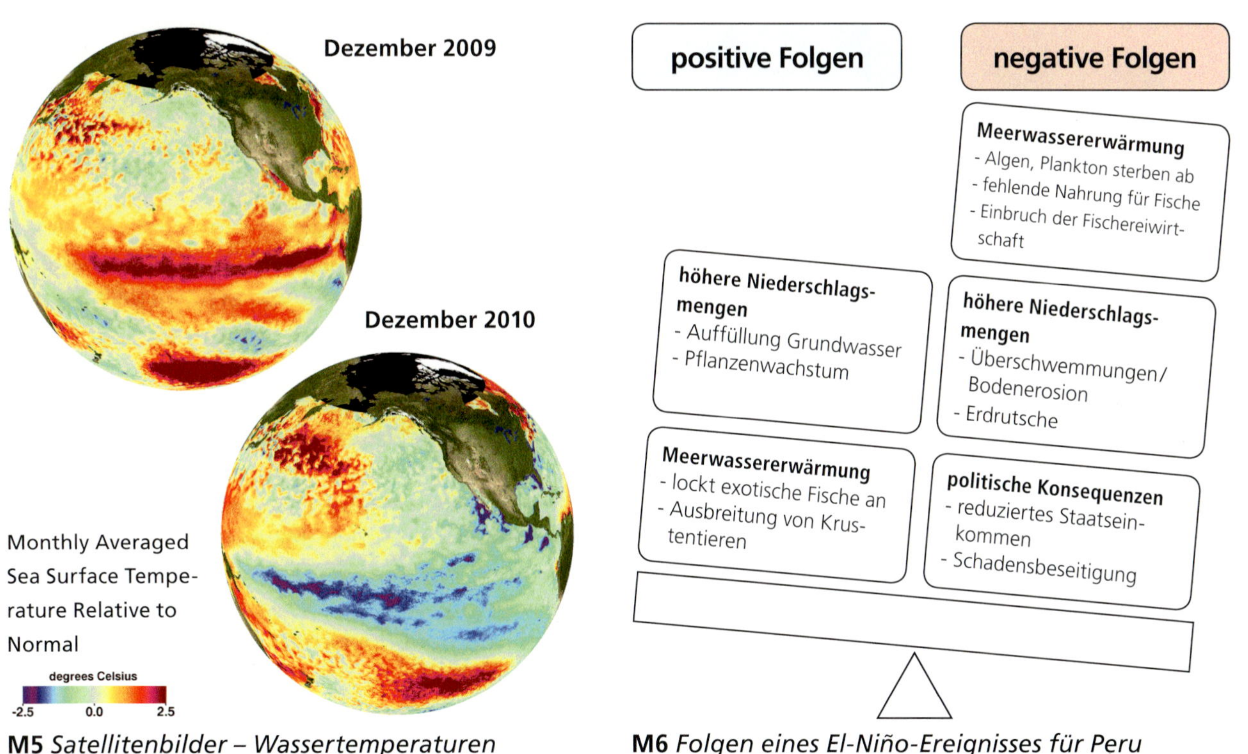

M5 *Satellitenbilder – Wassertemperaturen*

M6 *Folgen eines El-Niño-Ereignisses für Peru*

1 Das System zwischen Ozean und Atmosphäre im äquatorialen Pazifik:
a) Charakterisiere den Normalzustand, El-Niño- und La-Niña-Ereignisse (M4, Atlas).
b) Erläutere die Auswirkungen eines El-Niño-Ereignisses (M1 – M3)
c) Ordne die Satellitenbilder der Normal- bzw. El-Niño-Situation zu (M5).
d) Untersuche die aktuelle Situation im äquatorialen Pazifik (www.elnino.noaa.gov).

2 Auswirkungen der „Klimaschaukel" im Pazifischen Ozean:
a) Versicherungsunternehmen interessieren sich für El-Niño- und La-Niña-Ereignisse. Erläutere dieses Interesse (M2).
b) Begründe, dass die Fischereiwirtschaft Perus und Chiles während eines El-Niño-Ereignisses deutliche Fangverluste hinnehmen muss.
c) Recherchiere zu weiteren Folgen von El-Niño- bzw. La-Niña-Ereignissen.
d) "El-Niño – Fluch oder Segen." Diskutiert diese Aussage (M6).

M1 *Chinesische Proteste gegen japanische Gebietsansprüche auf die Diao-Yu-Inseln*

Wem gehört das Weltmeer?

„Mare liberum" – „die Freiheit der Meere" war über Jahrhunderte ein ungeschriebenes Gesetz. Das Weltmeer stand allen zur Verfügung. Keine Nation durfte sich Vorrechte aneignen.

Erst im 18. Jahrhundert wurden die Hoheitsgewässer eines Landes auf eine maximale Breite von drei Seemeilen festgeschrieben. Nach dem Zweiten Weltkrieg erweiterten die USA im Alleingang die Hoheitsbefugnisse über die Drei-Seemeilen-Zone hinaus. Zahlreiche Länder folgten diesem Vorgehen. Chile, Peru und Ecuador dehnten die nationale Verfügungsgewalt über die marinen Ressourcen sogar bis zu 200 Seemeilen vor ihren Küsten aus. Die bis dahin geltende Rechtsordnung war zusammengebrochen.

Die UNO versuchte, auf den ersten beiden **Seerechtskonferenzen** die Rechtsunsicherheit auf dem Weltmeer zu beseitigen. Es kam aber zu keiner Einigung. Erst 1967 wurde ein umfassendes Konzept zur Meeresnutzung ausgearbeitet. Über fast ein Jahrzehnt zogen sich die Verhandlungen hin. Fünfzehn Jahre später stimmten 130 Staaten für das **Seerechtsübereinkommen**. Bis heute haben mehr als 160 Länder das Abkommen ratifiziert und das Regelwerk als rechtskräftig akzeptiert. Seine Wirksamkeit ist bis heute jedoch vor allem von der Bereitschaft der Staaten abhängig, die Prinzipien zu befolgen, da es nur wenige Sanktionsmöglichkeiten zur Durchsetzung des Seerechts und keine Hochseepolizei gibt.

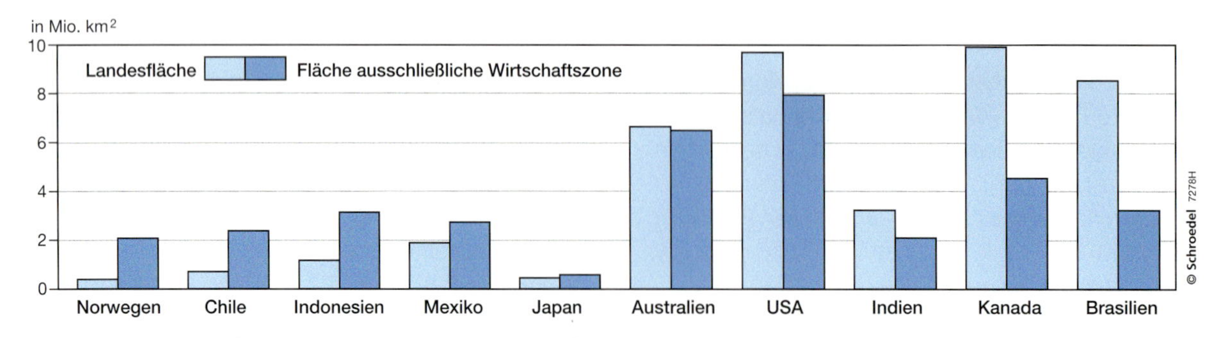

M2 *Vergleich Landflächen und Fläche **ausschließlicher Wirtschaftszone** im Weltmeer*

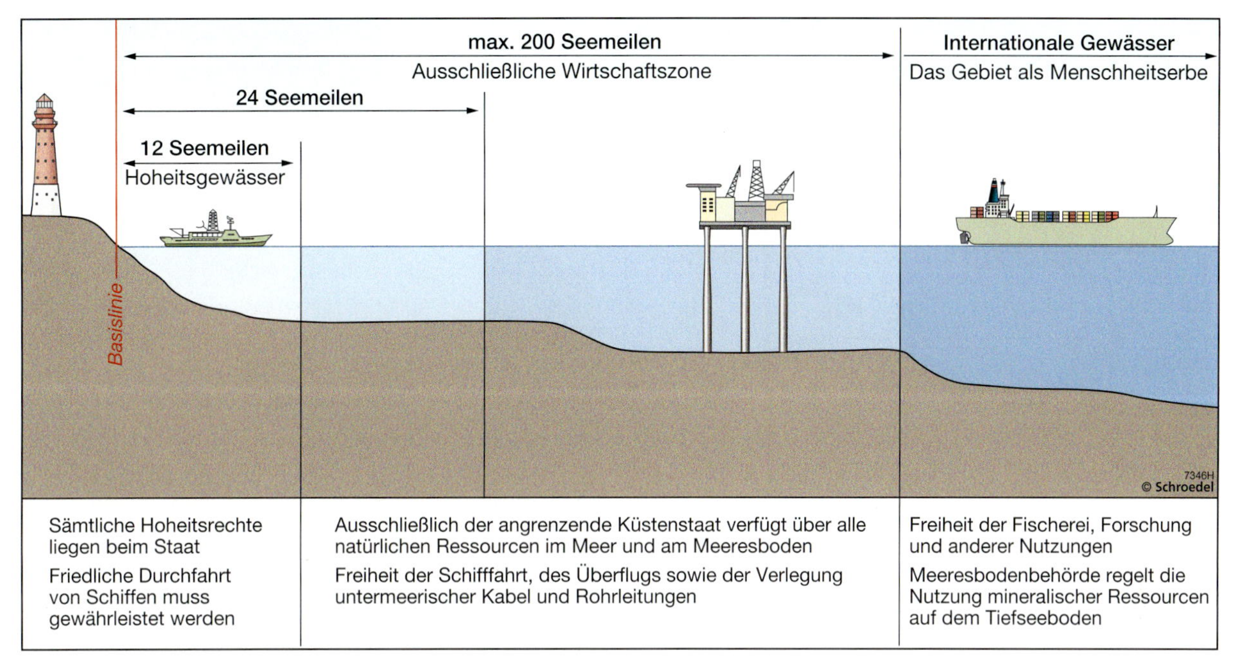

M3 *Grenzen im Weltmeer*

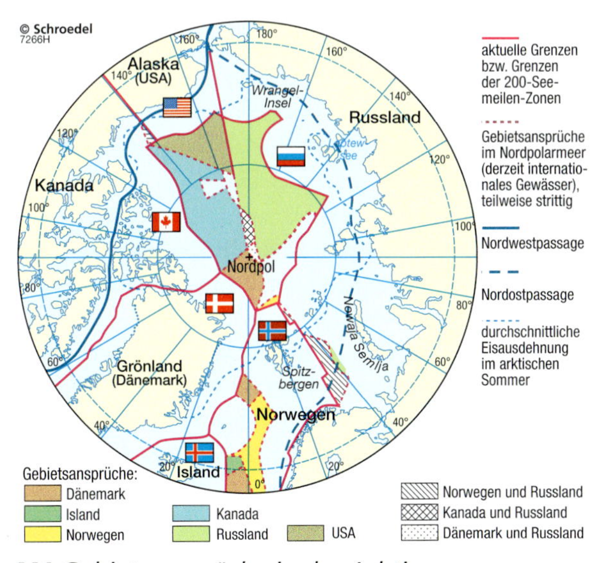

M4 *Gebietsansprüche in der Arktis*

Auf dem Kontinentalschelf im Ostchinesischen Meer gibt es eine sechs Quadratkilometer große Inselgruppe, die zwei Namen besitzt und um die seit den 1970er-Jahren heftig gestritten wird.
Diao-Yu-Inseln nennen sie die Chinesen und erheben Anspruch auf die fünf Inseln und drei Felskliffe, da sie diese schon im 14. Jahrhundert entdeckt und dokumentiert hatten. Senkaku-Inseln heißen sie in Japan, von wo sie seit 1972 verwaltet und 2012 von Tokio verstaatlicht wurden.
In dem Streit geht es um reiche Fischgründe und um Öl- und Gasvorkommen, die am Meeresgrund vermutet werden. Aber auch politische Motive spielen eine Rolle, gewinnt China in den letzten Jahren doch an Selbstbewusstsein, während Japan an Macht und Einfluss im südostasiatischen Raum verliert.

M5 *Streit um unbewohnte Inseln*

1 1982 schuf die Staatengemeinschaft mit dem Internationalen Seerechtsübereinkommen eine umfassende rechtliche Grundlage.
a) Stelle die Entwicklung des internationalen Seerechts in Etappen dar.
b) Erläutere die Ergebnisse des Internationalen Seerechtsübereinkommens (M3).
c) Das Internationale Seerechtsübereinkommen hat Gewinner und Verlierer. Erläutere diese Aussage unter Einbeziehung von M2.

2 Das Internationale Seerecht hat nicht auf jedes aktuelle Problem eine Antwort.
a) Erläutere den Streit zwischen Japan und China um die Inselgruppe der Diao-Yu-/Senkaku-Inseln (M5).
b) Ermittle weitere mögliche Seerecht-Konfliktgebiete (Atlas, Internet).

3 Wem gehört der Arktische Ozean?
a) Analysiere die Gebietsansprüche der Anrainerstaaten im Arktischen Ozean (M4).
b) Erkläre, warum um Gebietsansprüche im Arktischen Ozean erst seit einigen Jahren intensiv gestritten wird.

M1 *Traditionelle Fischerei (Sri Lanka)*

Meeresfischerei

Weltweit tobt seit Jahrzehnten ein ruinöser Wettbewerb um die Fischbestände der Ozeane. Das Bestreben der großen Fischereiunternehmen und ihrer Nachfolgeindustrien, aus der „Wildnis Weltmeer" einen „Acker für maximale Fischproduktion" werden zu lassen, endete damit, dass man bei vielen Speisefischarten der Meere gegenwärtig von ihrer **Überfischung** sprechen muss. Es werden mehr Fische gefangen als nachwachsen können. Dabei dient nur ein Teil als Speisefisch direkt der menschlichen Ernährung. Die sogenannte Gammelfischerei liefert Fisch für die Produktion von Fischmehl und -öl, die in Viehmastanlagen verfüttert, zu Margarine oder industriellen Backmitteln verarbeitet werden.

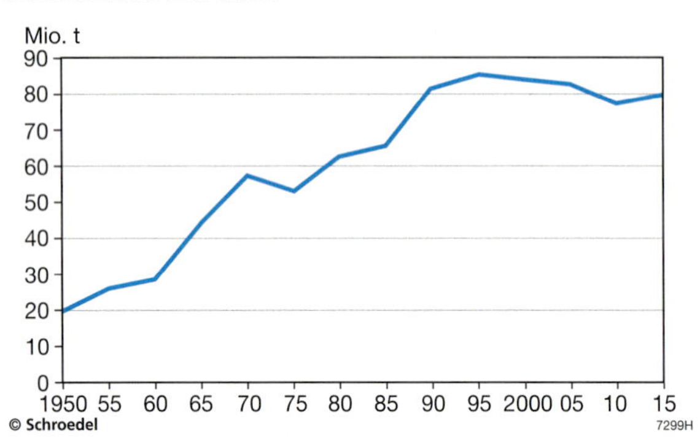

M2 *Entwicklung des Meeresfischfangs (in Mio. t)*

M3 *Moderne Fischerei (Nordatlantik)*

Die großen Fang- und Verarbeitungsschiffe der Fernfischereiflotten operieren heute weltweit und zeitlich nahezu unbegrenzt, da der Fisch schon an Bord verarbeitet und konserviert wird. Sie, aber auch kleinere Fischereifahrzeuge, verfügen über immer modernere Technik. Echolot und Satellitentechnik spüren punktgenau Fischschwärme auf, die dann mit spezialisierten Fangtechniken eingeholt werden. Dazu gehören z.B. mit Zehntausenden Haken bestückte Langleinen oder riesige Treibnetze, in die der Kölner Dom passen würde. Treibnetze sind zwar verboten, aber bis heute im Einsatz. In den durchsichtigen, bis zu 60 km langen Kunststoffnetzen verfangen sich neben dem Fangfisch auch Delfine, Schildkröten und Seevögel, die nicht in der Lage sind, die Maschen zu orten.

Da das Meer keine Monokulturen liefert, wird bei jedem Fang von Speisefisch auch ein Anteil von unerwünschten und nicht verwertbaren Arten, der sogenannte **Beifang**, mit an Bord gezogen. Der Großteil des unerwünschten Fangs wird häufig einfach über Bord ins Meer geworfen. Die meisten dieser Fische überleben diese Prozedur nicht und gehen so für den Bestand verloren. In der EU werden jährlich knapp zwei Millionen Tonnen Beifang ungenutzt ins Meer zurückgeworfen. Damit soll jetzt Schluss sein. Das EU-Parlament beschloss, dass zwischen 2014 und 2017 schrittweise der Rückwurf von essbarem Fisch ins Meer beendet werden muss. Eine internationale Regelung ist jedoch nicht in Sicht.

M4 *„Moderne" Fischerei*

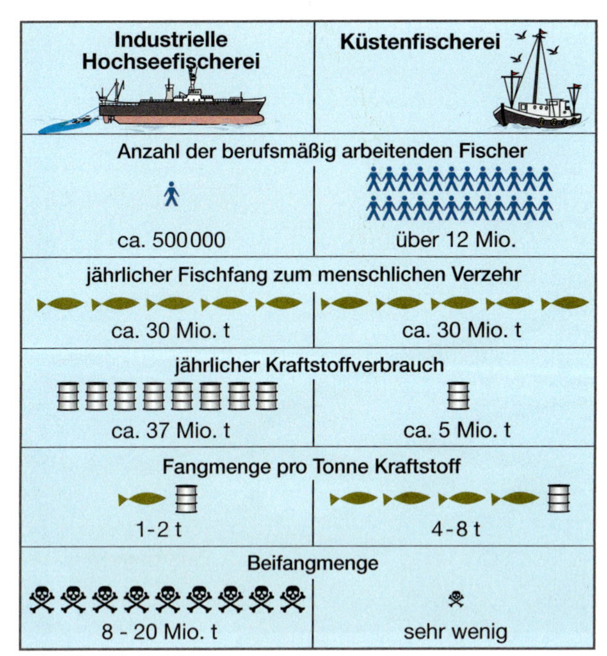

Industrielle Hochseefischerei	Küstenfischerei
Anzahl der berufsmäßig arbeitenden Fischer	
ca. 500 000	über 12 Mio.
jährlicher Fischfang zum menschlichen Verzehr	
ca. 30 Mio. t	ca. 30 Mio. t
jährlicher Kraftstoffverbrauch	
ca. 37 Mio. t	ca. 5 Mio. t
Fangmenge pro Tonne Kraftstoff	
1-2 t	4-8 t
Beifangmenge	
8 - 20 Mio. t	sehr wenig

M5 *Hochsee- und Küstenfischerei im Vergleich*

M7 *Karikatur*

Der Fischfang ist inzwischen längst globalisiert. Die Ratifizierung der UN-Seerechtskonvention führte in den 1990er-Jahren dazu, dass die Industrieländer, die bis dahin mit modernen Fangflotten **Hochseefischerei** betrieben, große Einbußen hinnehmen mussten. Dagegen konnten viele Entwicklungsländer, jetzt über ihre Wirtschaftszone verfügend, die Fangmengen der eigenen Fangflotte deutlich erhöhen. Diese Länder produzieren heute etwa zwei Drittel der weltweiten Meeresfischereimenge und profitieren von der steigenden Nachfrage nach Fisch in den reichen Ländern, da der Export hohe Deviseneinnahmen abwirft. Allerdings führt das in diesen Ländern meist zu einem dualen Fischmarkt: hochwertige Ware für den Export und billige Massenware für den Inlandsbedarf. Viele Küstenstaaten vergeben Fanglizenzen für ihre Wirtschaftsgewässer. Verlierer ist die traditionell wirtschaftende **Küstenfischerei** mit weitreichenden Folgen für die ansässige Bevölkerung.

M6 *Globalisierte Fischerei*

	2003	2012
China	12,2	13,9
Indonesien	4,3	5,4
USA	4,9	5,4
Peru	6,1	5,1
Russland	3,1	4,1
Japan	4,6	3,6
Indien	2,9	3,4
Chile	3,6	2,6
Vietnam	1,6	2,4
Myanmar	1,1	2,3

M8 *Größte Fischproduzenten (Mio t)*

1 Seit den 1950er-Jahren hat sich die Fischfangmenge vervielfacht.
a) Vergleiche Hochsee- und Küstenfischerei (M4).
b) Analysiere die Entwicklung der globalen Fischerei (M2, M5, M6, M8).
c) Bewerte die Karikatur (M7).
d) Stelle in einer grafischen Übersicht die Ursachen der Überfischung der Meere dar (M4, M5).

2 Die Fischerei ist bis heute Lebensgrundlage für Millionen Küstenbewohner.
a) Stelle die Folgen der globalen Fischerei für die Entwicklungsländer dar (M6).
b) Beurteile die Aussage: „Eine weitere technologische Aufrüstung der Fischereiflotten ist ökologisch und ökonomisch gefährlich."

M1 *Lachszuchtfarm in Norwegen*

M3 *Shrimpsfarm in Thailand*

Aquakulturen als Alternative?

Garnelen und Shrimps gibt es heute in jedem Supermarkt zu kaufen. Sie stammen meist aus tropischen Ländern, wo sie in Aquafarmen für den Export gezüchtet werden.

Während selbst die modernsten Flotten nach der uralten Methode des Jagens und Sammelns arbeiten, wird bei der **Aquakultur** die „Fischjagd" durch die „Fischbewirtschaftung" abgelöst.

In Binnengewässern wird schon seit Tausenden von Jahren Fischzucht betrieben. Das Züchten von Meerfisch wurde allerdings erst Ende der 1960er-Jahre begründet. Die Idee Thor Morwinkels, Wildlachs in Netzkäfigen aufzuziehen, galt zunächst als undurchführbar. Doch das Experiment gelang. Vom Ausbrüten der Eier bis zur Schlachtung erfolgt die Aufzucht des Lachses in Aquakulturen, ähnlich der modernen Tierzucht in der Landwirtschaft.

In den letzten Jahren verzeichnen Aquakulturen zweistellige Zuwachsraten. Etwa ein Drittel der Weltfischereimenge stammt heute aus Farmen für verschiedenste Fischarten, Muscheln, Krebse und Algen.

Aber die „Fischmast" bringt, wie die Intensivtierhaltung an Land, auch Probleme mit sich und ist unter dem Aspekt der **Nachhaltigkeit** kritisch zu betrachten.

M2 *Aquakultur und Fangfischerei*

	1990	2000	2012
Afrika	3 736	8 207	17 618
Amerika	247 943	813 524	2 009 881
Asien	4 227 464	1 110 514	20 064 895
Europa	890 279	1 595 395	2 415 213
Ozeanien	40 224	117 674	179 882

M4 *Marine Aquakulturen (in t)*

Online-Redaktion: Während der Dreharbeiten habt ihr solche Aquakulturen in Thailand besucht. Waren die Menschen dort eher offen oder seid ihr auf Widerstand gestoßen?
Menn: Die kleineren Farmer waren überwiegend offen und haben uns ihre Farmen gezeigt und auch über ihre Probleme berichtet. Diese kleineren Farmen haben meist nur ein oder zwei Teiche und kämpfen hart um einen guten Verdienst. Geht die Ernte durch den Ausbruch einer Krankheit in einem der Teiche verloren, ist es ein Desaster für sie. Aber wie an vielen Orten der Welt dominieren wenige große Firmen – man kann nahezu sagen eine Firma – das Geschäft. Sie haben großräumige Anlagen mit vielen Teichen und bestimmen das Geschäft. Bei diesen Farmen wurde uns der Zutritt oft verwehrt.

Online-Redaktion: In Supermärkten gibt es inzwischen eine riesige Auswahl an Garnelen. Kann man als Verbraucher unterscheiden, welche Shrimps schmutzig sind und welche nicht?
Menn: Grundsätzlich sollte bei tropischen Shrimps erst einmal eine Alarmglocke schrillen. Es gibt nur sehr wenige Shrimps auf dem Markt, die aus einer ökologisch nachhaltigen Aquakultur stammen. Mithilfe des Greenpeace-Ratgebers „Fisch – beliebt, aber bedroht", kann man die richtige Wahl treffen.

Online-Redaktion: Was können Verbraucher gegen die schmutzige Produktion von Shrimps tun?
Menn: Seltener Shrimps essen und wenn, die richtige Wahl treffen. Durch seine Wahl am Tiefkühlregal oder an der Fischtheke kann der Verbraucher ein deutliches und starkes Signal an den Handel geben. So kann jeder einzelne und können wir alle gemeinsam etwas verändern.

(Quelle: Erbrich, Marissa: Auf den Spuren der Garnelen-Industrie in Thailand. In: www.greenpeace.de, 22.02.2012)

M5 *Interview mit der Greenpeace-Meeresexpertin Dr. Iris Menn*

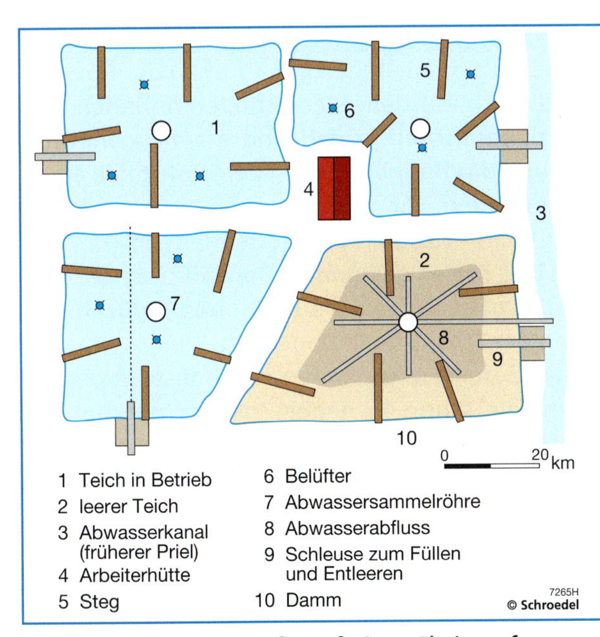

Zu Beginn der Aufzucht kommen die im offenen Meer gefangenen, zunehmend jedoch auch im Labor gezüchteten Garnelenlarven in etwa ein Meter tiefe und bis zu 30 ha große Zuchtbecken. Dort wachsen sie bei einer Bestandsdichte von bis zu 600 000 Tieren pro Hektar zu ausgewachsenen Garnelen heran.
Da Shrimps auf Sauerstoffmangel sehr empfindlich reagieren, ist es notwendig, das Wasser der Teiche täglich auszutauschen. Das geschieht durch den Gezeitenstrom, aber auch durch Pumpen, die Süßwasser in die Zuchtbecken fördern. Der massive Einsatz von Antibiotika und Pestiziden soll den Ausbruch von Krankheiten verhindern. Durch Fütterung mit eiweißreichem Fischmehl erreichen die Fleisch fressenden Shrimps nach etwa 90 bis 120 Tagen ihr Erntegewicht. So sind drei bis vier Ernten pro Jahr möglich, wobei die Produktionsmengen zwischen 900 und 6 000 kg/ha/Jahr stark schwanken.

M6 *Produktionsabläufe auf einer Shrimpsfarm*

1 Ist die Aquakultur der Ausweg, die Überfischung der Meere aufzuhalten und die Nahrungsmittelversorgung der Menschen mit eiweißreichem Fisch zu sichern?
a) Erkläre den Begriff Aquakultur (M1, M3).
b) Beschreibe die globale Entwicklung der Aquakultur (M2, M4).
c) Beschreibe die Abläufe bei der Shrimps-Produktion (M6).
d) Stelle die Vor- und Nachteile der Aquakultur gegenüber der Fangfischerei dar (M1 – M6).
e) „Der Kaufverzicht von nicht zertifizierten Aquakulturprodukten ist eine Möglichkeit, Fischereiunternehmen zum Umdenken zu bewegen." Diskutiere diese These.
f) Untersuche in Geschäften im Schulumfeld Herkunftsgebiete der angebotenen Shrimps-Produkte sowie Informationen zu deren Nachhaltigkeit.

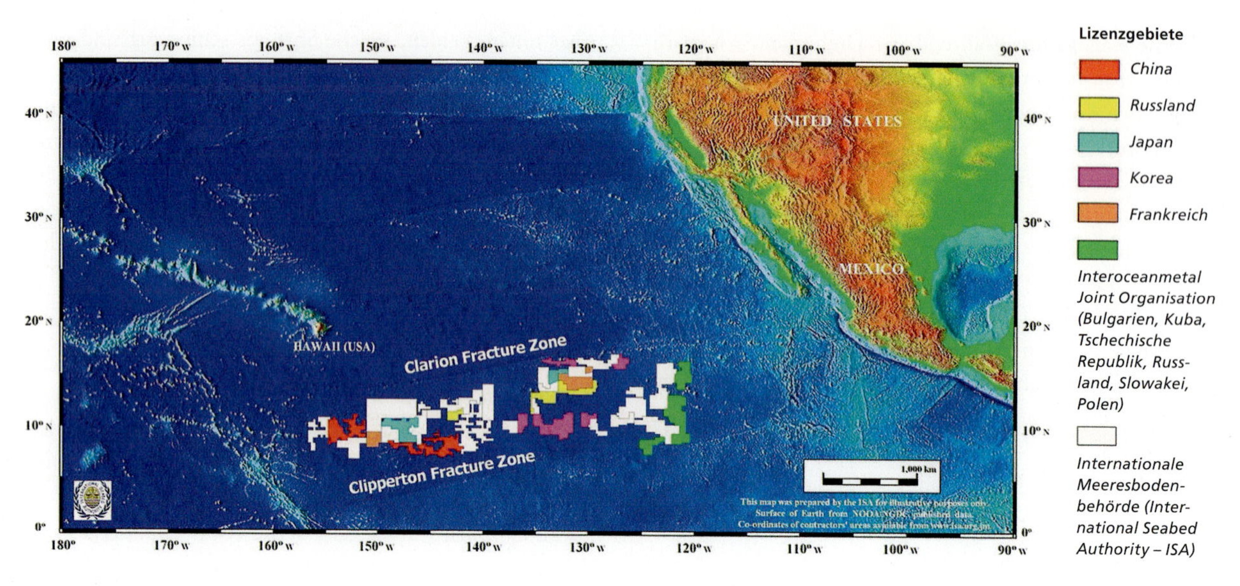

M1 *Clarion-Clipperton-Zone (Manganknollen-Explorationsgebiete im Pazifischen Ozean)*

Nutzung des Weltmeeres – Rohstoffe

Das Weltmeer stellt bei der intensiven Suche nach neuen Rohstoffressourcen ein riesiges, in großen Teilen noch unerforschtes Reservoir dar.
Das Meerwasser kann man als „flüssiges Erz" bezeichnen, denn in ihm sind fast alle in der Natur vorkommenden chemischen Elemente in gelöster Form enthalten: Könnte man das Wasser der Ozeane verdampfen, würde eine etwa 200 m dicke Schicht Erze die Erde bedecken. Gegenwärtig lohnt sich die direkte Gewinnung von Stoffen aber nur bei der Produktion von Kochsalz (ein Drittel der Weltproduktion), Magnesium, Brom und Kalium, da bei anderen Stoffen die Konzentrationen pro Kubikmeter Wasser viel zu gering sind.

Hohe Kosten entstehen beim Abbau der Rohstoffe, die sich auf dem Meeresboden befinden. Der Kontinentalschelf ist dabei noch am zugänglichsten und das Hauptgebiet, in dem Rohstoffe abgebaut werden. Für die Bauindustrie werden in unmittelbarer Küstennähe große Mengen von Sanden und Kiesen gewonnen. Die größte Bedeutung besitzt gegenwärtig die Erdöl- und Erdgasförderung der **Offshore**-Regionen.
In größeren Tiefen finden sich Rohstoffvorkommen, die schon in naher Zukunft nutzbar gemacht werden könnten, z. B. die Manganknollenfelder in der Tiefsee und die Erze an den **Black Smokers** entlang der mittelozeanischen Rücken.

Geschätzte 10 Mrd. t **Manganknollen** liegen in vier bis sechs Kilometern Tiefe, vor allem im Pazifischen und Indischen Ozean. Sie sind etwa kartoffel- bis salatkopfgroß und bestehen zu einem Drittel aus Mangan, das für die Stahlveredelung gebraucht wird sowie aus Nickel, Kupfer, Kobalt und zahlreichen anderen Metallen. In ergiebigen Tiefseegebieten schätzt man Vorkommen von 10 kg/m². Das ist ein Vielfaches der Mengen, die heute in kontinentalen Lagerstätten abgebaut bzw. vermutet werden. Allein das Vorkommen in der Clarion-Clipperton-Zone, sie ist etwa so groß wie Europa, enthält circa zehnmal mehr Mangan als alle heute wirtschaftlich abbaubaren Lagerstätten an Land.
Die einzelnen Knollen liegen lose auf dem Meeresboden und müssen eigentlich nur von Unterwassergefährten aufgelesen werden. Allerdings sind für einen wirtschaftlichen Abbau noch viele technische, rechtliche und ökologische Probleme zu lösen.

M2 *Manganknollen*

„Die Akteure, die das sehr frühzeitig angehen, die werden einen Vorsprung haben, um auch den beginnenden Markt deutlich stärker nutzen zu können als die, die warten bis der Startschuss kommt.“ (Michael Wiedecke, Bundesanstalt für Geowissenschaften und Rohstoffe)

„Es ist eine allgemeine Gier nach Rohstoffen und Goldrauschstimmung offenbar ausgebrochen. Auf jeden Fall ist es ein Wettrennen. Und das Wettrennen um die Ressourcen, insbesondere der hohen See, das kennen wir schon von der Fischerei, geht meistens zu Ungunsten der Natur aus, weil die wirtschaftlichen Vereinbarungen doch viel schneller voranschreiten als die Instrumente zum Schutz der Natur.“ (Stephan Lutter vom Internationalen Zentrum für Meeresschutz des WWF)

„Wir wollen die Green Economy entwickeln, alternative Energiequellen stärken und Autos künftig mit Strom betreiben oder als Hybrid. Uns muss jedoch klar sein, dass wir dann zwar weniger fossile Energieträger einsetzen, gleichzeitig jedoch mehr metallische und mineralische Rohstoffe verbrauchen … . Wir werden uns entscheiden müssen, woher diese Metalle kommen sollen.“ (Samantha Smith, Umweltmanagerin bei Nautilus Minerals)

„Wir haben die Raupen so ausgelegt, dass wir einen sehr geringen Bodendruck auf das Sediment haben, dass wir möglichst wenig Schädigung dort haben. Das gesamte Fördersystem ist auf eine jährliche Förderleistung von 2,2 Millionen Tonnen ausgelegt. Das fängt so an, in dem Bereich wirtschaftlich zu werden.“ (Steffen Knodt, Vizepräsident Firma Aker, Hersteller von Tiefseebergbautechnik)

„Man muss weder bohren noch graben, sondern man sammelt sie sozusagen ein. Dabei kann allerdings der empfindliche Tiefseeschlamm sehr leicht aufgewirbelt werden, und der Abbau würde sich über sehr große Gebiete erstrecken.“ (Michael Lodge, Internationale Meeresbodenbehörde)

„Die Seerechtskonvention sieht vor, dass den Entwicklungsländern ein bevorzugter Zugang zu den Bodenschätzen der Meere gewährt wird. Wer einen Claim in internationalen Gewässern untersucht […] muss am Ende der Erkundung sein Gebiet gleichwertig aufteilen und eine Hälfte mit allen Daten an uns zurückgeben. Die ist dann für Entwicklungsländer reserviert.“ (Michael Lodge, Internationale Meeresbodenbehörde)

(Quelle: Röhrlich, D.: Streit um Rohstoffabbau im Zentralpazifik. In: www.deutschlandfunk.de, 12.07.2013)

M3 *Meinungen zum Tiefseebergbau*

	Vorkommen in der Clarion-Clipperton-Zone (Mio. t)	Vorkommen auf den Kontinenten (Mio. t)	
		gegenwärtig wirtschaftlich abbaubar	derzeit nicht wirtschaftlich abbaubar
Mangan	5992	630	5200
Kupfer	226	690	1000
Titan	67	414	899
Nickel	274	80	150
Kobalt	44	7,5	13

M4 *Vergleich der Erzvorkommen in der Clarion-Clipperton-Zone und auf den Kontinenten*

Erarbeitet in eurer Lerngruppe Möglichkeiten und Grenzen der Rohstoffgewinnung aus dem Weltmeer. Stellt die Ergebnisse in geeigneter Form dar, z. B. Schaubild, Reportage, Wirkungsschema.

1 Überblick:
Stellt mithilfe des Textes und geeigneter Atlaskarten eine Übersicht über marine Rohstoffressourcen der Erde in einer Mindmap dar (M1 – M4).

2 Manganknollen:
a) Beschreibt den Aufbau und die Verbreitung der Manganknollen (M2, Atlas).
b) Stellt die wirtschaftliche Bedeutung der Manganknollen dar (M2, M4).
c) Derzeit gibt es zwölf Lizenzen für die Erkundung von Manganknollen in der Clarion-Clipperton-Zone. Diskutiert einen zukünftigen Abbau unter dem Aspekt der Nachhaltigkeit (M1, M3, M4).

3 Weitere Beispiele im Internet:
Black Smokers und Kobaltkrusten sind zwei weitere mineralische Vorkommen im Weltmeer. Recherchiert zu einer der beiden Rohstoffreservoirs im World-Ocean-Report Teil 3, http://worldoceanreview.com.

M1 *Offshore-Windpark in der Nordsee*

Nutzung des Weltmeeres – Energielieferant

Wind, Wellen und Strömungen des Weltmeeres enthalten zusammen mehr Energie, als die gesamte Menschheit gegenwärtig verbraucht. Diese bislang ungenutzten Potenziale werden zunehmend für die Stromerzeugung erschlossen.

Nutzung der Wasserkraft

Gezeiten-, Wellen- und Unterwasserströmungskraftwerke wandeln die Energie von Gezeitenströmungen und Wellen in Elektroenergie um. Wärme- und Osmosekraftwerke verstromen die durch Temperatur- bzw. Salzgehaltunterschiede gespeicherte Energie. All diese Kraftwerke haben jedoch aufgrund der noch geringen Wirkungsgrade bzw. fehlender natürlicher Voraussetzungen an der globalen Stromproduktion äußerst geringe Anteile und sind meist nur von lokaler Bedeutung.

Nutzung der Windkraft

Die Erschließung der Windenergie über dem Meer ist dagegen schon deutlich weiter entwickelt und besitzt ein großes Zukunftspotenzial. Mit neuen Technologien können immer größere Anlagen in immer größeren Tiefen errichtet werden. Mittlerweile befinden sich auch schwimmende Windparks in der Entwicklung, z. B. vor der Küste Norwegens.

Die Kosten für Herstellung, Errichtung und Betrieb dieser Anlagen sind extrem hoch. Der Anschluss an das Stromnetz auf dem Festland ist aufwendig, insbesondere aus küstenfernen Gebieten. In den küstennahen Gebieten wiederum scheiden viele potenzielle Standorte aus, weil sie der Fischerei oder Schifffahrt vorbehalten sind oder unter Naturschutz stehen.

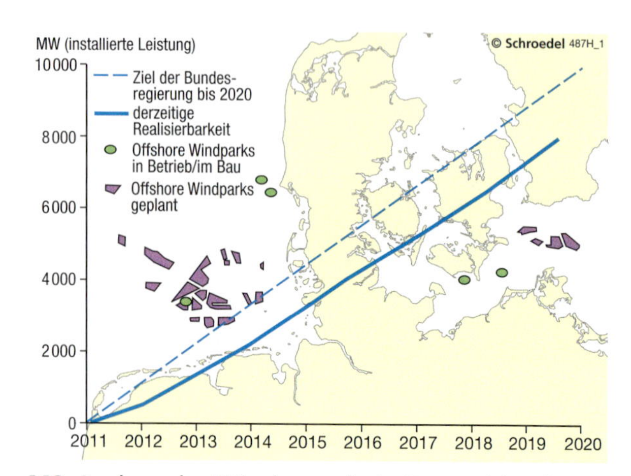

M2 *Ausbau der Windenergie in Deutschland*

100800-68
www.diercke.de

FOCUS Online: Welches Potenzial haben Windanlagen auf dem Wasser gegenüber solchen auf dem Land in Deutschland?
Richterich: In Deutschland ist das Potenzial hoch. Zum einen bläst der Wind auf See stärker als an Land, das erhöht den Ertrag der Anlagen. Zum anderen lässt sich auf dem Land in Deutschland nicht mehr viel zubauen, weil der Platz nicht da ist.

FOCUS Online: Offshore-Windanlagen galten bislang als deutlich teurer als solche an Land. Sind die Kosten kein Problem mehr?
Richterich: Da gibt es immer noch Probleme. Aber die können die Windturbinenhersteller lösen, indem sie eine neue Generation von Turbinen entwickeln, die eine höhere Energieeffizienz haben als die heutigen. [...] Hohe Kosten entstehen momentan auch noch durch die Fundamente und alles, was unter dem Wasser liegt. [...]

FOCUS Online: Widerstand gibt es auch von Küstenbewohnern und Umweltschützern. [...]
Richterich: Das sind Probleme, mit denen wir uns auseinandersetzen. Was die Schweinswale angeht, gibt es die Möglichkeit, Barrieren um die Baustelle zu errichten, damit der Schall nicht so weit getragen wird. Und es ist richtig: Wenn sie einen Offshore-Windpark planen, gibt es häufig Widerstand in der Bevölkerung, insbesondere in Regionen mit Tourismus. Die Erfahrung in Dänemark zeigt aber: Wenn man einen Windpark zwölf Seemeilen vor der Küste hat, muss man schon sehr gute Sicht haben, um da draußen noch was sehen zu können. Das ist zum Beispiel an der Ostsee höchstens an 100 Tagen im Jahr so.

FOCUS Online: Die Windanlagen an Land werden jetzt teilweise schon ausgetauscht und durch modernere ersetzt. Wie lange hält denn ein Windrad, was man ins Meer setzt?
Richterich: Grundsätzlich gehen die Banken bei Projekten davon aus, dass eine Anlage mindestens 15 Jahre Strom produziert, damit der Kredit zurückgezahlt werden kann. Unsere Windkraftanlagen für Offshore sind aber auf eine Lebensdauer von 25 Jahren ausgelegt. Danach müssen wesentliche Teile der Anlage, wie die Turbinen, ersetzt werden. [...]

(Quelle: Gratzla, Daniel: Offshore-Windenergie. In: www.focus.de, 10.05.2011)

M3 *Interview mit Thomas Richterich (Chef des Turbinenherstellers Nordex) zu Offshore-Windparks*

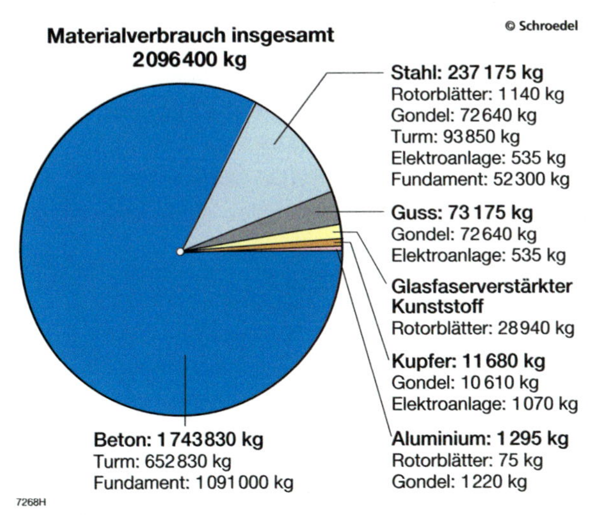

M4 *Materialverbrauch einer Windkraftanlage*

Erarbeitet in eurer Lerngruppe Möglichkeiten und Grenzen der Energiegewinnung aus dem Weltmeer. Stellt die Ergebnisse in geeigneter Form dar, z. B. Schaubild, Reportage, Wirkungsschema.

1 Überblick:
a) Stellt die Möglichkeiten der Stromerzeugung aus marinen Ressourcen in Form einer Mindmap dar (M1).
b) Erklärt, dass die Gewinnung von Strom „aus dem Meer" im globalen Maßstab gegenwärtig noch sehr gering ist (M3).

2 Offshore-Windparks – fortgeschrittene Technologie der Stromerzeugung auf dem Meer, aber nicht problemfrei:
a) Erläutert den prognostizierten Ausbau der Windkraftanlagen in deutschen Gewässern (M2).
b) Beurteilt die Nachhaltigkeit von Offshore-Windkraftanlagen (M3, M4).
c) „Trotz hoher Kosten muss der weitere Ausbau der Offshore-Anlagen staatlich gefördert werden." Diskutiert diese Aussage.

3 Weitere Beispiele im Internet:
a) Analysiert mit der GIS-Anwendung http://rave.iwes.fraunhofer.de/rave/pages/map die Windkrafterzeugung Europas/Amerikas (Internet).
b) Methanhydrate sind schon seit den 1930er-Jahren bekannt, werden aber bis heute kaum als Energiequelle genutzt. Recherchiert dazu im World-Ocean-Report Teil 3, http://worldoceanreview.com.

M1 *Containerschiff*

M3 *Ölverschmutzung an der Küste Thailands*

Nutzung des Weltmeeres – Verkehrsraum

Die leistungsfähige Hochseeschifffahrt ist die Grundlage für den weltweiten Handel. Kein anderes Transportmittel als das Schiff kann so große Warenmengen so kostengünstig über weite Entfernungen transportieren. Mehr als 90 Prozent des gesamten Welthandels werden heute über den Seeweg abgewickelt.

Die Minimierung der Transportkosten spielt im Zuge der immer globaleren Produktionsverflechtungen eine wichtige Rolle. Anders als in der Vergangenheit gehören die größten Seehandelsflotten heute zu den Staaten, deren Wirtschaftskraft nur eine geringe Bedeutung in der Welt haben. Die Vorschriften dieser sogenannten Billigflaggenländer ermöglichen den Warentransport mit sehr geringen technischen, sozialen und ökologischen Standards.

Mit der Zunahme dieser unter **Billigflaggen** fahrenden Schiffe hat sich das Risiko von Unfällen sowie technischer Probleme jedoch erhöht, mit weitreichenden Folgen für das Weltmeer und die Küstenregionen.

Der unter der Flagge der Bahamas fahrende Öltanker „Prestige" verunglückte im November 2002 vor der iberischen Küste. Mindestens 20 000 Tonnen Schweröl liefen damals aus und verseuchten das Wasser sowie mehrere Hundert Kilometer Küste.

Ölteppiche werden auf dem Wasser nur sehr langsam abgebaut. Das Absterben von Plankton, Muschelbänken und Fischen sowie die Verunreinigung von Stränden waren die Folge. Ölteppiche verursachen außerdem den Tod Tausender Seevögel. Öl gelangt aber auch ohne Havarien ins Meer. Schiffe fahren mit Schweröl, bei dessen Verbrennung ölhaltiger Schlamm anfällt. Dieser wird immer wieder illegal ins Meer gepumpt, um die Entsorgungskosten in den Häfen zu sparen.

Mitte der 1970er-Jahre wurde mit dem MARPOL-Übereinkommen ein international geltendes Vertragswerk beschlossen, das auch die Verringerung der Öleinträge durch den Schiffsbetrieb regelt. So muss heute z. B. jeder Tankerneubau eine doppelte Schiffswand haben. Bricht bei einer Kollision die Außenhaut, bleiben die Tanks innen meist intakt. In mehreren ausgewiesenen Sondergebieten, etwa dem Mittelmeer oder der Nord- und Ostsee, werden seitdem Überwachungsflüge durchgeführt. Erkannte Ölverschmutzungen werden strafrechtlich verfolgt.

M2 *Ölverschmutzung durch Schiffsverkehr*

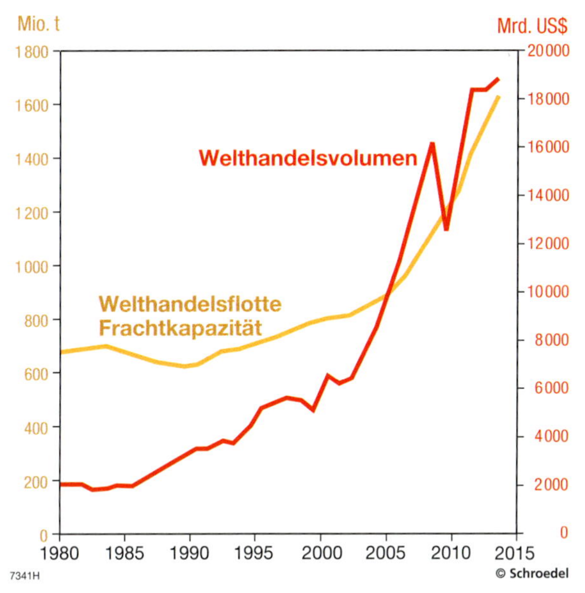

M4 *Weltweiter Seeverkehr*

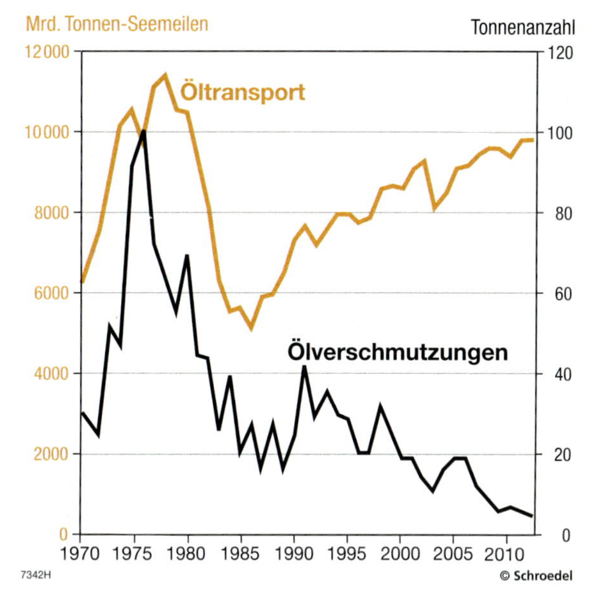

M6 *Öltransport und Ölverschmutzung (weltweit)*

Flags of Convenience – die Flaggen der Bequemlichkeit […] ist ein Synonym für Staaten, die die internationalen Vereinbarungen in der Seeschifffahrt nicht ganz so genau nehmen. […] Inspektoren gehen in regelmäßigen Abständen an Bord dieser Schiffe und kümmern sich um die Probleme der Seeleute. Es gibt Seeleute, die pro Jahr sechs Monate oder länger ohne Bezahlung beschäftigt werden. Nur weil der Eigner oder der Kapitän immer wieder sagen: „Wir werden Dich bezahlen, wenn wir unsere Fracht im nächsten Hafen verkauft haben." […] Es sind Risse vorhanden, es ist was abgebrochen, Geländer sind nicht vorhanden, Navigations-, Radargeräte sind nicht funktionsfähig, Seekarten sind eben nicht berichtigt oder gar nicht vorhanden, genauso wie Seehandbücher! […]

Doch dem Konkurrenzkampf mit dem Dumpingniveau sind nicht nur die traditionellen Schiffsregister ausgesetzt. Auch untereinander jagen sich die Flags of Convenience die Schiffsregistrierungen ab. Das führt zu einem regen Flaggenwechsel. Von Billigflagge zu Billigflagge, je nachdem, welches Registeramt weniger Unannehmlichkeiten verspricht. Und so ein Wechsel geht schneller als man denkt, erklärt Jörg Stange. Im Frühjahr wollte er einen völlig heruntergekommenen Frachter kontrollieren und fand ihn nicht, obwohl er am geplanten Liegeplatz lag: Das Schiff hatte in Windeseile Flagge und Namen gewechselt. […]

(Quelle: Walhorn, Mayke; Bühler, Alexander: Die Flaggen der Bequemlichkeit. In: www.deutschlandfunk.de, 31.01.2004)

M5 *Missbrauch und Gefahren von Billigflaggen*

Keine globale Wirtschaft ohne Weltseeverkehr. Erarbeitet in eurer Lerngruppe den Verkehrsraum Weltmeer. Stellt die Ergebnisse in geeigneter Form dar, z. B. Schaubild, Reportage, Wirkungsschema.

1 Erstellt eine Übersicht über die Entwicklung des Weltseeverkehrs seit den 1980er-Jahren (M4).

2 Jedes Schiff ist registriert und einem Staat zugeordnet.
a) Erklärt den Begriff Billigflagge (M5).
b) Stellt Zusammenhänge zwischen der Ölverschmutzung des Meeres und der Billigflaggenproblematik dar (M3–M6).
c) Beurteilt unter dem Aspekt der Nachhaltigkeit das Phänomen der Billigflaggenschifffahrt (M2, M4, M6).

3 Weitere Beispiele im Internet:
a) Untersucht mit dem GIS auf der Seite http://www.marinetraffic.com den aktuellen Schiffsverkehr in einem Kanalbereich oder einer Meeresregion unter selbst gewählten Aspekten (z. B. Schiffsanzahl, Art des Schiffes, Flagge, Ziel).
b) Piraterie im globalen Seeverkehr. Recherchiert dazu im World-Ocean-Report Teil 3, http://worldoceanreview.com.

Nutzung des Weltmeeres – Kreuzfahrttourismus

Die Kreuzschifffahrt boomt. Die schwimmenden Freizeitparks der Ozeane erreichen neue Rekordgrößen und ermöglichen es immer mehr Menschen, kostengünstig zu reisen.
Allein in Deutschland wurden 2011 mehr als zwei Millionen Fahrten mit einer mittleren Dauer von neun Tagen gebucht. Allerdings ist die Nachhaltigkeit dieses touristischen Angebotes stark umstritten.

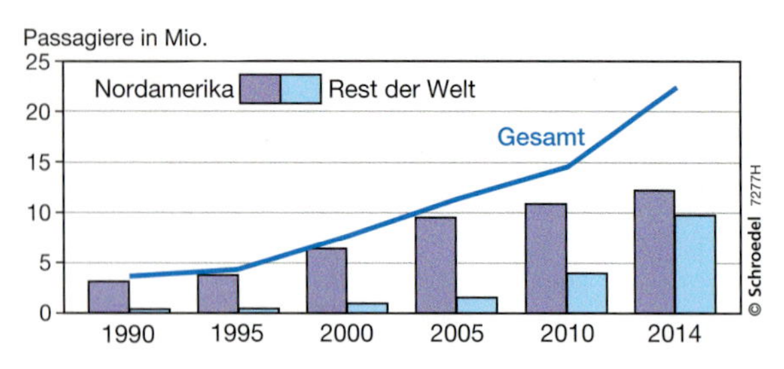

M2 *Kreuzfahrtpassagiere (in Mio.)*

Redaktion: Wirkt sich eine Kreuzfahrt stärker auf die Ökologie der Meere aus, als wenn man am Strand Urlaub machen würde?

Klein: Im Gegensatz zu den Kreuzfahrern produzieren Strandurlauber unter Umständen die gleiche Menge an Abfällen, doch können diese Abfälle besser entsorgt werden.
Alle neuen Schiffe haben fortschrittliche Systeme zur Abwasserreinigung und viele andere wurden nachträglich damit ausgestattet. Das Hauptproblem besteht darin, dass diese Abwassersysteme mit einigen Schadstoffen nicht wirkungsvoll umgehen können. Verglichen mit Entwicklungsländern, wo Abwässer kaum oder gar nicht geklärt werden, sind die Abwassersysteme auf den Schiffen ein Fortschritt. Im Vergleich aber mit entwickelten Ländern, wo die Abwasseraufbereitung ziemlich streng gehandhabt wird, halten die Schiffe nicht mit.
Es besteht auch das Problem, dass die Kreuzfahrtgesellschaften in Entwicklungsländern oft Schiffe ohne fortschrittliche Abwassersysteme einsetzen, so dass viele Schiffe in diesen Regionen die kaum behandelten Abfälle ins Meer kippen. Dieselben Gesellschaften entsorgen in entwickelten Gegenden sehr viel sauberere Abfälle.
Auch die verkehrsbedingten Emissionen sind ein Problem. Kreuzfahrtschiffe verwenden, wo es erlaubt ist, Treiböl mit einem Schwefelgehalt von drei Prozent. Diese Treibstoffe sind wesentlich umweltschädlicher als die Kraftstoffe in PKWs, modernen Bussen oder anderen Verkehrsmitteln. Wo erforderlich, wie z. B. in Kalifornien und einigen Gegenden Norwegens, verwenden sie allerdings schwefelarmen Treibstoff mit einem Gehalt von 0,5 Prozent.

Redaktion: Inwiefern könnte ein Entwicklungsland wie Haiti vom Kreuzfahrttourismus profitieren?

Klein: Der Nutzen des Kreuzfahrttourismus für Haiti ist begrenzt. Ohne Infrastruktur und Touristenattraktionen wird es dem Land wahrscheinlich nicht besser ergehen als dem dort an die „Royal Caribbean Cruises Limited" verpachteten Ort Labadee. Das Unternehmen nutzt den besten Standort direkt am Strand (mit Sicherheitszäunen, um Einheimische fernzuhalten) als „Privatinsel", wo die Passagiere an Land gehen und einen Tag am Strand genießen.
Das Problem für Entwicklungsländer im Allgemeinen ist noch größer. Kreuzfahrtschiffe sind Unternehmen, die unterwegs sind, um Gewinne einzufahren. Sie tun dies „auf dem Rücken" der Häfen. In den Terminals werden Anlegestellen und Infrastruktur für Kreuzfahrtschiffe gebaut, die für gewöhnlich nur einen kleinen Teil der Investitionen wieder hereinholen. Außerdem bekommen die Händler vor Ort nur einen Bruchteil dessen, was die Passagiere ausgeben.
Ganz aktuell haben die Kreuzfahrtunternehmen begonnen, Kreuzfahrthäfen zu kaufen oder zu bauen. Der Vorteil ist, dass die Kreuzfahrtschiffe und ihre Passagiere moderne Anlagen bekommen. Der Nachteil ist jedoch, dass der wirtschaftliche Nutzen für die einheimische Wirtschaft noch weiter sinkt, da das Einkommen aus diesen Häfen an im Ausland registrierte Offshore-Unternehmen fließt. Einheimische Händler, die ihre Waren verkaufen wollen, müssen nun Ladenflächen von den Kreuzfahrtgesellschaften mieten, wenn sie Zugang zu den Kreuzfahrtpassagieren haben wollen, die an Bord oder von Bord gehen.

(Quelle: Kamp, Christina: Kreuzzug gegen die Umwelt. In: www.tourism-watch.de, 03/2010)

M1 *Interview mit Prof. Ross A. Klein von der Memorial University of Newfoundland (Kanada)*

„Der erste Park auf hoher See mit mehr als 12 000 echten Bäumen und Pflanzen" – u. a. damit wirbt das weltgrößte Kreuzfahrtschiff um neue Kundschaft. Die „Allure of the Seas" bietet auf 16 Decks in 2 706 Kabinen Platz für mehr als 5 000 Passagiere. Über 2 000 Besatzungsmitglieder arbeiten auf dem 361 m langen und 47 m breiten Schiff. An jedem Tag fallen etwa 30 l Abwasser und bis zu 3 kg feste Abfälle pro Passagier an. Die Emissionen, die die Motoren in die Luft blasen, entsprechen denen von mehr als 350 000 Autos.

M3 *Ein Garten auf dem Ozean – die „Allure of the Seas"*

	Cayman Islands	Jamaika
Touristen mit mind. 1 Tag Aufenthalt	321 650	1 900 000
Durchschnittliche Ausgaben pro Tag	236,68 US$	117,22 US$
durchschnittliche Aufenthaltsdauer	4,8 Tage	8,8 Tage
Kreuzfahrttouristen	1 500 000	1 300 000
Durchschnittliche Ausgaben pro Tag	81,7 US$	75,17 US$
durchschnittliche Aufenthaltsdauer	1 Tag	1 Tag

M4 *Daten zum Tourismus in der Karibik*

	Ausgaben in Mio. $*	Schiffs-ankünfte
Miami (USA, Florida)	605,3	750
Fort Lauderale (USA, Florida)	500,9	600
Port Canaveral (USA, Florida)	493,2	620
Barcelona (Spanien)	382,3	1700
Civitavecchia (Italien)	373,0	1700
Nassau (Bahamas)	349,0	1750
Cozumel (Mexiko)	278,0	1300
Venedig (Italien)	255,5	1050
Southampton (Großbritannien)	243,0	700
Calveston (USA, Texas)	194,8	500

* Ausgaben der Touristen im Hafen/Land sowie Service-Leistungen für das Schiff

M5 *Umsatzstärkste Kreuzschifffahrthäfen (2013)*

Untersucht in eurer Lerngruppe die Nachhaltigkeit des Kreuzfahrttourismus. Stellt die Ergebnisse in geeigneter Form dar, z. B. Schaubild, Reportage, Wirkungsschema.

1 Überblick zum Tourismus auf See:
Stellt die Entwicklung des globalen Kreuzfahrttourismus dar (M2 – M5).

2 Mit dem schnellen Ausbau des Kreuzfahrttourismus sanken die Preise und ermöglichen so vielen Menschen das Erlebnis einer Fernreise. Aber genügt diese Form des Tourismus den Kriterien einer nachhaltigen Entwicklung?
a) Stellt Pro- und Kontra-Argumente zum Kreuzfahrttourismus zusammen (M1, M3, M5).
b) Die Karibik ist eines der beliebtesten Ziele. Untersucht die wirtschaftliche Bedeutung des Kreuzfahrttourismus auf den Cayman-Islands und Jamaika (M4).
c) Beurteilt die Nachhaltigkeit des Kreuzfahrttourismus. Stellt Forderungen zusammen, die für einen nachhaltigen Kreuzfahrttourismus zu beachten sind (M1).

3 Weitere Beispiele im Internet:
a) Untersucht mit dem GIS auf der Seite http://www.marinetraffic.com den aktuellen Kreuzfahrtschiffsverkehr in einer touristischen Region.
b) Auch die Antarktis wird heute von Kreuzfahrtschiffen angesteuert. Recherchiert dazu im Internet.

Gewusst – gekonnt: Das Weltmeer und seine Nutzung

1. Entscheide, welche der Aussagen jeweils zutreffen. Begründe deine Wahl.

1. Die folgenden Meere sind per Definition Binnenmeere:
   A Nordsee B Ostsee C Kaspisches Meer D Totes Meer E Schwarzes Meer

2. Der Ozeanboden …
   A … beginnt mit dem Kontinentalschelf.
   B … ist im Bereich der Tiefseebecken am tiefsten.
   C … ist nicht älter als 200 Mio. Jahre.
   D …gehört der gesamten Menschheit.

3. Das Meer beeinflusst das Klima, das zeigt sich u. a. darin, dass...
   A … an Küsten die jährlichen Temperaturunterschiede gering sind.
   B … warme Meeresströmungen zur Küstenwüstenbildung führen können.
   C … Meeresströmungen Wärmeenergie in die nördlichen und südlichen Breiten transportieren.
   D … El Niño und La Niña extreme Stürme auslösen.

4. Die Ergebnisse der UN-Seerechtskonferenz regeln die Nutzung des Weltmeeres.
   A – In der Küstenzone gelten die Gesetze des angrenzenden Staates.
   B – Die ausschließliche Wirtschaftszone reicht bis zum Kontinentalabhang.
   C – Im Bereich der „Hohen See" ist alles erlaubt.
   D – Inselstaaten wie Malta oder die Philippinen sind Gewinner der Seerechtskonferenz.

5. In den tropischen Gebieten des Pazifiks kommt es immer wieder zu Klimaunregelmäßigkeiten.
   A – Während eines El Niños droht Dürre an der australischen Ostküste.
   B – Die Atacamawüste blüht während einer La-Niña-Phase.
   C – El Niño: Dürregefahr und Ernteverluste drohen im Osten Australiens.
   D – Die Auswirkungen von El Niño und La Niña reichen bis nach Europa.

2. Einfluss des Meeres auf das Klima und damit auf die Vegetation

Beschreibe die Verbreitung der Vegetationszonen sowie den Verlauf der Anbaugrenzen.
Erkläre die Unterschiede mithilfe der vorherrschenden Meeresströmungen.

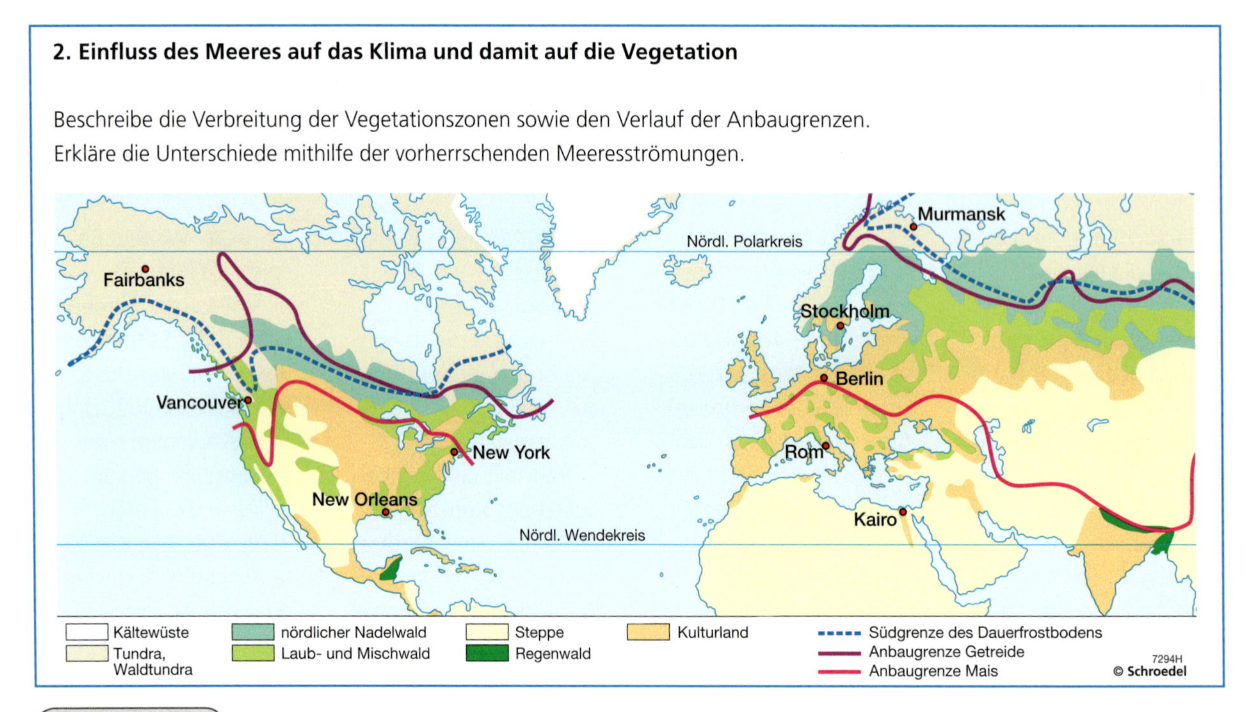

3. Bewerte die Karikaturen.

4. Erstelle aus den Aussagen ein Wirkungsschema zum Thema Billigflaggen.

Arme Länder registrieren Schiffe gegen geringe Gebühren, um dadurch Devisen zu erwirtschaften.

Schiffsbesitzer wollen höhere Gewinne erzielen.

Sicherheitsvorschriften sind gering und werden kaum beachtet.

Die Arbeitsbedingungen für die Seeleute sind schlecht.

Die Ausbildung der Besatzung ist gering.

Der internationale Wettbewerb im Handelsschifffahrtssektor wächst.

Die Gefahr von Schiffsunglücken wächst.

Reparaturen und Investitionen für neue Technik werden kaum getätigt.

Auslaufendes Öl verursacht Umweltverschmutzungen.

Verbraucher verlangen kostengünstige Produkte.

5. Diskutiere diese Aussage und nimm persönlich Stellung dazu.

„Das Meer ist ein Schatz. Ich habe ihn entdeckt und bewundere ihn. Und wenn Sie einen Schatz besitzen und dann erkennen müssen, dass Räuber dieses wertvolle Gut stehlen und zerschlagen wollen – was machen Sie da?"

Jacques-Yves Cousteau – weltbekannter französischer Ozeanologe (1910–1997)

6. Fachbegriffe

- Nebenmeer
- Binnenmeer
- Randmeer
- Kontinentalschelf
- Kontinentalabhang
- Tiefseebecken
- Seamount
- mittelozeanischer Rücken
- Tiefseerinne
- hypsometrische Kurve
- Wasserhaushaltsgleichung
- Oberflächenströmung
- Tiefenströmung
- Küstenwüste
- El Niño
- La Niña
- Seerechtskonferenz
- Seerechtsübereinkommen
- Ausschließliche Wirtschaftszone
- Überfischung
- Beifang
- Hochseefischerei
- Küstenfischerei
- Aquakultur
- Nachhaltigkeit
- Offshore
- Black Smokers
- Manganknolle
- Billigflagge

Naturraum Sachsen

Blick über die Felsen des Elbsandsteingebirges

M1 *Die Naturräume Deutschlands*

Naturräumliche Gliederung Sachsens

Naturräume sind Gebiete mit ähnlichen Merkmalen der Landschaftskomponenten Klima, Bios, Wasserhaushalt, Boden, Relief und geologischem Bau. Der Mensch nutzt diese Räume, deshalb gibt es in Deutschland keine Naturräume mehr. Es entstanden Kulturlandschaften.

Sachsen wird hinsichtlich der Komponente Relief in drei Großlandschaften gegliedert: Nordsächsisches Tiefland, Sächsisches Hügelland und Sächsische Mittelgebirge.

Werden andere Merkmale in die Gliederung einbezogen, ergeben sich weitere Differenzierungen. So gehören sowohl die Dübener Heide als auch das Riesa-Torgauer Elbtal zum Nordsächsischen Tiefland.

Die Namen der Landschaften weisen häufig auf Besonderheiten hin. So enthält der Begriff Oberlausitzer Heide- und Teichlandschaft einen Hinweis auf den Wasserhaushalt.

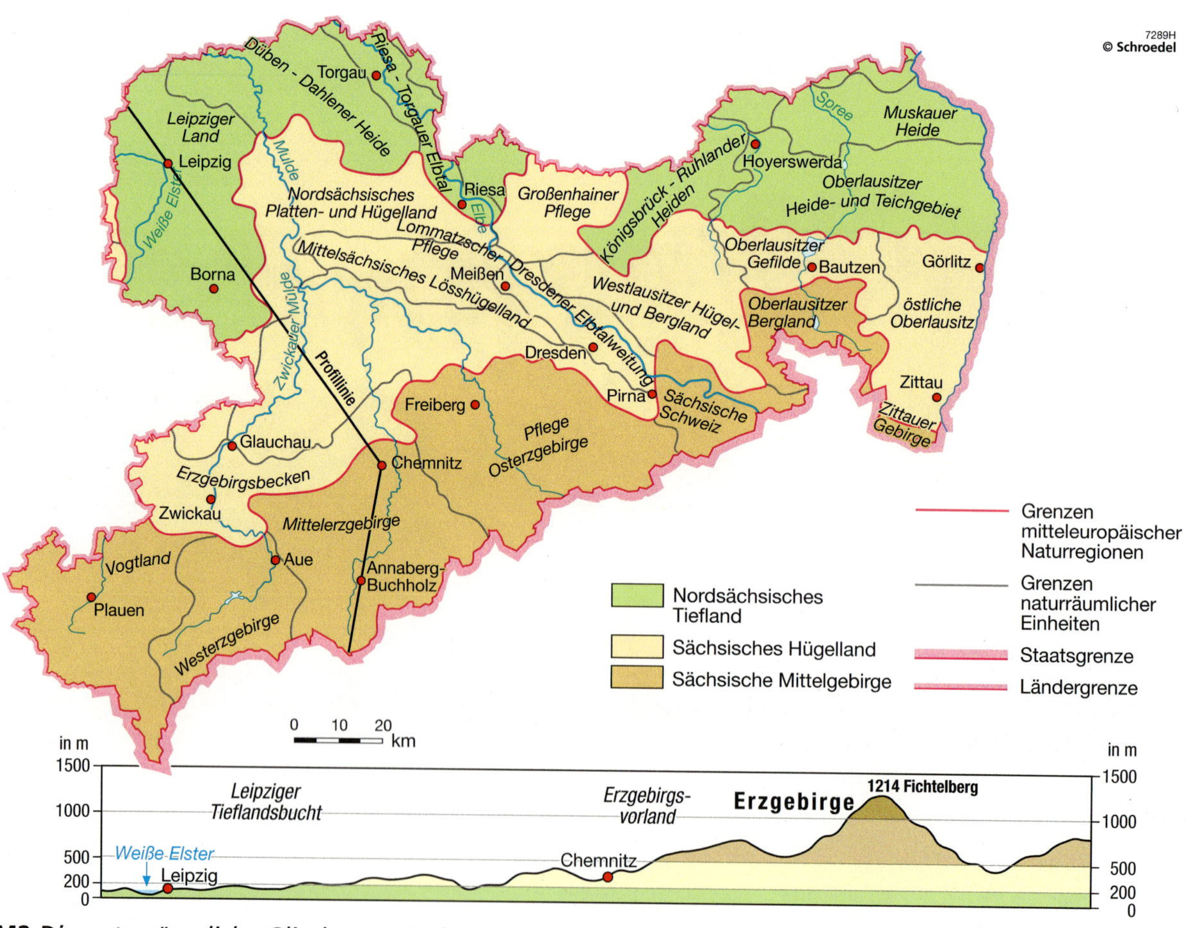

M2 *Die naturräumliche Gliederung Sachsens*

Der Naturpark Dübener Heide erstreckt sich im Süden Sachsen-Anhalts und im Norden Sachsens über eine Fläche von 750 km². Die Heidelandschaft ist ein ebenes, teilweise hügeliges Waldgebiet. Die Hügel erreichen Höhen von 190 m ü. M. In den vielen Becken haben sich Seen gebildet. Die Böden der Heide sind nährstoffarm und feucht. Zudem gibt es einzelne Hochmoore. Ackerbau ist daher nicht möglich. Die Laub- und Mischwälder dienen hauptsächlich der Erholung.

M3 *Dübener Heide*

Als Pflege wird eine Landschaft bezeichnet, die sich aufgrund nährstoffreicher Lössböden sehr gut für den Ackerbau eignet. Die Großenhainer Pflege befindet sich zwischen Meißen und Großenhain auf einer Fläche von ca. 526 km². Im Süden erreicht sie Höhen über 200 m ü. M. Das Gebiet ist niederschlagsärmer als seine Umgebung, da es im Leebereich des Elbhanges liegt. Im südlichen Teil befinden sich fruchtbaren Ackerbaugebiete. Im Osten sind artenarme Kiefernwälder und kleine Seen anzutreffen.

M4 *Großenhainer Pflege*

Das Zittauer Gebirge ist mit 133 km² das kleinste Mittelgebirge Deutschlands. Die Lausche ist mit 792 m die höchste Erhebung dieses Gebirges. Neben artenreichen Laubwäldern haben sich auch Kiefern und Fichten angesiedelt. In den höheren Lagen fallen mehr als 900 mm Niederschlag pro Jahr. Sandsteinfelsen mit steilwandigen Schluchten und Basaltberge kennzeichnen das Gebirge. Deshalb ist es ein beliebtes Wander- und Klettergebiet.

M5 *Zittauer Gebirge*

Fichtelberg (1 215 m)	Kahleberg (905 m)	Lausche (792 m)	Lilienstein (415 m)
Auersberg (1 018 m)	Pöhlberg (832 m)	Greifensteine (731 m)	Rochlitzer Berg (353 m)

M6 *Berge in Sachsen mit Höhen in m ü. M.*

1 Jeder Naturraum ist einzigartig.
a) Erkläre diese These.
b) Beschreibe die naturräumliche Gliederung Deutschlands und Sachsens. Ordne deinen Heimatraum zu (M1, M2).
c) Vergleiche die drei Landschaften Dübener Heide, Großenhainer Pflege und das Zittauer Gebirge hinsichtlich ihrer Merkmale (M3 – M5).
d) Beschreibe die Merkmale der Landschaftskomponenten deines Heimatraumes bzw. ausgewählter Räume (Atlas). Erkläre Zusammenhänge zwischen den Komponentenmerkmalen.

2 Arbeite mit dem Atlas.
a) Ordne einer sächsischen Großlandschaft die sie durchfließenden Flüsse zu (M2, Atlas).
b) Ordne die Berge Sachsens den Naturräumen zu (M2, M6).

M1 *Verwittertes Gestein*

M2 *Verwitterung im Erzgebirge*

Gesteine bestehen nicht ewig

Die Materialien der Erdoberfläche werden ständig umgelagert. Dies geschieht durch Erosion, Transport und Akkumulation von Sedimenten. Voraussetzung für diese Umlagerung ist die Zerkleinerung von Gestein. Dieser Prozess wird als **Verwitterung** bezeichnet. Durch exogene Kräfte verwittern Gesteine an der Erdoberfläche. Es gibt drei Arten: physikalische, chemische und biologische Verwitterung.

Physikalischen Verwitterung

Bei der physikalischen Verwitterung wirken mechanische Kräfte. Sie lockern und zerteilen das Gestein. Die chemische Zusammensetzung ändert sich jedoch nicht.

Im mitteleuropäischen Raum dominiert die Frostverwitterung. Dabei dringt Wasser in Spalten und Risse des Gesteins ein. Gefriert das Wasser, dehnt sich das Volumen des Eises aus und das Gestein wird auseinandergesprengt.

In trockenen Gebieten mit stark schwankenden Temperaturen findet die Temperaturverwitterung statt. Das Gestein unterliegt dem ständigen Wechsel zwischen Ausdehnung und Verringerung seines Volumens. So entstehen Brüche im Gestein.

Die Salzverwitterung tritt vor allem in ariden Gebieten auf. Durch die Verdunstung von Wasser bleiben Salzkristalle in den Spalten und Rissen des Gesteins zurück. Durch das Wachsen dieser Kristalle wird das Gestein gesprengt.

Chemische Verwitterung

Die chemische Verwitterung umfasst neben der Oxydation alle Reaktionen zwischen dem Gestein und wässrigen Lösungen. Die chemische Zusammensetzung verändert sich, das Gestein wird zerstört (vgl. S. 42).

Biologische Verwitterung

Bei der biologischen Verwitterung wirken Organismen auf das Gestein ein. Eine Art der physikalisch-biologischen Verwitterung ist die Wurzelsprengung. Dabei dringen Pflanzenwurzeln in Spalten und Risse von Gesteinen ein. Durch das Dickenwachstum findet zunächst eine Vergrößerung der Spalten und letztendlich eine Sprengung des Gesteins statt. Setzen Pflanzen oder Bodenlebewesen organische Säuren frei, zersetzen diese das Gestein. Dieser Prozess ist der chemisch-biologischen Verwitterung zuzuordnen.

100800-244-247
www.diercke.de

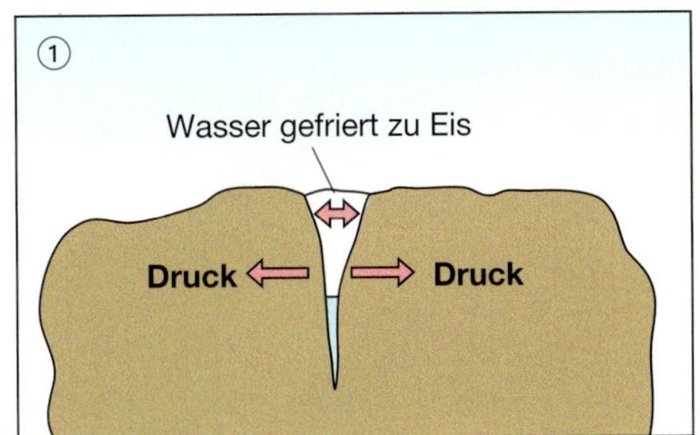

INFO

Endogene Kräfte:
wirken aus dem Erdinneren auf die Gesteinshülle ein, z. B. Erdbeben, Vulkanismus und Plattenbewegungen.

Exogene Kräfte:
wirken von außen auf die Erdoberfläche ein, z. B. Wind, Wasser, Eis und Sonnenstrahlung.

②
Sonnenstrahlung
verdunstendes Wasser
Druck
Druck
Salzkristalle

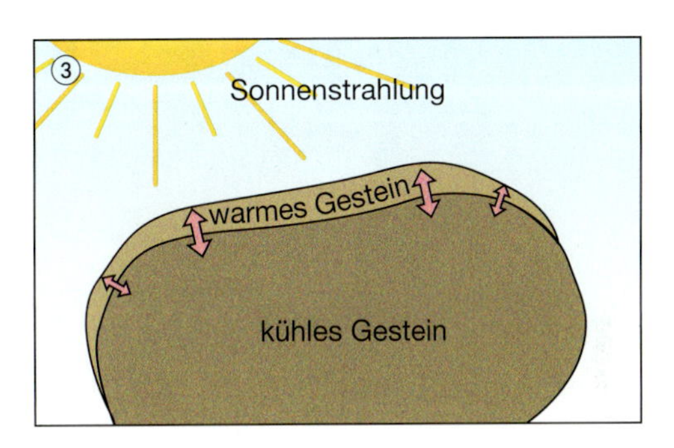

M3 *Schematische Darstellung ausgewählter Verwitterungsformen*

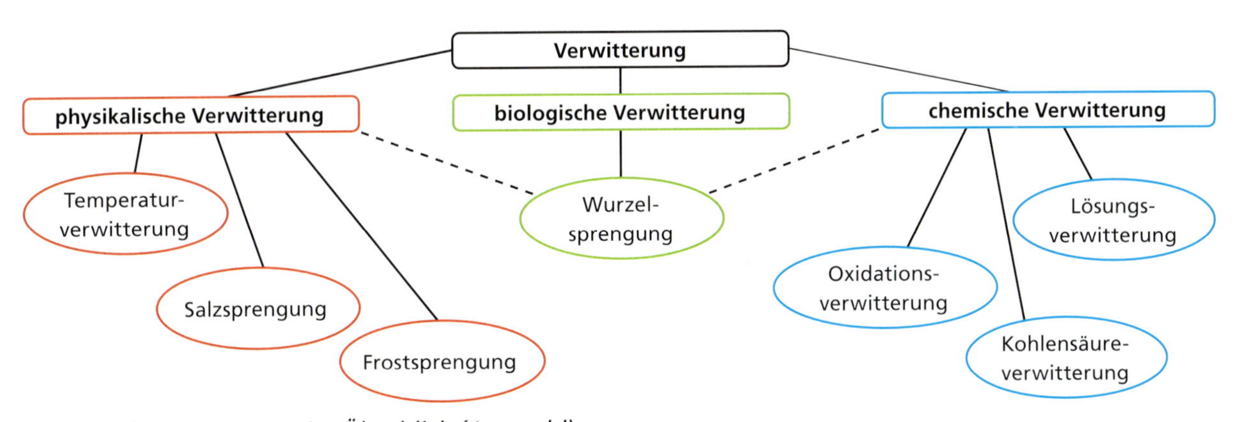

M4 *Verwitterungsarten im Überblick (Auswahl)*

1 Experiment Frostsprengung.
Material: Becherglas, Wasser, Gefrierfach, Steine (z. B. Sandstein, Granit, Kalkstein)
Vorgang: Stein 30 Minuten wässern. Anschließend trocknen und im trockenen Becherglas über Nacht in das Gefrierfach stellen. Morgens Stein aus dem Frost holen, trocknen. Vorgang mehrfach wiederholen.
a) Beschreibe die Auswirkungen.
b) Erkläre die Beobachtungsergebnisse.
c) Nenne Beispiele der Frostverwitterung aus dem Alltag.

2 Es gibt verschiedene Arten von Verwitterung.
a) Ordne den Fotos und Grafiken (M1 – M3) die jeweilige Verwitterungsart zu (M4).
b) Beschreibe, welche Kräfte jeweils wirken (M1 – M3).

3 „Der Zahn der Zeit nagt an den Gebirgen."
a) Erläutere diese These.
b) Erkläre mithilfe von M3 die verschiedenen Arten der physikalischen Verwitterung.
c) Ordne den einzelnen Verwitterungsarten konkrete Zonen der Erde zu (Atlas).
d) Begründe, warum die Wurzelsprengung nicht eindeutig der physikalischen bzw. chemischen Verwitterung zugeordnet werden kann.

M1 *Formenschatz der Kohlensäureverwitterung*

Chemische Verwitterung

Fast alle Prozesse der chemischen Verwitterung finden unter Mitwirkung von Wasser statt. Dabei wird das Gestein stofflich verändert. Die physikalische Verwitterung begünstigt diese Abläufe, da mit der Zersetzung der Gesteine die Angriffsoberfläche größer wird. Zur chemischen Verwitterung gehören unter anderem die Lösungsverwitterung, die Hydrolyse, die Oxidationsverwitterung und die Kohlensäureverwitterung.

Bei der Lösungsverwitterung lagern sich Wassermoleküle an Grenzflächen-Ionen von Kristallen an, zwängen sich dazwischen und lockern so den Zusammenhalt. Die frei werdenden Ionen driften ins Wasser ab. Enthält das Wasser Kohlensäure wird z. B. Kalkstein zersetzt.

Bei der Oxidationsverwitterung lagert sich Sauerstoff zum Beispiel an Eisen-Ionen an und lockert das Kristallgitter. Das „Rosten" des Gesteins ist leicht an seiner Farbänderung, Braun- oder Rotfärbung, erkennbar.

Unter Hydrolyse versteht man die chemische Zersetzung silikatischer Gesteine wie Porphyr, Granit, Gneis und Basalt. Diese bestehen hauptsächlich aus den silikatischen Mineralen Feldspat, Quarz und Glimmer. Die Ionen dieser Minerale werden im Kristallgitter nach und nach durch Wasserstoffionen des im Boden und im Gestein vorhandenen Wassers ersetzt. Die Zerfallsprodukte werden mit dem unterirdischen Wasser abgeführt oder gehen neue Verbindungen ein. Dabei entstehen neue Minerale, die Tonminerale. Andere Zerfallsprodukte werden als mineralische Nährstoffe für die Pflanzen im Boden bereitgestellt. Die Hydrolyse ist kein umkehrbarer Vorgang. Ihre Intensität steigt mit zunehmender Temperatur und Feuchtigkeit sowie einem höheren Säuregehalt des Wassers.

Kaolin ist ein hauptsächlich aus dem Mineral Kaolinit bestehendes Tongestein. Es ist weiß bis cremefarben und Bestandteil der weißen Porzellanerde, dem Ausgangsmaterial der Porzellanherstellung in Meißen. Tiefengesteine wie Porphyre und Granite sind Ausgangsgesteine für die Entstehung von Kaolin.
Vor 30 Mio. Jahren herrschte in Mitteleuropa feucht-warmes Klima vor. Dies führte zur intensiver chemischer Verwitterung der oberflächennahen Gesteine. Durch die Zirkulation und Höhenschwankung des Grundwassers entstand Kaolinit. Heute kommt Kaolin in tropischen Gebieten mit intensiver Verwitterung vor.

M2 *Entstehung von Kaolin*

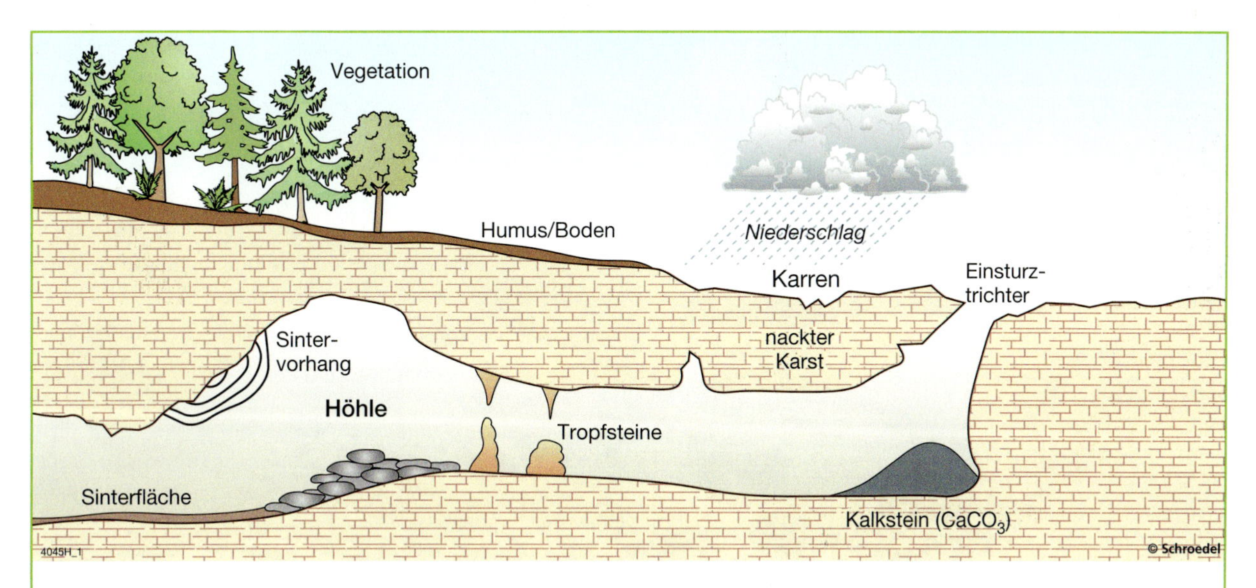

Karstgebiete sind Landschaften, die durch Kalkstein geprägt sind. Dieses Gestein ist in Wasser schwer löslich. Wird das Wasser jedoch mit Kohlenstoffdioxid aus der Luft oder der Atmung von Bodenlebewesen angereichert, bildet sich Kohlensäure. Durch die Erhöhung der Wasserstoffionenkonzentration kann Kalkstein in Kalziumhydrogenkarbonat umgewandelt und in Wasser gelöst abtransportiert werden. Die Löslichkeit von Kalk nimmt mit abnehmender Wassertemperatur zu. Die Kohlensäureverwitterung ist ein sehr langsamer Prozess. Je nach Bedingungen beträgt die Kalklösungsrate nur 0,01 – 4 mm pro Jahr. Infolgedessen werden Hohlräume unterschiedlicher Größe geschaffen. Höhlen, Karren und Einsturztrichter entstehen. Durch Ausfällung z. B. infolge eines Temperaturanstiegs bilden sich Tropfsteine und Sinterflächen (Kalkablagerungen).
Im vogtländischen Syrau wurde 1928 die Drachenhöhle entdeckt. Diese Karsthöhle ist mit ihren Höhlenseen für Besucher zu besichtigen. Die 550 m lange Höhle besitzt eine Tiefe von 15 m und ist auf einer Länge von 350 m für den Tourismus erschlossen.

M3 *Karsterscheinungen*

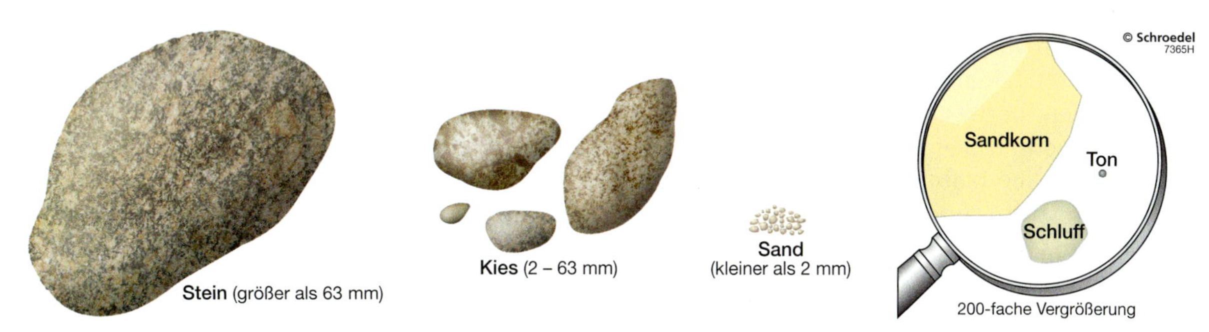

M4 *Korngrößen*

1 „Die physikalische Verwitterung beschleunigt die chemische Verwitterung."
a) Erarbeite einen tabellarischen Überblick zu den Arten der chemischen Verwitterung (Prozesse, Ergebnisse, Standorte).
b) Beschreibe weitere Faktoren, welche die verschiedenen Verwitterungsarten beeinflussen.
c) Erläutere die Ausgangsthese.

2 Kaolin und Karstformen sind Ergebnisse von Verwitterungsprozessen.
a) Beschreibe die Entstehung und Bedeutung von Kaolin (M2).
b) Informiere dich über Vorkommen und Abbau von Kaolin im Geopark „Porphyrland – Steinreich in Sachsen" (Internet).
c) Erläutere die Kohlensäureverwitterung und deren Erscheinungsformen (M1, M3).

3 Gesteine werden durch Verwitterung in verschieden große Bestandteile zerlegt. Ordne den Arten der Verwitterung mögliche Korngrößen zu (M4).

M1 *Flusslauf der Rohlau im Erzgebirge*

Die Tätigkeit des fließenden Wassers

Das Wirken der Flüsse – auch als **fluviale Prozesse** bezeichnet – ist die Grundlage für erhebliche exogene Veränderungen auf der Erde. Flüsse transportieren große Materialmengen an der Erdoberfläche – Gesteine, Schwebstoffe und gelöste Stoffe. Außerdem wirken sie sowohl zerstörend als auch aufbauend. Materialien, die im Flussbett bewegt werden, bezeichnet man als **Gerölle**. Beim Transport werden diese abgerundet. Die unterschiedlich großen Materialien bearbeiten auf ihrem Transportweg Untergrund und Ufer der Flüsse. Auf diese Weise kommt es zur **Erosion**. An der Flusssohle wird Material abgetragen – die Flüsse tiefen sich ein (**Tiefenerosion**). An den Rändern werden die Ufer unterspült und durch das fließende Wasser abgetragen (**Seitenerosion**). Somit verlagern die Flüsse ihr Bett. Die Transportkraft und damit die Erosionswirkung hängen von der Wassermenge und der gefällebedingten Fließgeschwindigkeit ab. Die größte erosive Arbeit leistet ein Fluss im Oberlauf, wo Gefälle und Fließgeschwindigkeit aufgrund des steilen Gebirgsreliefs höchste Werte erreichen. Hier findet hauptsächlich linienhafte Abtragung (Tiefenerosion) statt. Verringert sich die Fließgeschwindigkeit und damit auch die Transportkraft der Flüsse, kommt es zur **Akkumulation** bzw. **Sedimentation**. Diese Ablagerungen treten vor allem im Unter- und Mittellauf der Flüsse auf. Das mitgeführte Material bleibt nach Korngrößen sortiert liegen.

$E = \frac{1}{2} m \cdot v^2$

Fließendes Wasser bewirkt durch die Verrichtung von Arbeit die Veränderung der Erdoberfläche. Diese Erosions- und Transportleistung wird durch die eigene kinetische Energie vollbracht. Die kinetische Energie berechnet sich aus der Wassermenge (m) und der Fließgeschwindigkeit (v). Diese wächst mit der Zunahme des Gefälles von Fließgewässern.

M2 *Kinetische Energie / Arbeit*

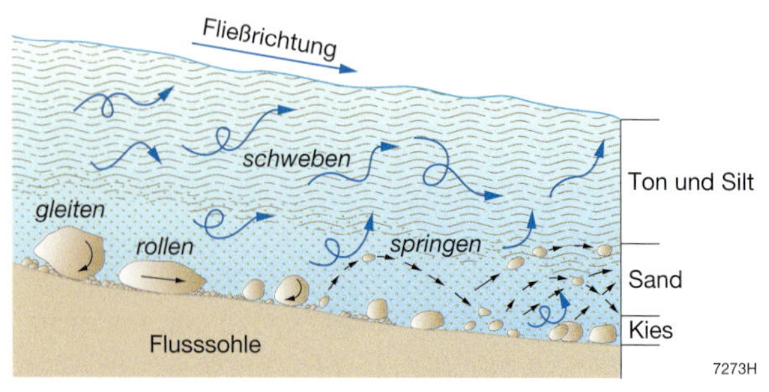

M3 *Materialtransport im Flussbett*

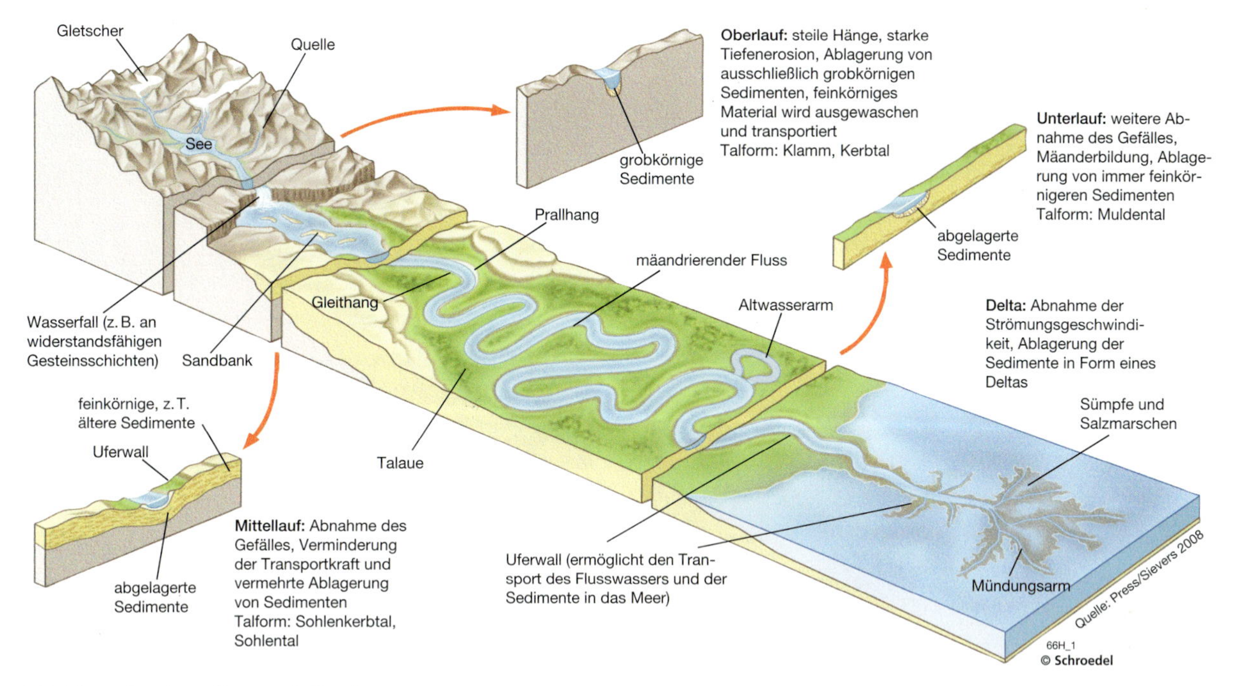

M4 *Von der Quelle zur Mündung*

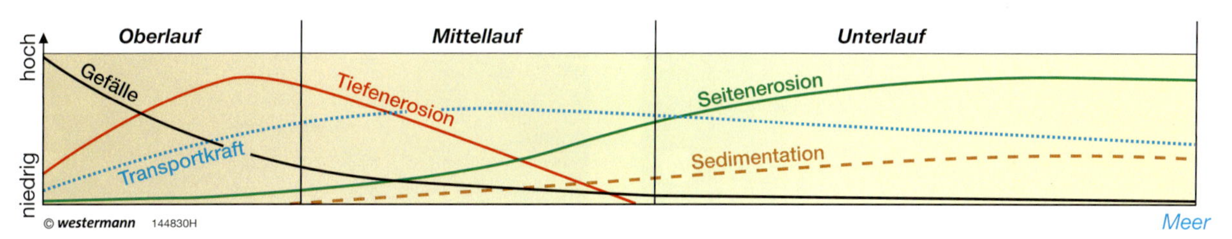

M5 *Ablaufende Prozesse entlang eines Flusses – Längsprofil*

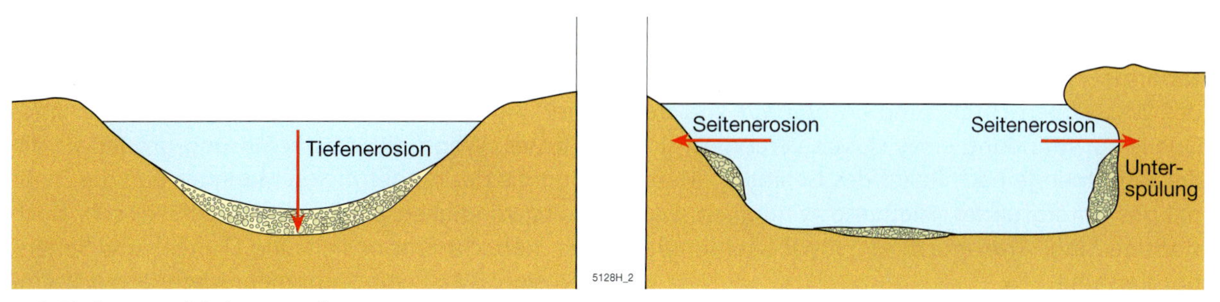

M6 *Tiefen- und Seitenerosion*

1 Flüsse verrichten aufgrund ihrer eigenen kinetischen Energie in einem hohen Maße Arbeit.
a) Beschreibe die Vorgänge des Materialtransports eines Flusses (M2, M3).
b) Erkläre, wovon die Transportkraft eines Flusses abhängig ist (M2–M5).
c) Erkläre die Prozesse bei der Tiefen- und Seitenerosion (M4, M6).
d) Stelle für die verschiedenen Abschnitte eines Flusses die Zusammenhänge zwischen Gefälle, Tiefenerosion, Korngrößentransport und Sedimentation dar (M4, M5).

2 Akkumulation kann auch im Ober- bzw. Mittellauf auftreten. Überlege, unter welchen Bedingungen dies geschieht (M4–M6).

3 Im Unterlauf kann das Flussbett teilweise höher liegen als seine Umgebung (Dammuferfluss). Erkläre.

M1 *Verschiedene Talformen*

Formung der Landschaft durch Flüsse

Talformen sind Ausdruck der Arbeit, die fließendes Wasser verrichten kann. Im Verlauf von der Quelle zur Mündung eines Flusses verändern sich die Talformen je nach Relief des Geländes, Material des Untergrundes, Fließgeschwindigkeit, Erosionsleistung, Transportkraft sowie Akkumulationsleistung.

Im Oberlauf haben Flüsse aufgrund des großen Gefälles eine hohe Fließgeschwindigkeit. In diesem Flussabschnitt sind vor allem die **Klamm** und das **Kerbtal** (V-Tal) ausgebildet.

Im Mittellauf lässt die Fließgeschwindigkeit nach und die Erosionsleistung nimmt ab. Auf diese Weise entstehen **Sohlenkerbtäler** bzw. **Sohlentäler**.

Im Unterlauf überwiegt die Akkumulation. Hier sind vor allem **Muldentäler** ausgebildet.

Das Verhältnis zwischen Wasserführung (Transportkapazität) eines Flusses und seiner Sedimentfracht wird als **Belastungsverhältnis (BV)** bezeichnet. Ausdruck dessen ist die Gefällskurve eines Flusses. Wenn die Wasserführung größer als die Summe des mitgeführten Materials und die Fließgeschwindigkeit aufgrund des Gefälles sehr hoch ist, herrscht Erosionsleistung (Tiefen- und Seitenerosion; BV < 1) vor. Steht mehr Material zur Verfügung als der Fluss transportieren kann, kommt es zur Akkumulation (BV > 1). Liegt zwischen Abtragung und Ablagerung ein Gleichgewicht vor, gilt BV = 1.

Als Prozess der Seitenerosion spielt die Hangabtragung eine wichtige Rolle. Sie kann als Hangabspülung durch Niederschlags- bzw. Schmelzwasser (flächenhaft = **Denudation**, linear = Erosionsrinnen) oder durch gravitative Massenbewegungen aufgrund der Schwerkraft (Bodengleiten, Bodenrutschen, Bergsturz) auftreten.

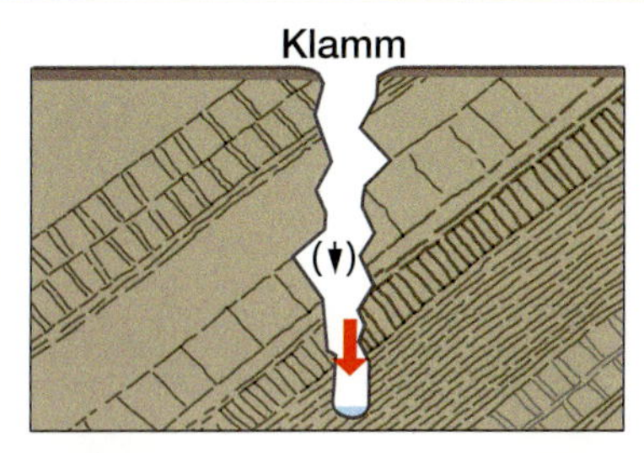

Klamm

Die Klamm gibt es nur im Oberlauf von Flüssen. Sie stellt einen steilen Einschnitt in das anstehende sehr widerständige Gestein dar. Die senkrechten oder sogar überhängenden Wänden entstehen infolge starker Tiefenerosion. Am Gewässergrund bilden sich sogenannte Strudeltöpfe. Seitenerosion findet kaum statt – es kommt allenfalls zu Abbrüchen.

BV < 1 Tiefenerosion (TE) > Seitenerosion (SE)

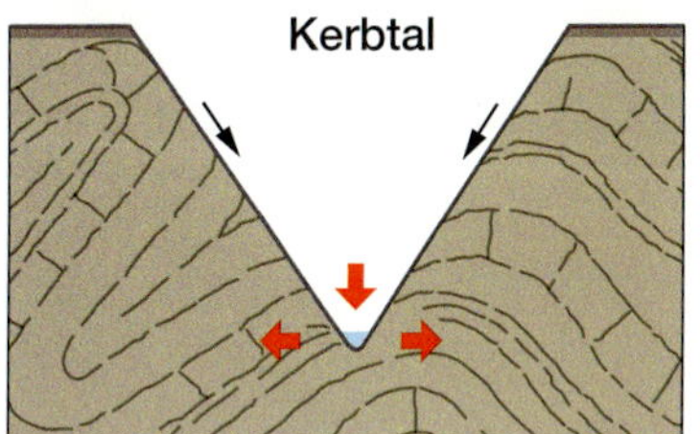

Kerbtal

Im Oberlauf vieler Flüsse findet man oft die Form des Kerbtals (V-Tal). Hierbei handelt es sich um ein Tal mit steilen, gestreckten Hängen, wobei die Talsohle praktisch mit dem Gewässerbett identisch ist. Es herrschen eine starke Tiefen- und Seitenerosion (Denudation) vor, wobei die Tiefenerosion überwiegt.

BV < 1 TE > SE

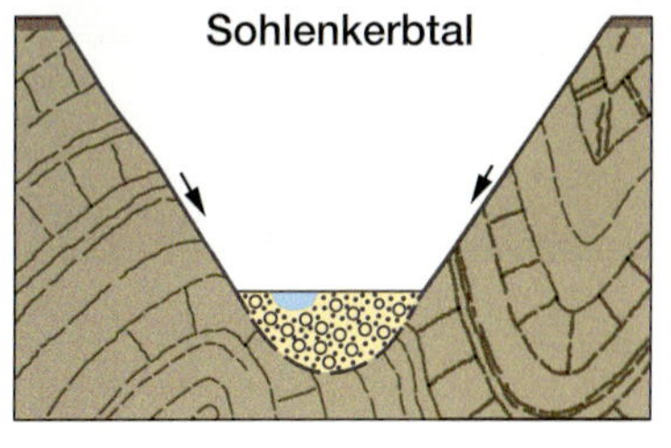

Sohlenkerbtal

In den mittleren Lagen unserer Gebirge, im Mittellauf der Flüsse, gehen die Kerbtäler in Sohlenkerbtäler über. Neben der intensiven Tiefen- und Seitenerosion infolge verschiedener Denudationsprozesse kommt es hier auch zur Akkumulation von Gesteinsmaterial auf der Talsohle.

BV < 1, BV > 1 TE > SE

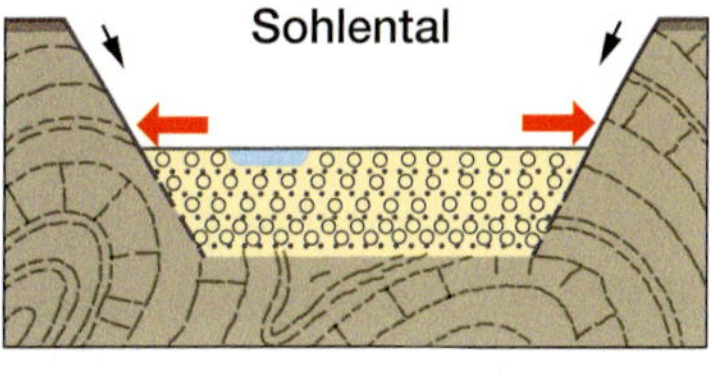

Sohlental

Sonderform des Sohlenkerbtals, wobei die Tiefe geringer als die Breite des Tals ist. Kennzeichnend ist die Akkumulationssohle. Nach Aussetzen der Tiefenerosion überwiegt eine starke Seitenerosion, wodurch die zumeist niedrigen Talhänge zurückverlagert werden.

BV < 1 bis BV > 1 TE < SE

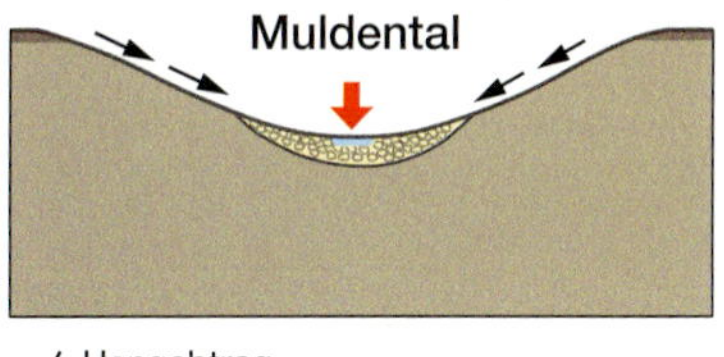

Muldental

Die typischste Talform im Unterlauf eines Flusses ist das Muldental. Es weist bei meist großer Breite eine nur geringe Eintiefung auf. Die exogene Haupttätigkeit ist die Akkumulation von feinem Material. Bei Hochwasser treten hier die Flüsse häufig über ihre Ufer und können weite Teile des Tieflandes überschwemmen. Das dabei abgelagerte Material lässt Aufschüttungsebenen entstehen.

BV < 1 TE < oder = SE

M2 *Talformen*

1 Im Flussverlauf verändert sich das Aussehen des Talquerschnittes.
a) Ordne den Flussabschnitten (Fotos A–C) die jeweilige Talform begründend zu (M1, M2).
b) Vergleiche die Talformen Klamm und Kerbtal (M1, M2).
c) Beschreibe die talformenden Prozesse entlang eines Flusslaufes (M2, S. 45 M4).

2 In unterschiedlich widerständigen Gesteinsmaterialien des Untergrundes entstehen verschiedene Talformen. Erkläre (M2).

3 Die Hangabtragung trägt zur Verbreiterung der Täler bei.
a) Erkläre, inwieweit der Neigungswinkel und der Bewuchs der Hänge dabei eine entscheidende Rolle spielen.
b) Informiere dich über die Folgen gravitativer Massenbewegungen (Internet).

M1 *Elbmäander am Lilienstein (Elbsandsteingebirge)*

Der mäandrierende Fluss

Die Linie der größten Fließgeschwindigkeit innerhalb eines Flusses wird als **Stromstrich** bezeichnet. Nachdem Flüsse im Oberlauf noch eine hohe Fließgeschwindigkeit und damit eine hohe Erosionsleistung (hauptsächlich Tiefenerosion) aufweisen, verringern sich diese im Mittel- und vor allem im Unterlauf. Damit sinkt auch die Transportleistung eines Flusses und er beginnt verstärkt zu mäandrieren.

Es entstehen Kurven und Bögen, sogenannte **Mäander**. In diesen beginnt am **Prallhang** neben der Tiefen- auch verstärkt die Seitenerosion zu wirken. Dadurch kommt es zur Uferhangversteilung und einer beschleunigten Hangabtragung. Im Gegensatz dazu werden am **Gleithang** aufgrund der geringeren Fließgeschwindigkeit mitgeführte Materialien abgelagert. Flüsse verändern so beständig die Form ihres Flussbettes.

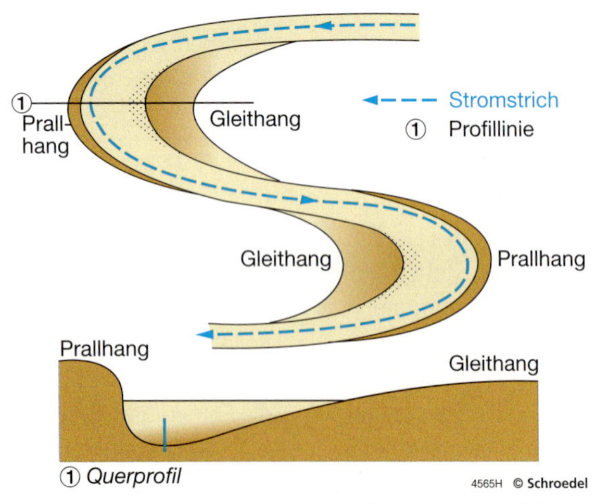

M2 *Mäander in Draufsicht und im Querprofil*

M3 *Bachmäander*

Durch diesen Teil des Flussbettes floss schon lange kein Wasser mehr. Die Mäanderschlinge ist an ihrem oberen Ende vom Fluss abgeschnitten. Der Bereich versumpfte und verlandete. Doch das schwierige Relief des Mäanders und das knapp unter der Erdoberfläche anstehende Grundwasser verhindern eine intensive Nutzung durch den Menschen. So konnten sich hier ungestört einzigartige Tier- und Pflanzenarten entwickeln.

M4 *Altes Wasser – frisches Leben (Altwasser)*

- erhöhte Fließgeschwindigkeit
- Durchstich (natürlich, künstlich)
- erhöhte Tiefenerosion
- verringerte Seitenerosion
- geradliniger Flussverlauf (Verkürzung)
- Eintiefung des Flussbettes
- Talsohle trockener (Seitenarm)
- Grundwasserabsenkung durch Tiefenerosion
- Bannung der Hochwassergefahr
- langanhaltende Niederschläge oder Schneeschmelze
- Absenken des Flussbettes
- Altwasser
- Begradigung der Flüsse durch den Menschen
- natürliche Überflutungsflächen fehlen
- stärkere Hochwasser und Überschwemmungen
- Schiffbarmachung
- Abschneiden der Nebenarme
- Bau von Dämmen
- Schiffbarmachung

M6 *Begradigung eines Flussmäanders*

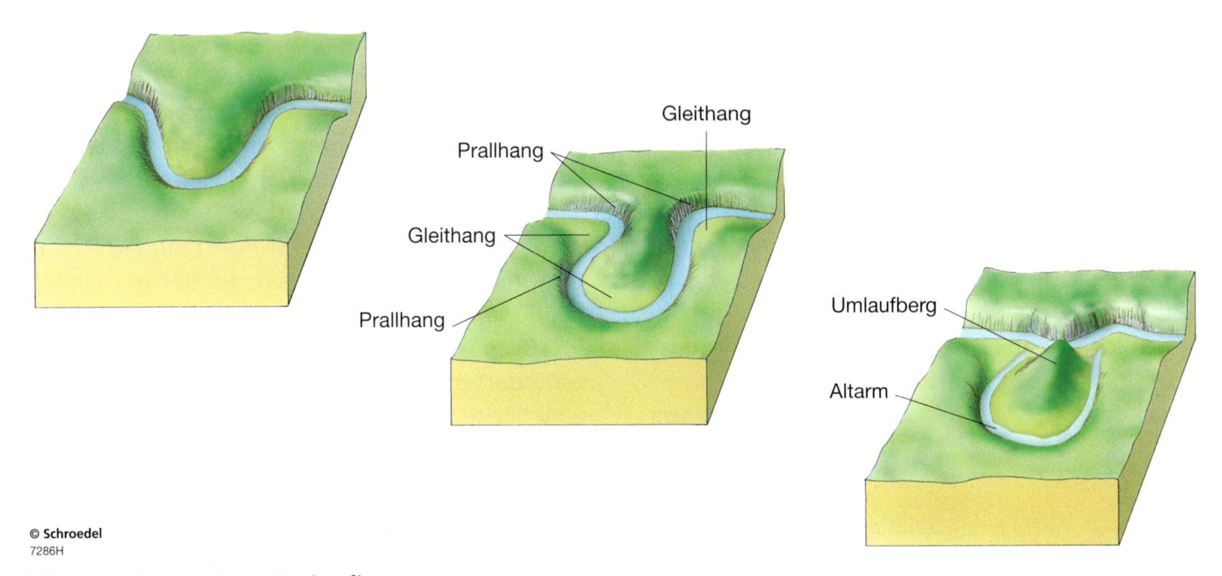

M5 *Entstehung eines Umlaufberges*

1 Flüsse verändern ihre Umgebung und verrichten Arbeit.
a) Ordne den Fotos M1 und M3 jeweils die Bereiche der Erosion (Prallhang) und der Akkumulation (Gleithang) zu (M2, M5).
b) Erläutere die Entstehung eines Umlaufberges und eines Altwassers (M4, M5).
c) Fertige eine Skizze eines möglichen zukünftigen Gewässerverlaufs zu M3 an.

2 „Ein Altwasser ist ein wichtiger Teil unserer Umwelt."
a) Nimm Stellung (M4).
b) Erstelle mithilfe der Stichpunkte jeweils eine Kausalkette zur natürlichen und anthropogenen Flussbegradigung (M6).

3 Erläutere die Folgen der anthropogenen Flussbegradigung für Umwelt und Mensch.

4 „Ein Fluss zieht Kurven." Begründe diese Aussage (M1 – M5).

Der Geopark „Porphyrland – STEINreich in Sachsen" wurde 2014 zertifiziert und ist somit der 15. Nationale Geopark in Deutschland. Alleinstellungsmerkmale sind bis zu 400 m mächtige Porphyrschichten in all ihren Variationen – so die Porphyrtuffe bei Rochlitz und die Hohburger Berge. Während des Eiszeitalters wurde der Raum von bis zu 500 m mächtigen Gletschern überformt. Noch heute kann man auf kahlem Fels ihre Spuren erkennen – den **Gletscherschliff**. Dies sahen auch Schweizer Geologen, die im 19. Jahrhundert die Hohburger Berge untersuchten. Bis dahin gab es die Eiszeittheorie noch nicht. Als die Wissenschaftler die Entdeckung mit den Gletscherspuren ihrer Heimat verglichen, vermuteten sie, dass auch im Norddeutschen Tiefland Gletscher die Landoberfläche formten. So konnte man die Entstehung großer Teile der Oberflächenformen in Europa erklären.

M1 *Die Morlot-Schliffe auf dem Kleinen Berg bei Hohburg*

Die Tätigkeit des Eises

Glaziale Serien gab es in Sachsen wie im Norddeutschen Tiefland. Belege dafür finden wir durch die sogenannte **Feuersteinlinie** auf der Höhe Zwickau-Chemnitz-Freiberg-Bad Schandau. Diese Markierung stellt den weitesten Eisvorstoß während der Elster-Kaltzeit dar.

Die zahlreichen Feuersteine stammen ursprünglich aus den kreidezeitlichen Sedimenten des Ostseeraumes (z. B. Rügen). Sie wurden durch das Inlandeis erodiert, im Gletscher transportiert und schließlich in den heute nicht mehr erkennbaren Endmoränen abgelagert.

Als Ursache für den Wechsel von Kalt- und Warmzeiten kommen verschiedene Faktoren infrage:

Die Form der Erdumlaufbahn um die Sonne verändert sich im Zyklus von ca. 92 000 Jahren von der Ellipse fast zu einem Kreis (**Exzentrizität**).

Der Neigungswinkel der Rotationsachse der Erde (Schiefe der **Ekliptik**) schwankt mit einer Periode von 41 000 Jahren zwischen 24°36′ und 21°58′.

Die Rotationsachse der Erde führt eine Kreiselbewegung (**Präzession**) durch, wobei ein Umlauf 22 000 Jahre dauert.

Diese astronomischen Bedingungen führen zu veränderten Strahlungsbedingungen auf der Erdoberfläche und unter anderem zu Eiszeiten.

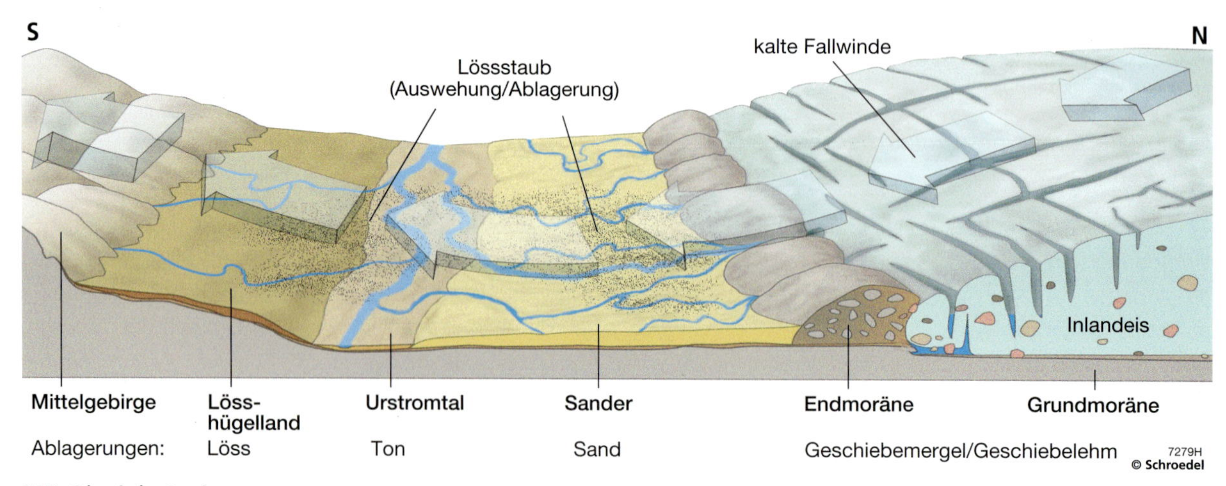

M2 *Glaziale Serie*

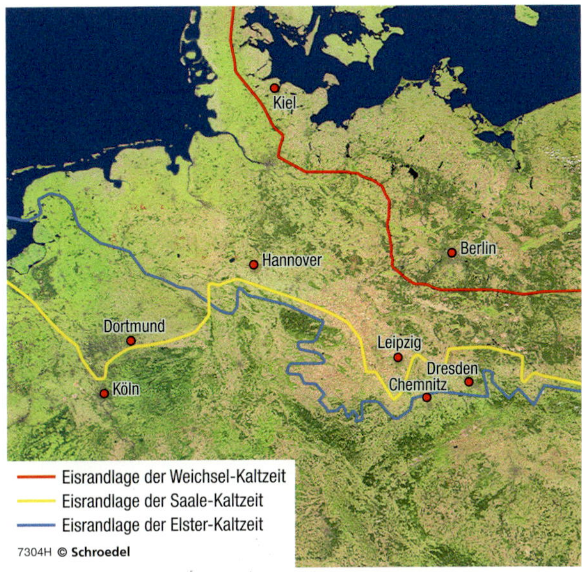

M3 *Eisvorstöße während des Pleistozäns in Mitteldeutschland*

INFO

Pleistozän (Eiszeitalter)

Das Pleistozän dauerte von ca. 1,8 Mio. Jahren vor heute bis ca. 12 000 Jahre vor heute. Es ist durch einen mehrfachen weltweiten Temperaturrückgang gekennzeichnet, der die Gebiete der Erde jedoch unterschiedlich betraf. Von den Polen und den Hochgebirgen ausgehend dehnten sich das Inlandeis und Gebirgsgletscher aus. Dies führte zu einer Verschiebung der Klimazonen auf der Erde. Da große Mengen des Wassers aus dem irdischen Wasserkreislauf im Eis gebunden waren, traten gravierende Meeresspiegelschwankungen auf, die über 100 m Höhenunterschied erreichten.

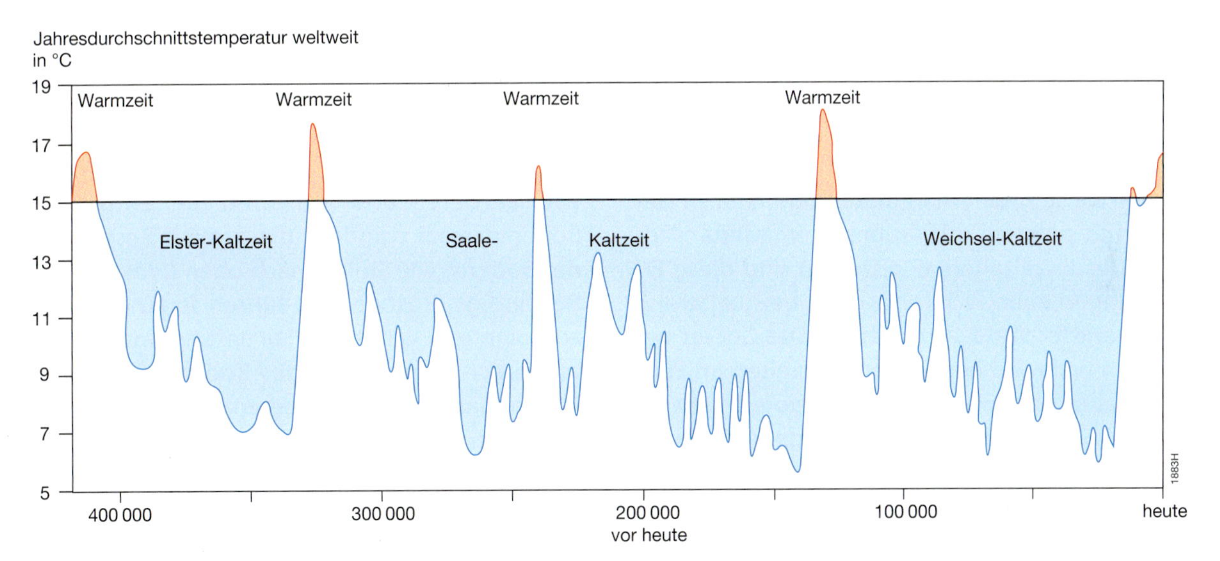

M4 *Wechsel von Warm- und Kaltzeiten während des Pleistozäns*

1 Sachsen als Teil Mitteldeutschlands wurde durch pleistozäne Vereisungen geprägt.
a) Erkläre mögliche Ursachen für den Wechsel von Kalt- und Warmzeiten auf der Erde.
b) Vergleiche die Eisrandlagen der Elster-, Saale- und Weichsel-Kaltzeit in Europa (M3, Atlas).
c) Beschreibe das Zustandekommen des Formenschatzes der glazialen Serie (M2).
d) Erläutere die Entstehung der Gletscherschliffe bei Hohburg und recherchiere nach Fakten zum Geopark „Porphyrland – STEINreich in Sachsen" (M1, Internet).
e) Erläutere, warum in vielen glazial geprägten Räumen keine oder kaum Spuren älterer Vereisungen zu finden sind.

2 Das Eiszeitalter in Sachsen.
a) Erkläre den Begriff Feuersteinlinie.
b) Erläutere, warum es während der Kaltzeiten in den Gebieten vor dem Inlandeis vorwiegend Nordwinde gab (M2).

M1 *Frostmusterboden in Spitzbergen (Norwegen)*

Naturraum Sachsen

Prozesse im periglazialen Raum – Entstehung der heutigen Oberfläche

Frostmusterböden

Üblicherweise findet man diese Böden nur in Gebieten mit polarem oder subpolarem Klima. Aufgrund des Eiszeitalters (Pleistozän) sind diese Erscheinungen aber auch in Sachsen, beispielsweise im Tharandter Wald, anzutreffen. Das Gebiet befand sich während der letzten Kaltzeiten im Periglazialraum und war somit nicht vom Inlandeis bedeckt. Der Boden war allerdings permanent gefroren und taute nur in den kurzen Sommermonaten oberflächlich auf. Durch den Wechsel von Gefrieren und Auftauen des enthaltenen Bodenwassers wandern die großen Bestandteile des Bodens, wie Steine, nach oben (Frosthebung). Beständige Frostwechsel führen so zu einer horizontalen und vertikalen Sortierung des Materials sowie zur Aufwölbung des Bodens. Durch diese lang anhaltenden Prozesse entstanden Frostmusterböden oder sogenannte Steinringe, die im Tharandter Wald bis heute erhalten blieben und die Form einer „Buckelpiste" bilden.

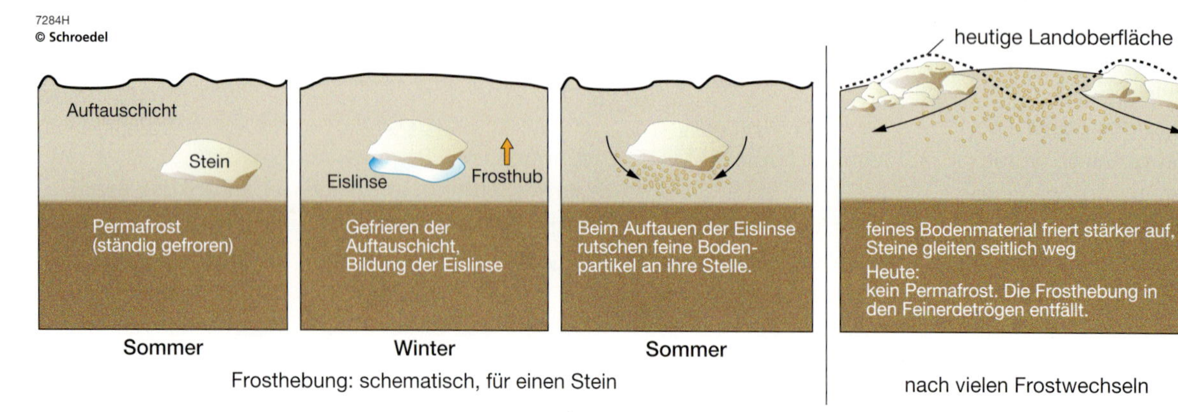

M2 *Frosthebung (schematisch)*

Alt- und Jungmoränenlandschaft

Das heutige Landschaftsbild Sachsens setzt sich aus Ablagerungen der beiden ersten Kaltzeiten (Elster- und Saale-Kaltzeit) zusammen, woraus sich eine landschaftliche Zweiteilung in die südliche elsterkaltzeitliche und die nördliche saalekaltzeitliche Altmoränenlandschaft ergibt. Jungmoränengebiete finden sich nur nördlich von Sachsen (Weichsel-Kaltzeit). Das Altmoränenland ist seit über 100 000 Jahren eisfrei. Die Formen der Glazialen Serie sind heute weitestgehend abgetragen, die Seen verlandet.

Periglazialraum

Als Periglazial werden eisfreie Gebiete bezeichnet, die durch die Wirkungen des Frosts geprägt werden oder in der Vergangenheit geprägt wurden. Heute findet man diese Räume nur noch in der subpolaren Zone und in den Hochgebirgen. Exogene Kräfte (Verwitterung, Erosion) veränderten während der Weichsel-Kaltzeit das Relief im Periglazialraum entscheidend. Diese Prozesse führten im Altmoränenland zu einer weitgehenden Einebnung des Reliefs.

Permafrost

In der jüngsten Kaltzeit bildeten sich im Periglazialraum aufgrund der niedrigen Temperaturen über mehrere Tausend Jahre Dauerfrostböden (Permafrostböden) mit einer Mächtigkeit von 50 m bis 250 m. Die sommerliche, wasserdurchtränkte Auftauschicht (30 cm bis 2 m) beginnt auch bei sehr geringer Hangneigung zu fließen (**Solifluktion**), wobei bestehende Hänge abgeflacht und Hohlformen aufgefüllt werden. Die Vegetationsarmut begünstigte das Bodenfließen.

Solifluktion

Solifluktion stellt eine Form des Bodenfließens dar (Denudation), welche sich unter periglazialen Bedingungen vollzieht. Voraussetzung für diese Prozesse ist der Dauerfrostboden mit seiner sommerlichen Auftauschicht. Schon bei geringen Hangneigungen kann der Solifluktionsschutt mit einem erhöhten Feinerdeanteil zum Fließen kommen. Auch heute kann es je nach klimatischen Bedingungen noch zur jahreszeitlichen sowie tageszeitlichen Solifluktion kommen.

M3 *Der Periglazialraum*

Das Erzgebirge als Periglazialraum:

1 Das eiszeitliche Inlandeis kommt nördlich des Erzgebirges zum Stehen.
2 Die im Eis mittransportierten Geschiebe sammeln sich beim Abschmelzen des Inlandeises am Fuß des Gebirges an.
3 Im Erzgebirge selbst taut der Permafrostboden in den kurzen Sommern oberflächlich auf, das Material der obersten Bodenschicht bewegt sich als Schlamm talabwärts (Bodenfließen/Solifluktion).

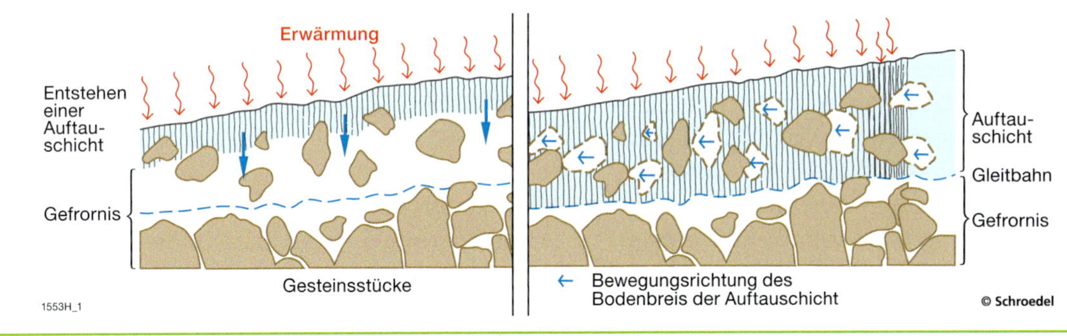

M4 *Solifluktionsprozess im Periglazialraum Erzgebirge*

1 Während und nach der letzten Kaltzeit wurde auch das heutige Sachsen landschaftlich geprägt.
a) Beschreibe die Verbreitung von Alt- und Jungmoränengebieten in Deutschland (Atlas).
b) Erläutere wirksame Prozesse im Periglazialraum (M2–M4).
c) Lokalisiere heutige Periglazialräume auf der Erde (Atlas).
d) Erkläre den Begriff Solifluktion (M3, M4).
e) Begründe Unterschiede beim Solifluktionsprozess an nord- und südexponierten Hängen (M3).
f) Erkläre, wie in unseren Breiten durch anthropogene Eingriffe Solifluktionsprozesse verstärkt werden können.
g) Erläutere die Entstehung von Frostmusterböden (M1, M2)

2 Urstromtäler verlaufen oft im „Zick-Zack". Erkläre dieses in der Landschaft Mitteleuropas auftretende Phänomen.

M1 *Lössdecke bei Meißen (über Granit)*

Die Tätigkeit des Windes

Die Entstehung der sächsischen Lössgefilde

Die Transportkraft des Windes ist maßgeblich von der Windgeschwindigkeit abhängig. So transportiert Wind bereits bei einer Geschwindigkeit von 0,1 Meter pro Sekunde feinste Staubteilchen, Sand ab einem Meter pro Sekunde. Bei der Winderosion unterscheidet man Deflations- und Korrasionsvorgänge. Als **Deflation** wird das Ausblasen bzw. Abwehen gelockerten verwitterten Gesteinsmaterials von Oberflächen bezeichnet. Die abschleifende und glättende Wirkung der vom Wind transportierten Sandkörner auf Gesteinsoberflächen wird dagegen **Korrasion** genannt. Dabei können Pilzfelsen und Windkanter entstehen. Bei nachlassender Windgeschwindigkeit wird das transportierte Material in Form von Sandfeldern und Dünen sedimentiert. Durch Ablagerung ausgewehter Sedimente aus Moränengebieten der Eisrandbereiche entstand im Pleistozän der Lössgürtel (Börden, Gäue) im nördlichen Vorland der europäischen Mittelgebirge. In Sachsen erreichen diese Lössdecken eine Mächtigkeit von bis zu 15 m. Die vom Inlandeis wehenden Fallwinde beförderten feines Material, bestehend aus Quarz-, Feldspat- und Kalkanteilen, nach Süden und lagerten es dort ab. Unter semiariden, winterkalten Bedingungen bildeten sich aus den Lössablagerungen fruchtbare Böden, so auch im Lösshügelland Sachsens.

M2 *Lösshohlweg*

INFO

LÖSS

Kalkhaltiges, gelblich-braunes, ungeschichtetes Sediment (feinzerriebenes Gesteinsmehl); durch Wind und Wasser abgelagert (Flug- und Schwemmlöss) mit überwiegender Korngröße Schluff (0,01 – 0,05 mm). Das Sediment Löss ist von feinsten Röhrchen durchzogen, die nach der Zersetzung ehemaliger Tundrengräser entstanden. Sie bewirken eine gute Durchlüftung und Wasserspeicherung der sich auf ihm bildenden Böden.

Windschliffe
In den Hohburger Bergen, im Geopark „Porphyrland – STEINreich in Sachsen", befinden sich Felsen mit seltsamen Rillen, sogenannte **Windschliffe**.
Nachdem die Eiszeittheorie geboren war (vgl. S. 50), konnte man auch für dieses Naturphänomen eine Erklärung finden. Im Pleistozän waren die großen eisfreien Flächen nicht gleich wieder mit Vegetation bewachsen. So konnten Winde, die aus Norden von den Eisrändern wehten, feines Gesteinsmaterial von den vegetationslosen Böden aufnehmen und es mit hoher Geschwindigkeit nach Süden transportieren. Dabei schliffen die Sandkörner, ähnlich wie ein Sandstrahlgebläse auf Baustellen, die Felsflächen ab. Es bildeten sich Rillen an den Felswänden, so auch am Naumann-Heim-Felsen auf dem Kleinen Berg bei Hohburg. Die Rillen sind mit einer dunklen Schicht aus Eisen- und Manganoxiden, dem Wüstenlack, überzogen.

M3 *Windschliffe (Kleiner Berg bei Hohburg)*

Periglaziale Dünen
Periglaziale Dünen der Späteiszeit sind vor allem im Binnenland zu finden. Sie sind Zeugen einer geringen Vegetationsbedeckung während der Kaltzeiten. Dabei waren die hinteren Bereiche dieser freien Dünen angefroren und der Hauptkamm mit einem schütteren Vegetationsbesatz versehen. Aber auch dieser konnte das Wandern der Dünen nicht verhindern. Erst mit der allmählichen Erwärmung nach der Kaltzeit und der damit verbundenen Bewaldung kam die Dünenbildung zum Erliegen. Die Grundformen dieser Akkumulationsprozesse sind Walldünen (asymmetrischer Querschnitt mit flach aufsteigender Luv-Seite und steiler abfallender Lee-Seite) und Parabeldünen (hufeisenförmig, Öffnung gegen den Wind gerichtet, langgezogene Sichelenden).
Der „Heller" im Norden Dresdens besteht zu einem Teil aus Flugsanden, zum anderen Teil aus eingeschwemmtem Sedimentationsmaterial der Elbe und ihrer Nebenflüsse.

M4 *Sanddüne in der Dresdner Heide („Heller")*

1 Sachsen hat Anteil am europäischen Lössgefilde (Lössgürtel).
a) Beschreibe die Lage der Lössgebiete in Sachsen (S. 38 M2, Atlas).
b) Finde im Atlas weitere Lössgebiete in Deutschland und Europa.
c) Begründe die Lage dieser Lössgebiete.
d) Erkläre das Zustandekommen von Löss- und Sandflächen in Sachsen (M1, M2, M4).
e) Erläutere die exogene Wirkung des Windes anhand solcher Erscheinungen wie Windschliffe, Pilzfelsen oder Dünen.
f) Recherchiere den Begriff Windkanter.

2 Erläutere, warum die periglazialen Bedingungen sehr günstig für die vom Wind verursachten Materialtransporte und -ablagerungen waren (M3, M4).

3 Periglaziale Dünen sind heutzutage in unseren Breiten nur schwer zu erkennen. Begründe.

M1 *Die stark zerklüfteten Schrammsteine*

Naturraum Sachsen

Die Entstehung des Elbsandsteingebirges

An der Stelle des heutigen Elbsandsteingebirges befand sich vor rund 120 Mio. Jahren ein mehrere hundert Meter tiefes Meer. Nach dem Rückzug des Meeres wurden die mächtigen Sedimentablagerungen verfestigt (**Diagenese**) und es entstand eine Art „Sandsteinplatte".
Durch die Aufschiebung des Lausitzer Granitmassivs und die Hebung des Erzgebirges wurde der Sandstein einer starken tektonischen Beanspruchung ausgesetzt. In den dadurch entstandenen Spalten und Klüften begann durch die Erosion des fließenden Wassers (fluviale Prozesse) die Bildung einer Sandsteinlandschaft. Der bemerkenswerte Formenschatz des Elbsandsteingebirges umfasst Felsriffe, freistehende Türme und Felsnadeln, Ebenheiten mit Tafelbergen und tief eingeschnittene Schluchten.
Durch zum Teil dünne, wasserundurchlässige Tonschichten zwischen den Sandsteinbänken haben sich klassische Terrassen mit Überhängen und Klufthöhlen gebildet. Von besonderem Interesse sind einzelne Verwitterungsformen auf der Oberfläche des Gesteins wie die Waben- und Wollsackverwitterung. Zusätzlich spielte vor ca. 50 bis 60 Mio. Jahren in diesem Gebiet der Vulkanismus eine große Rolle. Die erkalteten Basaltkegel – zum Beispiel der Große und Kleine Winterberg sind besondere Zeugnisse dieser Zeit.

Wabenverwitterung

Im Sandstein ist oftmals auch Gips (Calciumsulfat) enthalten, der durch Sickerwasser gelöst wird. Beim Austritt des Wassers und dessen anschließender Verdunstung an Steilwänden oder an Überhängen fällt Gips aus. Dabei wird unter anderem leicht lösliches Alaun, welches ein saures Schwefelsalz ist, abgelagert. So wird die Oberflächenstruktur des Sandsteins zerstört und es entstehen sogenannte „Waben".

Wollsackverwitterung

Die Wollsackverwitterung ist überwiegend auf Prozesse der chemischen Verwitterung zurückzuführen und findet zumeist unterirdisch statt. Sie betrifft z. B. Gesteine wie Granit und Gneis. Durch Spalten und Klüfte können Wasser und Säuren in den Sandstein eindringen und diesen zersetzen. Es entstehen rundliche Blöcke, „Blockmeere" und Felsenburgen. Im Tertiär lief diese Verwitterungsform aufgrund des warmen und wechselfeuchten Klimas begünstigt ab.

M2 *Verwitterungsprozesse im Elbsandsteingebirge*

M3 *Wabenverwitterung*

M5 *Wollsackverwitterung*

Tafelberge

Tafelberge wie der Lilienstein, Falkenstein oder Pfaffenstein sind räumlich begrenzte Tafeln bzw. Hochebenen, die als Einzelformationen die waagerecht gelagerten Schichten überragen. Sie entstehen, wenn morphologisch widerständige Schichten durch Flüsse zerschnitten werden. Darunter liegen weichere Gesteinsschichten, die schneller abgetragen werden. Tafelberge sind Überreste, die von der Abtragung des Wassers vorerst verschont blieben.

Felstürme und Felsnadeln

Diese Formationen entstehen in Abhängigkeit vom Gestein und der Kluftbildung der Sandsteinplatte. Voraussetzung ist die Struktur der Felsquader, die durch schachbrettartig angeordnete Klüfte und Spalten bestimmt wird. So entstehen massige Felskolosse und zerbrechlich wirkende Nadeln wie die Barbarine am Pfaffenstein.

Ebenheiten

Dies sind flache Flächen, aus denen Felsformationen wie die Tafelberge herausragen. Sie weisen geringere Höhenunterschiede auf und sind das Ergebnis langer Verwitterungs- und Abtragungsprozesse.

M4 *Oberflächenformen im Elbsandsteingebirge*

1 Das Elbsandsteingebirge bietet einen besonderen Formenschatz.
a) Beschreibe die Reliefformen des Elbsandsteingebirges (M1, M4, M5).
b) Erkläre die Entstehung der einzelnen Oberflächenformen. Berücksichtige die vorherrschenden Verwitterungsarten (M1 – M5).
c) Erläutere den Einfluss fluvialer Prozesse auf die Formung des Elbsandsteingebirges.

2 Recherchiere zu weiteren Verwitterungs- und Talformen im Elbsandsteingebirge (Internet).

3 Die Formung des Elbsandsteingebirges ist nicht abgeschlossen. Entwickle ein Zukunftsszenario, wie sich das Elbsandsteingebirge bei gleichbleibenden Verwitterungs- und Erosionsprozessen weiterentwickeln wird (M2 – M4).

Boden und Bodenbildung

Merkmale des Bodens

Der Boden ist die oberste belebte Verwitterungsschicht der Erdkruste. Er besteht aus mineralischen Bestandteilen, toter organischer Substanz und einer großen Anzahl von Lebewesen. In einem Kubikmeter Boden existieren mehr Organismen, als es Menschen auf der Erde gibt. Außerdem enthält der Boden Wasser und Luft.

Bodenart

Die Größe der mineralischen Bestandteile gibt Auskunft über die **Bodenart** (z. B. Sand-, Lehm- oder Tonböden).

Bodentyp und Pedosphäre

Als Folge von biologischen und chemischen Prozessen sowie von Materialumlagerungen entstehen im Boden unterschiedliche Schichten, die **Bodenhorizonte**. Ihre Abfolge und Merkmale kennzeichnen die **Bodentypen** (z. B. Schwarzerde). Die Böden der Erde bilden gemeinsam die **Pedosphäre**, die als dünne Schicht das Festland bedeckt.

Bedeutung des Bodens

Böden sind Bestandteile jedes terrestrischen Geoökosystems und an allen natürlichen Stoffkreisläufen beteiligt. Sie sind hochkomplexe Systeme, die ständigen Veränderungen unterliegen und für die Landschaft eine sehr große Bedeutung haben. Sie dienen als Puffer- und Filtersysteme, weil sie Wasser speichern und mechanisch reinigen. Pflanzen nutzen den Boden als Standort und versorgen sich durch ihn mit Wasser und Nährstoffen. Vor allem ist der Boden die wichtigste Produktionsgrundlage der Land- und Forstwirtschaft. Daher ist es wichtig, den Verlust durch Überbauung und Erosion zu minimieren und die Leistungsfähigkeit der Böden zu bewahren.

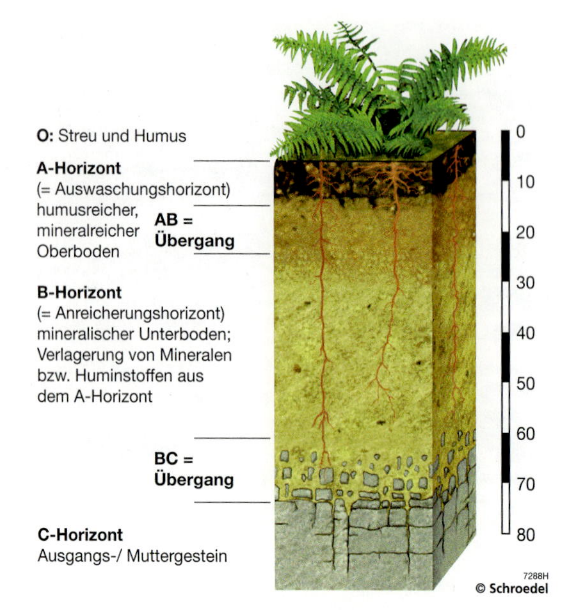

M2 *Schematisches Bodenprofil*

M1 *Vom Blattfall zum Zerfall – kleine Helfer bei der Arbeit*

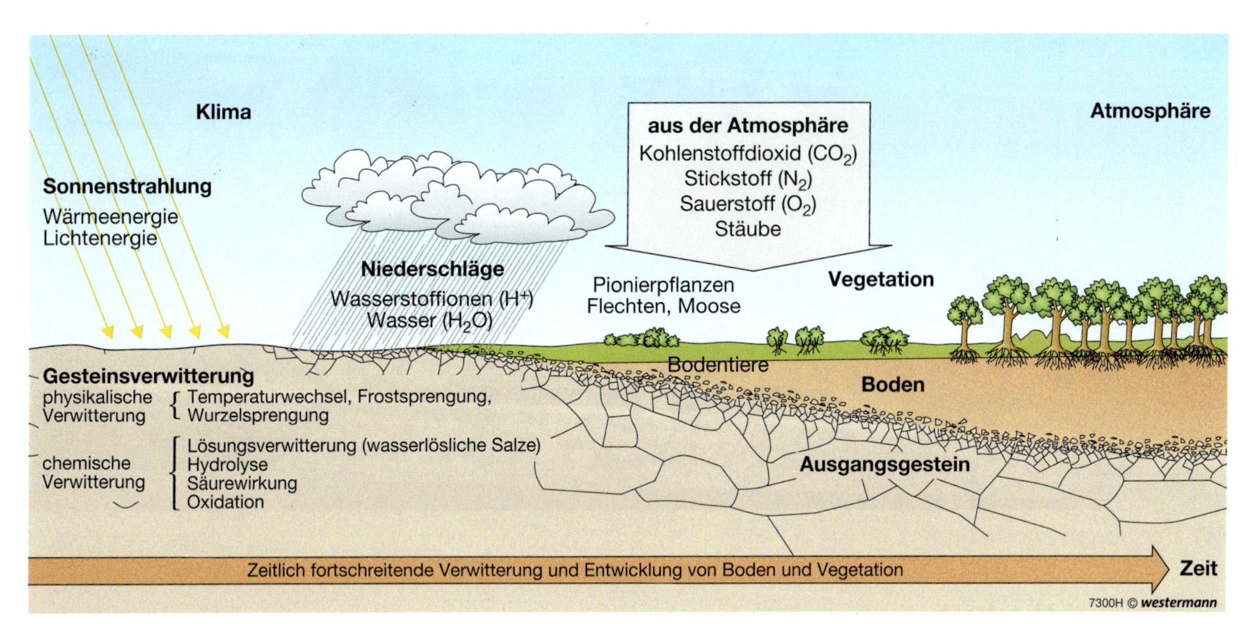

M3 *Bodenbildungsprozesse*

Bodenbildung

Böden brauchen für ihre Entwicklung einen sehr langen Zeitraum. Sie bilden sich, indem anorganische Verwitterungsrückstände des Gesteins mit dem von den **Bodenorganismen** hinterlassenen Abbauprodukten des anfallenden organischen Materials vermischt werden.

Bodenbildung beginnt stets mit der Verwitterung des anstehenden Gesteins. Die anorganischen Bestandteile des Bodens entstehen sowohl durch physikalische als auch chemische und biologische Verwitterung. Art und Umfang dieser Verwitterung werden durch das Klima und die Verwitterungsfähigkeit des anstehenden Gesteins gesteuert. Bei diesen Prozessen werden auch Pflanzennährstoffe freigesetzt und neue Minerale gebildet.

Für die Eigenschaften des Bodens haben **Tonminerale** eine besonders große Bedeutung.

Wichtiger Bestandteil jedes Bodens ist der **Humus**, der sich meist im obersten Bodenhorizont konzentriert und diesem seine dunkle Farbe verleiht. Humus besteht aus Abbauresten toter Substanzen und Stoffneubildungen, den schwarzbraunen Huminstoffen (vor allem Humin- oder Fulvosäuren).

Die letzte Stufe des Abbaus der organischen Substanz ist die Mineralisierung. Dabei werden organische Substanzen in anorganische, z. B. Wasser, Kohlenstoffdioxid, Ammonium (NH_4) oder in Eisenverbindungen umgewandelt.

M4 *Prozess der Bodenbildung*

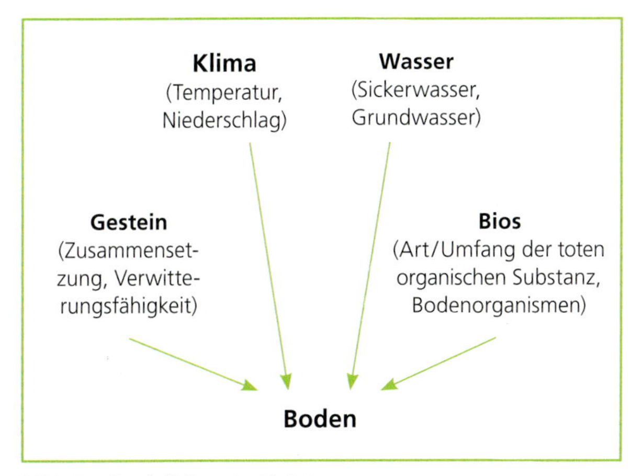

M5 *Bodenbildende Faktoren*

1 Böden lassen sich unterschiedlich charakterisieren. Erkläre die Begriffe Boden, Bodenart, Bodentyp, Bodenhorizont und Pedosphäre (M2).

2 Boden ist mehr als verwittertes Gestein. Gib einen Überblick über die Bedeutung der Böden für Mensch und Natur (M3).

3 Bodenbildung ist ein komplexer Vorgang.
a) Beschreibe die Abbauprozesse der organischen Substanzen im Boden (M1, M3).
b) Erläutere das Zusammenwirken der bodenbildenden Faktoren bei der Bildung von Böden (M3 – M5).
c) Setze M3 in einen Text um.

M1 *Der Boden ernährt uns*

Bodenfruchtbarkeit

Der Boden ist dann als fruchtbar zu bezeichnen, wenn er dauerhaft hohe Erträge liefert. Dazu müssen sich die Pflanzen mit ausreichend Nährstoffen und Wasser versorgen können. Weil die Wurzeln die Nährstoffe nur aus wässrigen Lösungen aufnehmen, ist das Wasserangebot von entscheidender Bedeutung für den Boden.
Für die Nährstoffversorgung der Pflanzen sind zwei Eigenschaften der Bodenbestandteile von besonderer Bedeutung. Das **Sorptionsvermögen** beschreibt die Möglichkeit, Ionen zu binden. Die **Kationenaustauschkapazität (KAK)** ist die Fähigkeit eines Bodens, Nährstoffe zu speichern und wieder abzugeben.
Diese Möglichkeit haben besonders Tonminerale, die durch die chemische Verwitterung im Boden entstehen. Dreischichttonminerale, wie sie vorwiegend in den gemäßigten Regionen der Erde gebildet werden, können deutlich mehr Nährstoffe speichern als Zweischichttonminerale, die für tropische Gebiete charakteristisch sind.
Tonminerale bilden gemeinsam mit Huminstoffen große und stabile **Ton-Humus-Komplexe**, die ebenfalls Nährstoffe speichern und wieder freisetzen können. Der A-Horizont wird durch sie krümeliger, besser durchlüftet und besser durchwurzelbar.

Bodenwasser und Bodenluft

Das Bodenwasser ist das wichtigste Transportmedium im Boden. Es vermittelt zudem den Austausch von Nährstoffen zwischen den anorganischen Bodenbestandteilen und den Wurzeln. Die Bodenluft dient den Wurzeln und den Mikroorganismen zur Atmung und hat großen Einfluss auf die Temperatur des Bodens. Der Gehalt an Wasser und Luft im Boden hängt von der Bodenart ab. In grobkörnigen Böden kann Wasser gut versickern, jedoch schlecht gespeichert werden. Ein hoher Anteil an Bodenluft fördert die Erwärmung, aber auch die Austrocknung. Feinkörnige Böden mit hohem Tongehalt können Wasser sehr gut speichern. Diese Böden quellen aber auf, wodurch nur wenig Platz für Luft bleibt. Sie erwärmen sich daher sehr schlecht. Ein hoher Grundwasserstand oder wasserstauende Schichten im Boden lassen Wurzeln verfaulen und behindern die Atmung der Mikroorganismen.

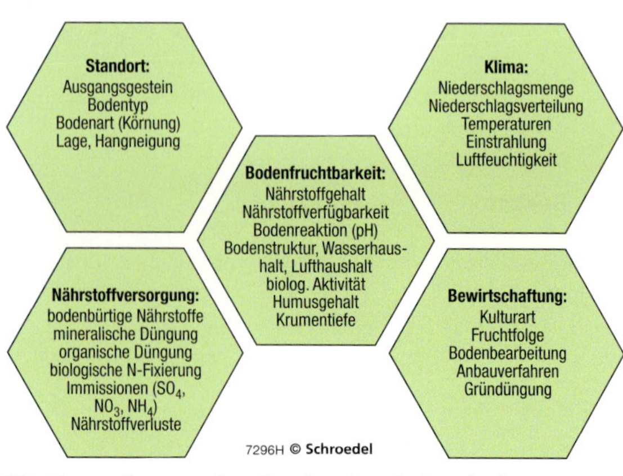

M2 *Grundlagen der Bodenfruchtbarkeit*

Zweischichttonmineral

z.B. Kaolinit (von Kauling, Berg in China, Fundort von Porzellanerde = Kaolin)

Schichtflächenabstand nicht variabel, nicht quellbar, Ionen-Adsorption nur an Außen- und Bruchflächen.

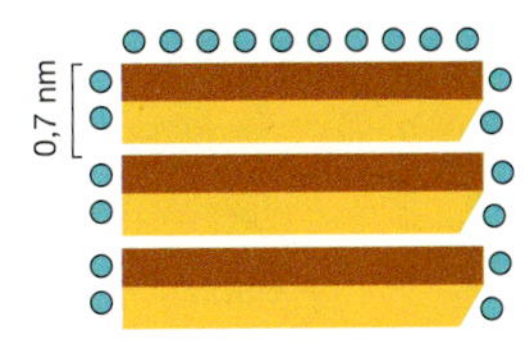

Dreischichttonmineral

z.B. Montmorillonit (von Montmorillon, Ort in Frankreich, hier erstmals beschrieben)

Schichtflächenabstand variabel, gut quellbar durch Eintritt von Wasser. Ionen-Adsorption vorwiegend an „inneren" Oberflächen sowie an Außen- und Bruchflächen.

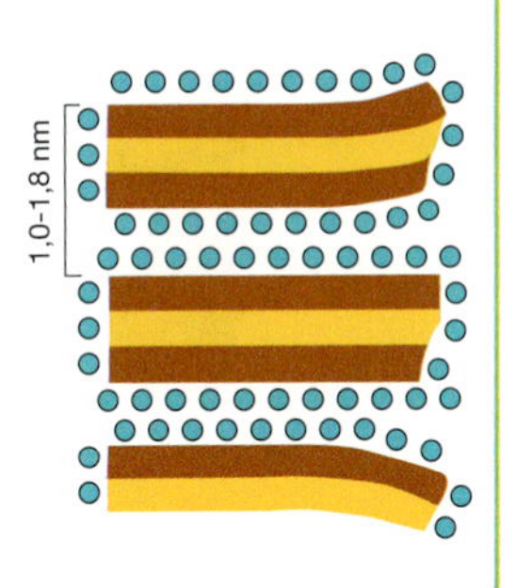

Molekülschichten bilden Schichtpakete

austauschbare Ionen

M3 *Sorptionsvermögen von Zwei- und Dreischichttonmineralen*

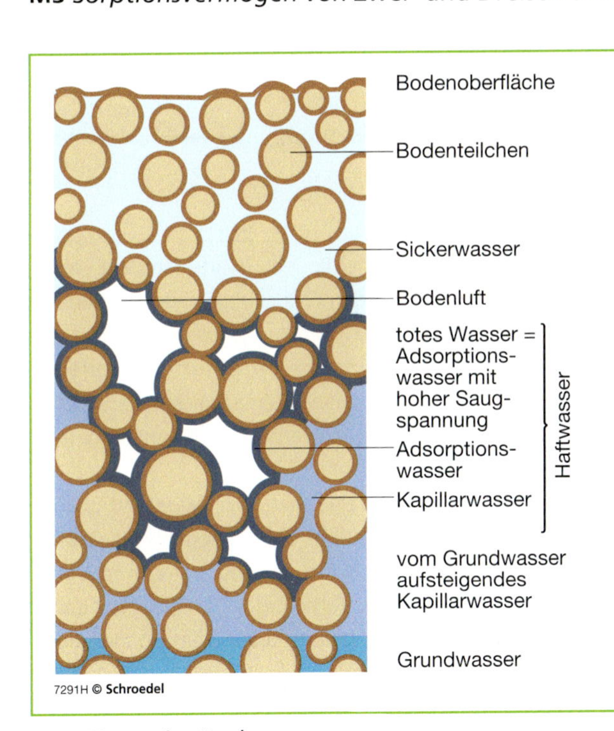

Sickerwasser:
bewegt sich unter Einfluss der Schwerkraft nach unten

Haftwasser:
verbleibt entgegen der Schwerkraft im Boden als
- Kapillarwasser – wird in den Bodenhohlräumen durch Adhäsion oder Kohäsion festgehalten, steigt meist Richtung Oberfläche auf – oder
- Adsorptionswasser – an Bodenteilchen angelagertes Wasser

Grundwasser:
unterirdisches Wasser, das die Hohlräume des Bodens zusammenhängend ausfüllt.

Wird Wasser an einer wasserundurchlässigen Schicht am weiteren Versickern gehindert, so kommt es zur Bildung von Stauwasser.

M4 *Wasser im Boden*

1 Die Bodenfruchtbarkeit ist von vielen Faktoren abhängig.
Erläutere das Zusammenwirken dieser Faktoren (M2, M4).

2 Tonminerale und Wasser beeinflussen die Eigenschaften des Bodens sehr stark.
a) Erkläre die Begriffe Sorptionsvermögen, Kationenaustauschkapazität und Ton-Humus-Komplex (M3, Internet).
b) Erläutere den Ionenaustausch an Tonmineralen im Boden (M3).
c) Beschreibe Formen und Bedeutung des Wassers in Boden (M4).
d) Erkläre die Nährstoffversorgung der Pflanzen im Boden.

3 Erläutere, wie wertvoll Böden für die Menschen sind (M1).

4 Bodenfruchtbarkeit ist veränderlich. Nenne Prozesse, die die Bodenfruchtbarkeit verringern bzw. verbessern können.

5 Böden in den immerfeuchten Tropen besitzen meist eine geringere Fruchtbarkeit als die der Außertropen. Begründe diese Aussage (M3).

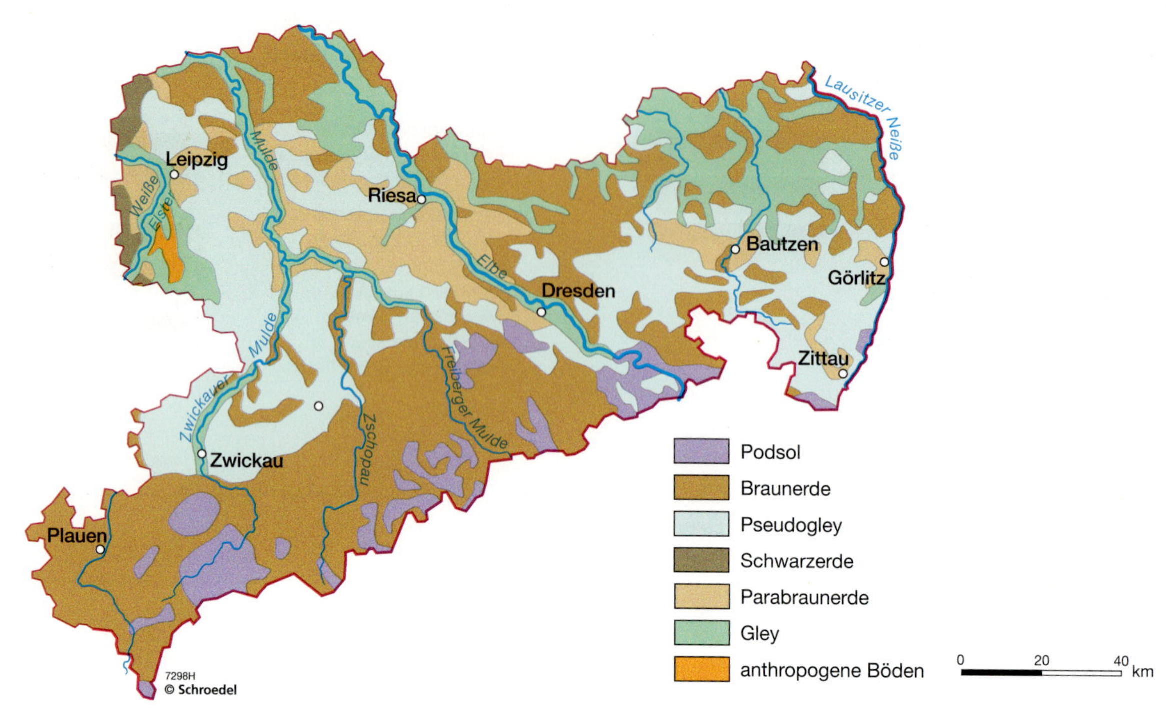

M1 *Sachsens Böden*

Bodentypen in Sachsen

In Sachsen treten viele Bodentypen in einem engräumigem Wechsel auf. Ursachen sind die Unterschiede im geologischem Bau, Relief und Klima. Die Karte zeigt jeweils den in der Region am häufigsten auftretenden Bodentyp (Leitboden).

A Oberboden

- A_h durch Humus dunkelbraun gefärbt
- A_e an Humus, Eisen- und Aluminiumoxiden arm, (e – lateinisch = elure – auswaschen)
- A_l heller, ton- und kalkarmer Horizont (von französisch = lessiver – waschen)

B Unterboden

- B_v verbraunter und verlehmter Horizont
- B_h durch Humuseinlagerungen gefärbt (graubraun bis schwarz)
- B_s durch Eisen und Aluminium rostrot gefärbt
- B_t durch Tonanreicherung gelbbraun gefärbt
- S_w wechselfeuchter Stauwasserleiter
- S_d wasserstauender Horizont

C Ausgangsgestein, noch nicht von der Bodenbildung beeinflusst

M2 *Bodenhorizonte und ihre Symbole (Auswahl)*

Braunerde ist ein typischer Boden in Mitteleuropa. Er entsteht unter Laubwald, wenn Wasser ungehindert im Boden versickern kann. Die kalkfreien Ausgangsgesteine verwittern. Dabei bilden sich Tonminerale, es setzt die **Verlehmung** ein. Lehm beschreibt ein Gemisch aus Sand, Schluff und Ton. Bei diesem Vorgang erhöht sich der Anteil der feinen Bodenbestandteile.

Außerdem wird Eisen freigesetzt. Eisenoxide und Eisenhydroxide bilden feine Hüllen um die Bodenbestandteile und färben den Boden braun. Dieser Prozess wird **Verbraunung** genannt. Die Farbe des B_v-Horizonts hat dem Boden seinen Namen gegeben. Braunerden können sich zu den Bodentypen Parabraunerde, Pseudogley und Podsol weiterentwickeln (M4–M6).

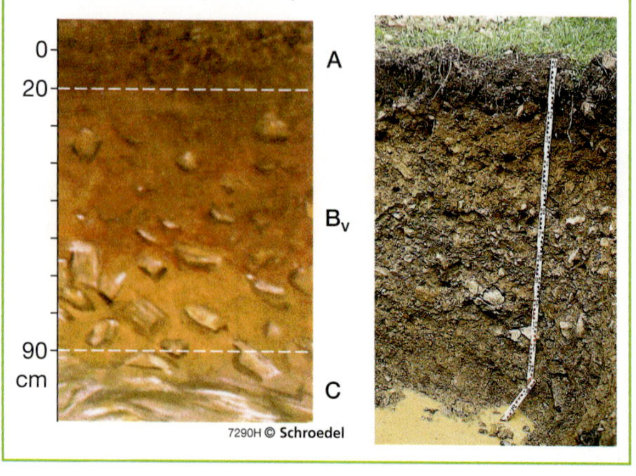

M3 *Braunerde*

Parabraunerde entsteht unter den gleichen Bedingungen wie Braunerde, jedoch auf Löss oder Lehm und enthält daher feinere Bodenbestandteile. Der Boden darf nur schwach versauert sein. Aus dem A-Horizont wird durch das Sickerwasser vor allem Kalk aber auch Ton nach unten verlagert. Es entsteht ein heller **Auswaschungshorizont**. Die Tonminerale werden in einem gelbbraunen B_t-Horizont wieder angereichert. Parabraunerde eignet sich gut für die ackerbauliche Nutzung. Bei stärkerer Versauerung des Bodens wird überwiegend Ton verlagert und es entsteht eine **Fahlerde**. Beide Böden gehören zur Gruppe der Lessivés.

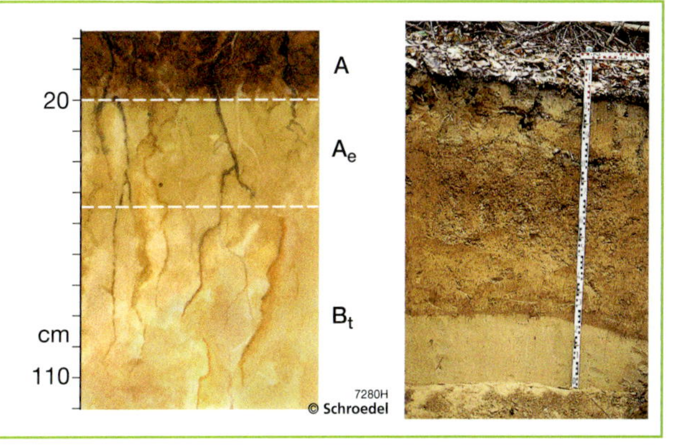

M4 *Parabraunerde*

Pseudogley nennt man einen von **Staunässe** geprägten Boden mit jahreszeitlichem Wechsel von Vernässung und Austrocknung. Ursache dafür ist eine oberflächennahe wasserstauende Schicht, meist aus Ton. Ist der Horizont über der Tonschicht, dem S_w-Horizont, vernässt, werden Eisenverbindungen reduziert, der Horizont bleicht aus. Trocknet der S_w-Horizont dann aus, werden die gelösten Eisenverbindungen ausgefällt. Sie verteilen sich aber nicht gleichmäßig im Boden, sondern bilden Rostflecken oder lagern sich entlang von Schwundrissen ab. Pseudogleye erwärmen sich im Frühjahr sehr langsam, was ihre ackerbauliche Nutzung erschwert.

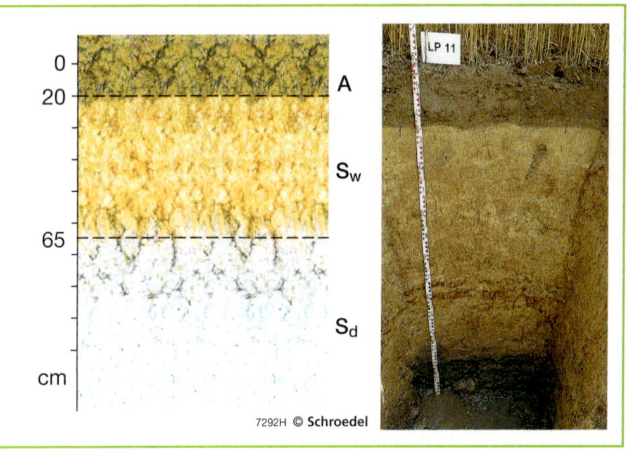

M5 *Pseudogley*

Podsol ist die russische Bezeichnung für aschefarbige Böden. Sie treten vor allem in kaltgemäßigten Regionen auf, kommen aber auch in Sachsen vor.

Podsol entsteht unter Nadelwäldern auf sandigem Substrat, wo Wasser gut versickern kann. Die Nadelstreu wird schwer abgebaut und erzeugt dabei extrem aggressive Fulvosäuren. Diese mobilisieren im unteren A-Horizont alle Bestandteile, außer Quarz, wodurch ein hellgrauer A_e-Horizont entsteht. Im Unterboden werden Eisenverbindungen und Humus wieder ausgefällt. Es entsteht die sogenannte Ortsteinkruste. Der Boden ist sauer und wenig ertragreich.

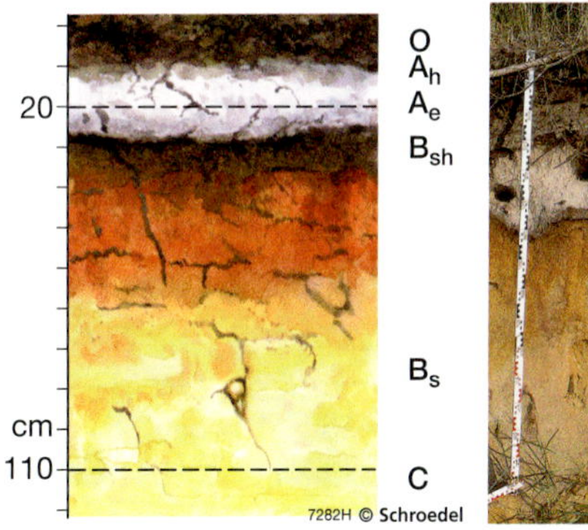

M6 *Podsol*

1 Bodentypen sind an spezielle Bildungsvoraussetzungen gebunden.
a) Nenne die Bildungsbedingungen der Bodentypen in M3–M6.
b) Erkläre die Prozesse der Verlehmung und Verbraunung (M3).

2 Die Braunerde wird als Leitbodentyp in Sachsen bezeichnet.
a) Beschreibe die Entstehung einer Braunerde. Beachte Voraussetzungen, Prozesse und Unterschiede in den Horizonten (M3).
b) Erkläre den Übergang von Braunerde über Parabraunerde zu einem Pseudogley.
c) Wenn aus Laubwäldern Nadelwälder werden, wird aus Braunerde Podsol. Begründe.

M1 *Eine Exkursionsgruppe untersucht den Boden*

Bodenuntersuchungen

Böden können auf vielfältige Weise untersucht werden. Die folgenden Möglichkeiten sind für Schüler auf einer Exkursion oder im Fachkabinett Chemie bzw. Biologie geeignet. Sie erfordern keinen großen Aufwand, aber exaktes Arbeiten und die Einhaltung von Sicherheitsregeln. Für die Probenentnahme im Gelände ist das Einverständnis des Grundstückseigners erforderlich, angelegte Bodengruben müssen selbstverständlich wieder verfüllt werden.

Sedimentation der Bestandteile nach zehn Minuten:

Sand	90 %
lehmiger Sand	75 %
sandiger Lehm	65 %
Lehm	35 %
Ton	<35 %

M2 *Bestimmung der Bodenart*

Experiment 1: Bestimmung der Bodenart mittels Fingerprobe

Rolle eine Bodenprobe zwischen den Fingern.

Resultat	Bodenart
sehr gut formbar, dünn ausrollbar, glänzende Flächen	Ton
gut roll- und knetbar, Körner sind nicht fühlbar	Lehm
deutlich rollbar und formbar, Körner sind fühlbar	sandiger Lehm
schwer formbar, Körner fühlbar	lehmiger Sand
etwas formbar, Körner nicht fühlbar	Schluff (Löss)
nicht formbar, bröcklig, Körner fühlbar	Sand

Experiment 2: Bestimmung des Humusgehalts

Wiege die lufttrockene Bodenprobe exakt ab. Erhitze die Probe in einem Porzellantiegel im Muffelofen oder über dem Bunsenbrenner bis zur Rotglut. Lasse die Asche abkühlen und wiege erneut. Berechne den Humusgehalt (Glühverlust) in Prozent.

Bodenprofile kann man am einfachsten in Baugruben oder an Hängen gewinnen. Sie sollten möglichst bis zum C-Horizont (Ausgangsgestein) in den Boden hineinreichen. Eine Seite der Grube wird mit dem Spaten glatt abgestochen, damit Farb- und Strukturunterschiede deutlich hervortreten.

Analyseschritte:
1. Dokumentation (Zeichnung oder Foto möglichst mit einer Messlatte), Entnahme von Proben aus jedem Horizont, in kleine dichte Behälter verpacken
2. Beschreibung des Profils (Farbe, Mächtigkeit und sonstige Merkmale der Horizonte)
3. Interpretation der Bodenhorizonte, Benennung des Bodentyps

Bodengruben sollten nicht an Standorten mit hohem Grundwasserspiegel ausgehoben werden.

Bodenhorizonte können auch mit einem Bohrstock erkundet werden.

Vorgehensweise:
1. Suche eines geeigneten Standorts (nicht unter Bäumen, auf Wegen oder steinigem Untergrund)
2. Bohrstock ohne Griff mit einem großen Hammer in den Boden schlagen, bis die Rinne vollständig im Boden steckt
3. Griff durch den Kopf des Bohrstocks stecken und drehen
4. Bohrstock vorsichtig herausziehen
5. überschüssiges Material quer zur Rinne glätten, damit die Schichtgrenzen sichtbar werden

Analyseschritte wie bei der Bodengrube

Diese Methode eignet sich jedoch nicht für sehr trockene Böden.

M3 *Analyse eines Bodenprofils*

Experiment 3: Bestimmung des pH-Wertes

Mische eine kleine Probe gemörserten Bodens mit einem Bodenindikator. Lasse die Probe etwa zwei Minuten ruhen. Miss mit einem pH-Meter die Werte.

0 – 4	sehr stark sauer	7 – 8	schwach basisch
4 – 5	stark sauer	8 – 9	mäßig basisch
5 – 6	mäßig sauer	9 – 10	stark basisch
6 – 7	schwach sauer	> 10	sehr stark basisch
7	neutral		

Experiment 4: Bestimmung des Kalkgehalts

Beträufle die Bodenprobe in einem Glas- oder Porzellanschälchen mit einigen Tröpfchen Salzsäure (HCl 10 %).

kein sichtbares oder hörbares Brausen	kein Kalk
kein sichtbares, aber dicht am Ohr hörbares Brausen	> 1 % Kalk
schwaches, nicht anhaltendes Brausen	1 – 2 % Kalk
deutliches, aber nicht anhaltendes Brausen	2 – 4 % Kalk
starkes, lang anhaltendes Brausen	> 5 % Kalk

Experiment 5: Wasserhaltevermögen

Lege Kaffeefilter in Blumentöpfe oder Trichter gleicher Größe. Befeuchte die Filter. Befülle die Gefäße mit verschiedenen Bodenproben und stelle sie über den Messbecher. Begieße die Proben gleichzeitig langsam mit jeweils 200 ml Wasser. Notiere:
1. die Zeit bis zum Auslaufen des ersten Wassertropfens,
2. die Gesamtmenge des durchgesickerten Wassers.

Berechne die festgehaltene Wassermenge.

Experiment 6: Bestimmung der Porosität

Die Porosität gestattet Aussagen zur Durchlüftung und zum Wasserspeichervermögen eines Bodens.

1. drei Konservendosen (450 ml) ohne Deckel und Boden zur Hälfte in den Boden schlagen
2. in jede Dose zügig 250 ml Wasser füllen: Zeit bis zum Versickern stoppen
3. Mittelwert der Durchflusszeiten bestimmen
4. Porenvolumen bewerten:
   0 – 30 Minuten: gut; 30 – 180 Minuten: mäßig

❶ Untersuche zwei Bodenprofile an unterschiedlichen Standorten deines Heimatgebietes.

❷ Führe anschließend die Experimente sorgfältig durch und protokolliere die Ergebnisse.

Gewusst – gekonnt: Naturraum Sachsen

1. Kopiere das Worträtsel und fülle es mit den richtigen Fachbegriffen aus. Du erhältst als Lösungswort einen wichtigen geographischen Begriff.

1. oberste Verwitterungsschicht der Gesteinshülle
2. von außen auf die Erdoberfläche einwirkend
3. Abtragung
4. Mäanderufer mit Akkumulation von Material
5. Eiszeitalter
6. Verwitterung durch Dickenwachstum von Wurzeln
7. Endprodukt der Bodenbildung
8. Zerkleinerung/Zersetzung des Gesteins an der Erdoberfläche
9. Bereich größter Fließgeschwindigkeit in einem Fluss
10. Lösungserscheinungen im Kalkstein
11. häufigste Verwitterungsart in der gemäßigten Klimazone
12. Flussschleife
13. trägt zur Verbreiterung von Flusstälern bei
14. Mäanderufer mit Erosion
15. durch Inlandeis verursachte „Kratzspuren" auf Felsgestein

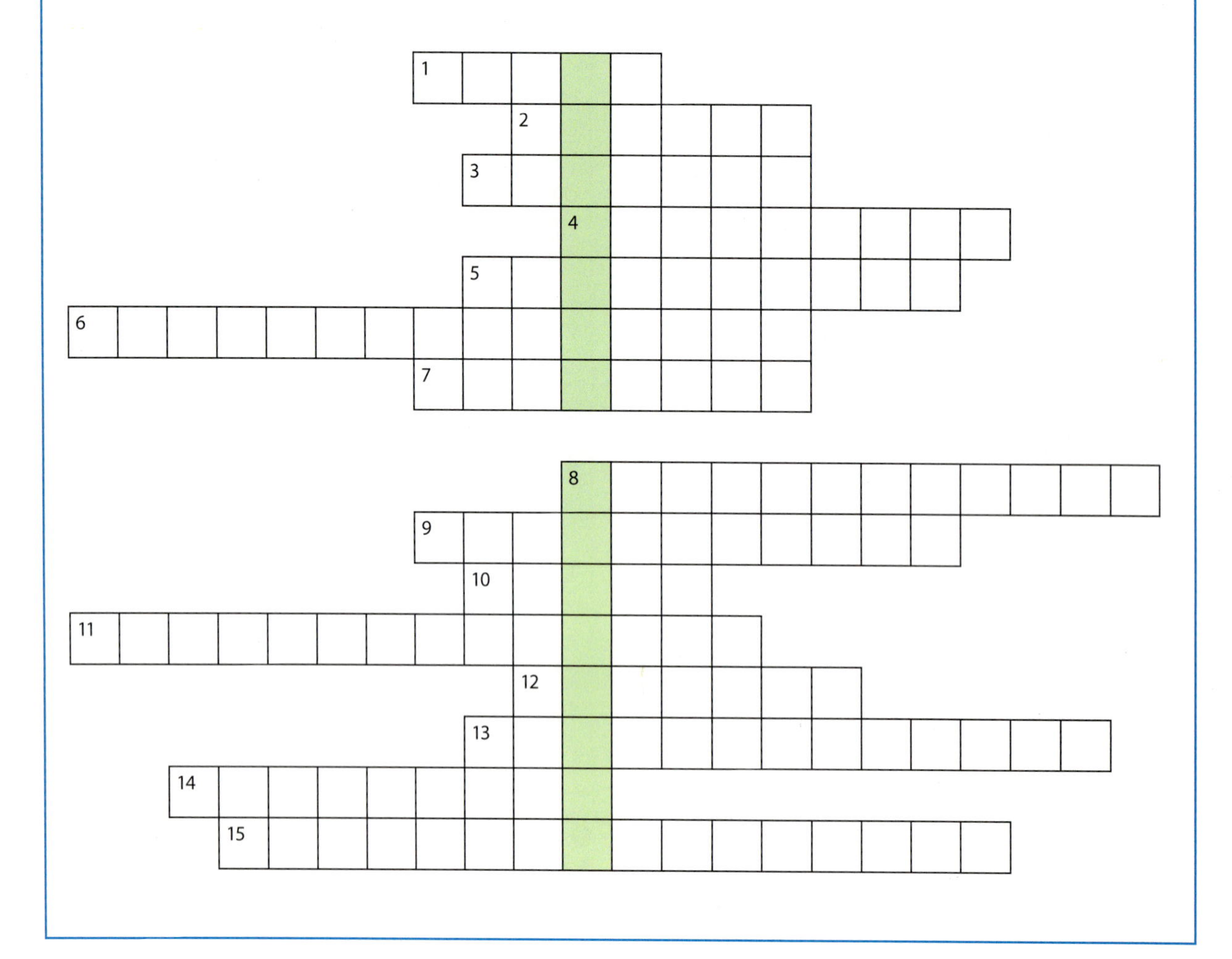

Naturraum Sachsen

2. Ergänze die Sätze mit den folgenden Begriffen.

Mäander, Verwitterung, Erosion, Erdoberfläche, Prallhang, Akkumulation, Materialumlagerung, Gleithang

Exogene Kräfte verändern die ____________________ . Sie bewirken eine ____________________ an der Erdoberfläche. Voraussetzung für diese ist die ________________ der Gesteine. Bei hoher Fließgeschwindigkeit von Flüssen kommt es in Gebirgen zur ______________ . Lässt die Fließgeschwindigkeit nach, beginnt die ____________________________ . Im Tiefland bilden Flüsse häufig ____________________ aus. Hier wird am ____________________ Material erodiert und am ____________________________ akkumuliert.

3. Finde zu den Beschreibungen die Bezeichnungen der Bodentypen.

a) … um feinste Bodenbestandteile herum bilden sich Hüllen aus Eisenoxiden und geben dem Boden seine charakteristische Färbung …

Bodentyp: ______________________________

b) … besitzt einen Oxidations- und einen Reduktionshorizont, die durch den jahreszeitlichen Wechsel von Vernässung und Austrocknung bedingt sind …

Bodentyp: ______________________________

c) … besitzt einen aschgrauen Horizont und kommt häufig auf Sandböden und in höheren Mittelgebirgslagen vor …

Bodentyp: ______________________________

d) … fruchtbarer Lössboden mit einem helleren Auswaschungshorizont in niederschlagsreichen Gebieten …

Bodentyp: ______________________________

4. Entwirf eine Mindmap zum Thema Pleistozän.

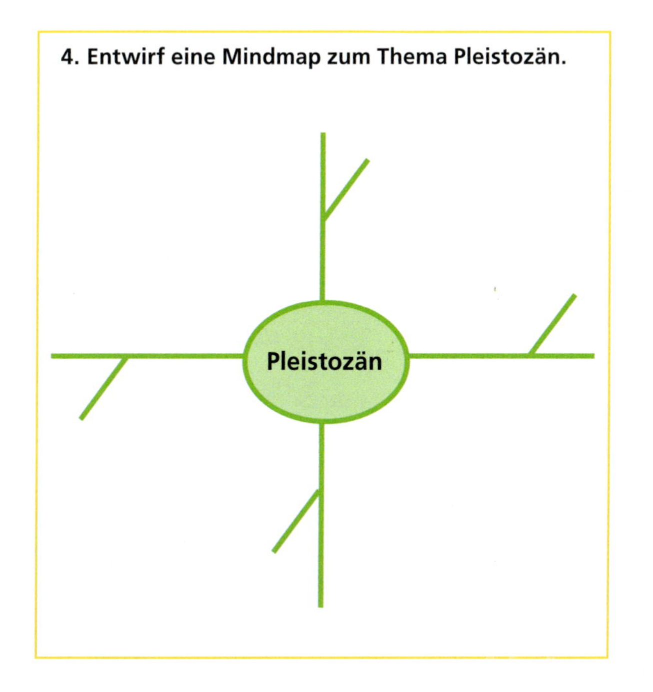

5. Fachbegriffe des Kapitels:

Verwitterung
Karst
fluviale Prozesse
Geröll
Erosion
Tiefenerosion
Seitenerosion
Akkumulation
Sedimentation
Klamm
Kerbtal
Sohlenkerbtal
Sohlental
Muldental
Belastungsverhältnis (BV)
Denudation
Stromstrich
Mäander
Prallhang
Gleithang
Gletscherschliff
Feuersteinlinie
Exzentrizität
Ekliptik
Präzession
Solifluktion
Deflation
Korrasion
Windschliff
Diagenese
Bodenart
Bodenhorizont
Bodentyp
Pedosphäre
Mineralisierung
Bodenorganismus
Tonmineral
Humus
Sorptionsvermögen
Kationenaustauschkapazität
Ton-Humus-Komplex
Verlehmung
Verbraunung
Auswaschungshorizont
Fahlerde

Naturraum Sachsen

Wirtschaftsraum Sachsen

Prägung des Wirtschaftsraumes durch Industrie und Landwirtschaft

M1 *Sektoren der Wirtschaft*

Das Modell der Wirtschaftssektoren nach Fourastié

Im Laufe der gesellschaftlichen Entwicklung hat sich das wirtschaftliche Handeln zur Sicherung des Lebensunterhalts der Menschen stark verändert. Zunächst dominierten die Produktion von Agrargütern und das Handwerk. Mit Beginn der Industrialisierung konnten in Fabriken Waren in größerem Umfang maschinell hergestellt werden. Heute arbeiten die meisten Menschen in den hoch entwickelten Ländern, so auch in Deutschland, im Dienstleistungsbereich.

Diese langfristigen Veränderungen in der Bedeutung einzelner Wirtschaftsbereiche untersuchte der Wirtschaftswissenschaftler Jean Fourastié in den 1930er-Jahren und stellte seine Erkenntnisse in einem Modell dar. Er unterschied drei **Wirtschaftssektoren**: den **primären**, **sekundären** und **tertiären Sektor**. Nach seiner **Sektorentheorie** ändern sich in allen Gesellschaften die Beschäftigtenanteile in den einzelnen Sektoren an den Gesamtbeschäftigten im Laufe der wirtschaftlichen Entwicklung. Es kommt zum Wandel von einer ursprünglichen Agrargesellschaft über eine Industrie- hin zur Dienstleistungsgesellschaft. Dabei stellen jedoch die Beschäftigtenanteile der einzelnen Wirtschaftssektoren keine Größe für die Wertschöpfung dieser Sektoren dar.

In den letzten Jahrzehnten hat der Dienstleistungsbereich besonders in den Informations- und Kommunikationsbranchen stark an Bedeutung gewonnen. Das Spektrum an Dienstleistungen ist deutlich größer geworden. Daher grenzt man solche Dienstleistungen, die ein hohes Ausbildungsniveau benötigen und häufig unternehmensbezogen sind, als **quartären Sektor** von den anderen Dienstleistungen des tertiären Sektors ab.

Wirtschafts-sektoren	Wirtschaftsbereiche
Primärer Sektor	• Landwirtschaft • Forstwirtschaft • Fischerei • Bergbau (ohne Aufbereitung)
Sekundärer Sektor	• Bergbau (Aufbereitung von Bergbauprodukten) • Energie- und Wasserwirtschaft • verarbeitendes Gewerbe/Industrie • Baugewerbe
Tertiärer Sektor	• Handel und Verkehr • Kredit- und Versicherungsunternehmen • Wohnungsvermietungen • sonstige Dienstleistungsunternehmen • Staat (Gebietskörperschaften, Sozialversicherung) und Organisationen ohne Erwerbscharakter
Quartärer Sektor	• hochwertige Dienstleistungen wie Forschung und Entwicklung, Finanzierungen, Beratung

M2 *Gliederung der Wirtschaftssektoren*

Jahr	Primärer Sektor (%)	Sekundärer Sektor (%)	Tertiärer Sektor (%)
1882	44,3	34,5	21,2
1925	30,3	42,3	27,4
1939	25,0	40,8	34,2
1950	25,6	44,2	30,2
1970	10,6	48,9	40,5
1990	3,8	37,1	59,1
1995	3,2	35,9	60,9
2000	2,7	33,1	64,2
2005	1,3	27,0	71,7
2010	1,6	24,5	73,9
2015	1,5	24,6	73,9

M5 *Anteile der Beschäftigten in Deutschland*

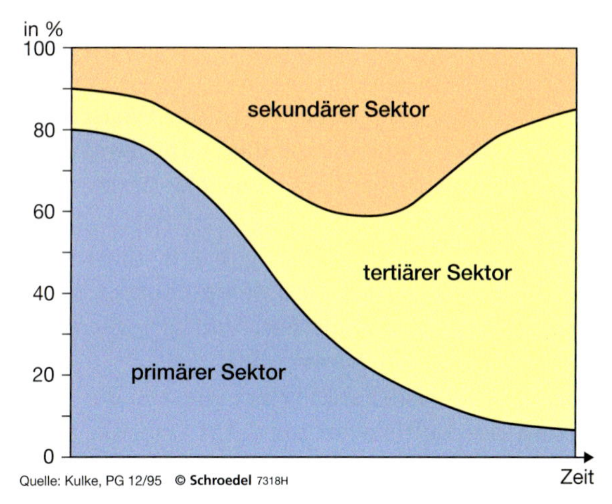

M3 *Entwicklung der Beschäftigtenanteile der Wirtschaftssektoren nach Fourastié (1949)*

M6 *„... und zum Schluss werfen wir noch einen kurzen Blick auf unsere Produktionsräume."*

Für Fourastié war die Produktivität je Arbeitskraft ein wichtiger Faktor wirtschaftlicher Entwicklung. Technischer Fortschritt und Automation führten zur enormen Produktionssteigerung und ersetzten manuelle Arbeit in der Landwirtschaft und Industrie. Dabei frei werdende Arbeitskräfte wurden vom sekundären und tertiären Sektor aufgenommen. Wachsende Einkommen erhöhten die Nachfrage nach Konsumgütern und privaten Dienstleistungen. Da Dienstleistungen meist manuell erbracht und nur bedingt automatisiert werden können, erwartete Fourastié nur eine geringe Produktivitätssteigerung in diesem Sektor, sodass hier mehr Arbeitskräfte Beschäftigung finden können.

M4 *Sektorentheorie und Produktivität der Arbeitskraft*

1 Fourastié stellte den wirtschaftlichen Strukturwandel verschiedener Gesellschaften in einem Modell dar (M3).
a) Erkläre das Modell.
b) Begründe, weshalb heute häufig ein quartärer Sektor vom klassischen Drei-Sektoren-Modell ausgegliedert wird (M1, M2).
c) Erläutere die Feststellung Fourastiés, dass die Produktivität je Arbeitskraft eine wichtige Ursache der wirtschaftlichen Entwicklung ist (M4).
d) Überprüfe die Tauglichkeit des Sektoren-Modells von Fourastié am Beispiel Deutschlands (M3, M5). Gehe wie folgt vor:
- Anfertigen eines Liniendiagramms anhand der Daten,
- Erfassen von Gemeinsamkeiten und Unterschieden,
- Beurteilen der Tauglichkeit.

2 Bewerte die Karikatur (M6).

M1 *Lommatzscher Pflege*

M3 *Erzgebirge*

Die Landwirtschaft Sachsens im Überblick

Die sächsische Landwirtschaft ist aufgrund der differenzierten naturräumlichen Gegebenheiten sehr vielfältig. Man unterscheidet landwirtschaftliche **Gunst**- und **Ungunsträume**, in denen verschiedene Produktionsrichtungen dominieren. So wird in den Gunsträumen vorwiegend Ackerbau betrieben, während in den Ungunsträumen Grünlandwirtschaft und Viehhaltung vorherrschen. In Sachsens Landwirtschaft gibt es unterschiedliche Betriebsgrößen. Große Unternehmen findet man vor allem in der Viehhaltung. Sowohl die Gesamtzahl der Betriebe als auch die Zahl der in der Landwirtschaft Beschäftigten haben sich in den letzten Jahren kaum verändert.

Obwohl der Anteil der in der Landwirtschaft Beschäftigten an der Gesamtbeschäftigtenzahl sehr gering ist und auch der Wert der Bruttowertschöpfung in diesem Wirtschaftsbereich nicht einmal ein Prozent beträgt, kommt der Landwirtschaft dennoch eine große Bedeutung zu. Sie ist heute multifunktional. Als Nahrungs- und Rohstoffproduzent ist sie ein wichtiger Wirtschaftspartner für viele Unternehmen. Darüber hinaus erfüllt die Landwirtschaft weitere bedeutende Funktionen:

- ökologische Funktionen, wie z. B. hinsichtlich des Boden-, Wasser- und Klimaschutzes, der Sicherung der biologischen Vielfalt, der Erhaltung von Lebensräumen;
- sozial-kulturelle Funktionen, wie z. B. die Sicherung der kulturellen Identität und die Erhaltung der Ästhetik von Landschaften.

Landwirtschaftliche Nutzfläche (LNF):
910 000 ha – davon 80 % Ackerland, 20 % Grünland
Hauptanbaukulturen: Getreide, Körnermais, Ölfrüchte
Anzahl der Landwirtschaftsbetriebe: 5 500
Anzahl der Arbeitskräfte: 34 800
(= 1,5 % der Gesamtbeschäftigten Sachsens)
Betriebsgröße: durchschnittlich 160 ha

M4 *Sächsische Landwirtschaft in Zahlen (2013)*

Standortfaktoren der Landwirtschaft

Natürliche Standortfaktoren:
- Klima
- Boden
- Höhenlage
- Relief

Gesellschaftliche/historische Standortfaktoren:
- Förderpolitik
- Besitzverhältnisse/Erbrecht
- oft noch große Ackerflächen aus DDR-Zeit

Ökonomische Standortfaktoren:
- verfügbares Kapital
- qualifizierte Arbeitskräfte
- Marktbedingungen
- Verkehrsinfrastruktur

M2 *Standortfaktoren in der Landwirtschaft (Auswahl)*

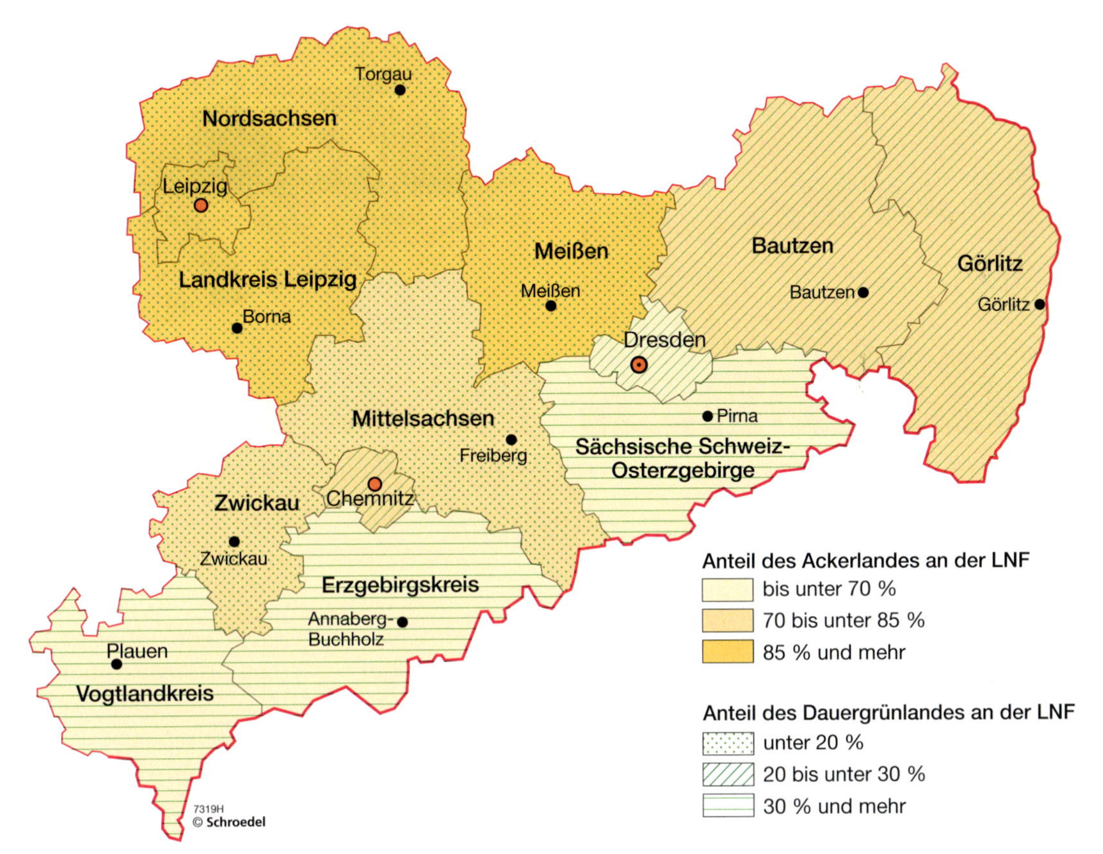

M5 *Anteile von Ackerland und Dauergrünland an der landwirtschaftlichen Nutzfläche Sachsens (2013)*

Die Lommatzscher Pflege gilt bereits seit Jahrhunderten als Kornkammer Sachsens. Die sanftwellige bis hügelige und waldarme Landschaft wird auch heute intensiv landwirtschaftlich genutzt, vor allem für Getreide- und Obstanbau. Die Ernteerträge sind meist sehr hoch. Das liegt vorwiegend an den sehr fruchtbaren Lössböden, weshalb die Lommatzscher Pflege zu den fruchtbarsten Landwirtschaftsgebieten Deutschlands zählt.

M6 *Gunstraum Lommatzscher Pflege*

Der Kamm des Erzgebirges liegt 800–900 m ü. NN. Das Gebirge weist eine thermische und hygrische Höhendifferenzierung auf. Mit der Höhe sinkt die Durchschnittstemperatur und die Niederschlagssummen steigen, vor allem an der Nordseite durch Stauniederschläge. Die Vegetationsperiode ist in den mittleren und oberen Lagen deutlich verkürzt. Die Böden sind in den oberen Lagen nährstoffarm, steinig und mitunter vernässt oder vermoort.

M7 *Ungunstraum Erzgebirge*

1 Die Landwirtschaft hat vielfältige Funktionen zu erfüllen.
a) Erkläre diese Tatsache.
b) Erkläre die Bedeutung ausgewählter Standortfaktoren für die Landwirtschaft (M2).

2 Die naturräumlichen Standortvoraussetzungen für eine landwirtschaftliche Nutzung sind innerhalb Sachsens sehr unterschiedlich.
a) Analysiere die naturräumliche Gunst bzw. Ungunst Sachsens hinsichtlich der agrarischen Nutzung (M1–M3, M5, Atlas).
b) Fasse die Ergebnisse in einer tabellarischen Übersicht zusammen.

3 Die Lommatzscher Pflege ist ein landwirtschaftlicher Gunstraum (M1).
a) Beschreibe die Lage des Gebietes (Atlas).
b) Begründe, weshalb sich die Lommatzscher Pflege zur Kornkammer Sachsens entwickeln konnte (M6, Atlas).
c) Erkläre die landwirtschaftliche Ungunst der höheren Lagen des Erzgebirges (M2, M7, Atlas).
d) Fertige ein Wirkungsschema zu den natürlichen Ungunstfaktoren des Erzgebirges an.

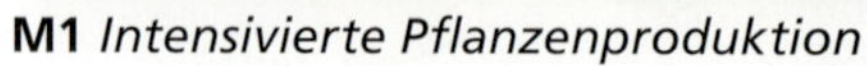

M1 *Intensivierte Pflanzenproduktion*

M3 *Intensivtierhaltung*

Die konventionelle Landwirtschaft im Überblick

Die **konventionelle Landwirtschaft** ist in Deutschland mit 94 Prozent und in Sachsen mit 96 Prozent der landwirtschaftlichen Nutzfläche die dominierende Bewirtschaftungsform. Diese herkömmliche Form der Landwirtschaft ist in ein komplexes System von Kunden-Lieferanten-Beziehungen innerhalb des **Agrobusiness** eingebunden. Es umfasst die gesamte Lebensmittelkette von der Urproduktion bis zum Verbraucher. Rund elf Prozent aller Beschäftigten sind direkt oder indirekt in die Versorgung der Bevölkerung mit Nahrungsmitteln bzw. in die Erzeugung agrarischer Rohstoffe für Nicht-Nahrungsmittelzwecke eingebunden.

Die Arbeitsproduktivität in der konventionellen Landwirtschaft, gemessen an der Bruttowertschöpfung je Arbeitskraft, hat sich in den letzten zwei Jahrzehnten fast verdoppelt. Gegenwärtig ernährt ein Landwirt ca. 144 Menschen, während es 1950 nur zehn waren. Eine Ursache für die stark gestiegene Leistungsfähigkeit liegt im Einsatz kapital- und wissensintensiver Produktionsmittel. Man spricht zunehmend von einer Präzisions-Landwirtschaft mit computergesteuerten Produktionsprozessen. Um hohe Erträge zu erzielen, kommen zuvor durch Computer exakt berechnete Mengen chemischer Pflanzenschutzmittel und Kunstdünger zum Einsatz. In der Viehwirtschaft überwiegen die **Intensivtierhaltung** mit Spezialisierungsrichtungen wie Milch- oder Fleischerzeugung, automatisierter Fütterung und Melkkarussellen. Die individuelle und artgerechte Haltung tritt dabei oft in den Hintergrund, woraus zum Beispiel ethische, tierschutz- und lebensmittelrechtliche Probleme erwachsen. Durch die konventionelle Landwirtschaft kommt es auch zu verschiedenen Umweltbelastungen. Andererseits leistet diese intensivierte Landwirtschaft einen wichtigen Beitrag zur Versorgung der Bevölkerung. Der Selbstversorgungsgrad mit Nahrungsmitteln liegt bei über 80 Prozent.

Pflanzenproduktion

Getreide (einschl. Körnermais)
- Gesamtproduktion: 2,54 Mio. t
- Ertragsleistung: 63 dt/ha (BRD: 81 dt/ha)

Kartoffeln
- Gesamtproduktion: 182 000 t
- Ertragsleistung: 281 dt/ha (BRD: 383 dt/ha)

Zuckerrüben
- Gesamtproduktion: 707 900 t
- Ertragsleistung: 588 dt/ha (BRD: 657 dt/ha)

Tierproduktion

Hühner (in Betrieben ab 3 000 Hennenplätzen)
- Anzahl: 10,8 Mio.
- Legehennenleistung: 306 Eier/Jahr (BRD: 294 Eier/Jahr)

Rinder
- Anzahl: 503 248 (188 118 Milchkühe)
- Milchleistung je Kuh: 9 226 kg/Jahr (BRD: 7 352 kg/Jahr)

Schweine
- Anzahl: 640 400 (davon 213 600 Mastschweine in 31 Mastbetrieben)

M2 *Daten und Fakten zur konventionellen Landwirtschaft in Sachsen 2013*

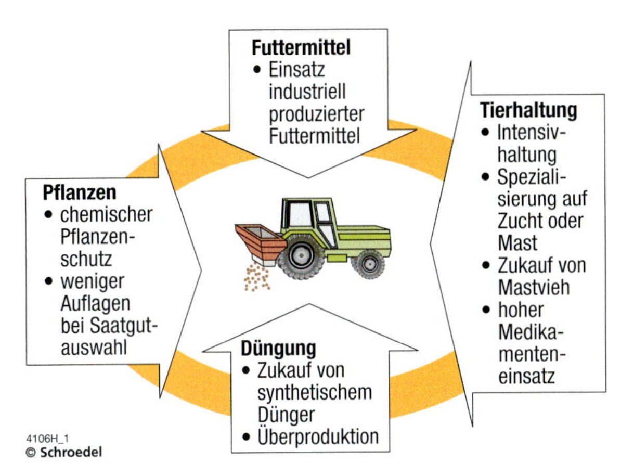

M4 *Produktionsweise eines konventionellen Großbetriebs*

Nur einige wenige global agierende Konzerne, darunter auch ein deutsches Unternehmen, bestimmen die weltweite Zucht von Masthühnern. In Deutschland werden jährlich mehr als 610 Mio. Jungmasthühnchen geschlachtet, die dann vom Schlachthof in die Supermärkte bzw. in den Export gelangen. Die Tiere werden bis zur Schlachtreife, die bereits nach vier Wochen mit einem Gewicht von 1 600 g erreicht ist, in Intensivtierhaltung aufgezogen. Jeweils 22 bis 24 Masthühnern steht ein Quadratmeter Fläche zur Verfügung. Ihnen werden die Schnäbel amputiert sowie Antibiotika verabreicht, die über die Nahrungskette zum Menschen gelangen und Resistenzen gegenüber Medikamenten erzeugen können. Durch die Intensivhaltung steigt auch die Gefahr der Nitratbelastung von Boden und Grundwasser.

M5 *Das industrialisierte Huhn*

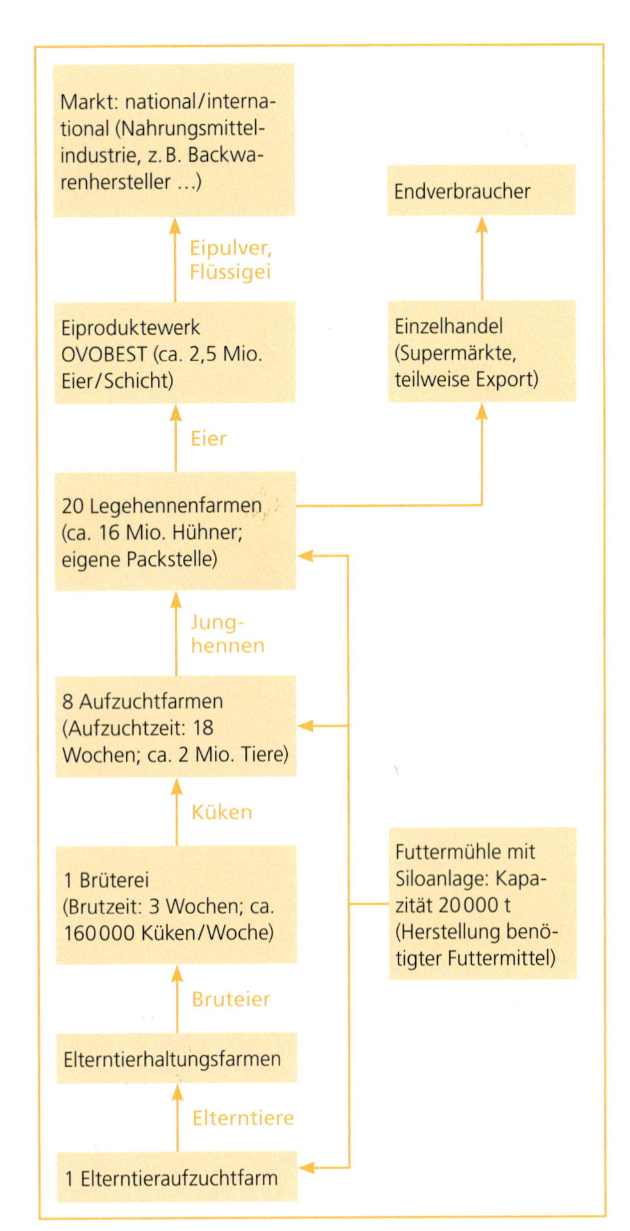

M6 *Die Deutsche Frühstücksei GmbH*

1 Die konventionelle Landwirtschaft dominiert die Landwirtschaft Deutschlands und Sachsens.
a) Erkläre die Merkmale der konventionellen Landwirtschaft (M1, M3, M4).
b) Werte die Daten zur Leistungsfähigkeit der konventionellen Landwirtschaft in Sachsen im Vergleich zu Deutschland aus (M2).
c) Begründe die gestiegene Leistungskraft der deutschen Landwirtschaft.
d) Berechne die tägliche Legehennen- und Milchkuhleistung der Tierproduktion Sachsens (M2).

2 Ein Merkmal der konventionellen Landwirtschaft ist ihre Eingebundenheit in das System des Agrobusiness.
a) Erkläre den Begriff Agrobusiness.
b) Weise Merkmale des Agrobusiness am Beispiel des Unternehmens in M6 nach.

3 Neben den Befürwortern der konventionellen Landwirtschaft gibt es auch deren Kritiker.
a) Lege am Beispiel des industrialisierten Huhns Probleme einer intensivierten Tierproduktion dar (M5).
b) Sammelt in Kleingruppen jeweils Argumente aus Sicht der Befürworter bzw. Kritiker (M1 – M6).

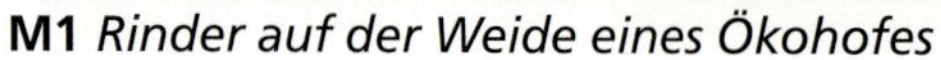

M1 *Rinder auf der Weide eines Ökohofes*

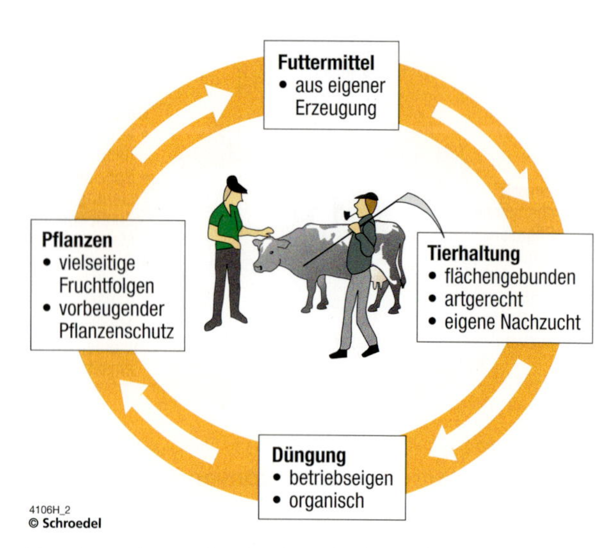

M3 *Funktionsprinzip des ökologischen Landbaus*

Ökologischer Landbau – eine Alternative zur konventionellen Landwirtschaft?

Negativschlagzeilen in den Medien zum konventionellen Landbau und das gestiegene Bewusstsein der Bevölkerung für Umwelt- und Tierschutz führten in den vergangenen Jahrzehnten zu einer wachsenden Nachfrage regional erzeugter Produkte des **ökologischen Landbaus**.

Der ökologische Landbau stellt eine Form der Landwirtschaft dar, die auf den Erhalt der natürlichen Lebensgrundlage ausgerichtet ist. Mit naturnahen Produktionsmethoden und einer artgerechten Tierhaltung leistet er einen Beitrag zur Landschaftspflege, zum Tier- und Umweltschutz. Dabei verzichtet der ökologische Landbau auf den Einsatz von Chemikalien und Gentechnik. Dafür müssen die Verbraucher meist auch höhere Preise im Laden bezahlen. Von den vier Prozent der ökologisch bewirtschafteten Flächen in Sachsen sind 38 Prozent Dauergrünland. Das entspricht fast dem Doppelten der gesamten sächsischen Betriebe. Mit rund 82 ha sind die Öko-Betriebe nur halb so groß wie der Durchschnitt aller sächsischen Betriebe.

Sie unterliegen strengen Kontrollen entsprechend der EU-Verordnung und Kriterien der Ökoverbände. Am EU-Bio-Logo, dem deutschen Bio-Siegel und Bio-Siegeln von Bioverbänden erkennen die Verbraucher ökologisch erzeugte Produkte.

Auf Exkursion zum Ökohof Mörl

Exkursionstag – sehr früh aufstehen war angesagt. Und das nicht nur für uns, sondern täglich für die Menschen, die auf dem Ökohof Mörl arbeiten. Dieser Betrieb, der in Diehmen unweit von Bautzen liegt, war Ziel unserer Exkursion. Dort angekommen, wurde unsere Klasse vom Inhaber Sebastian Mörl begrüßt und anschließend über den Hof geführt. Herr Mörl berichtete: „Der Ökohof Mörl ist wie ein großer Kreislauf organisiert. Auf den Wiesen und Feldern wächst das Tierfutter ohne Einsatz von synthetischem Dünger, Insektiziden und Herbiziden, nach strengen ökologischen Vorgaben des Gäa-Verbandes, dessen Mitglied der Betrieb ist. In den Ställen fällt ausreichend Mist an, um die Felder zu düngen. Das Getreide wird in eigenen Siloanlagen gereinigt, gelagert und frisch geschrotet an die Schweine und Kälber verfüttert. Die Tiere werden auf dem Hof geboren, gezüchtet und geschlachtet, stressige Transporte bleiben ihnen erspart. In der Hoffleischerei werden sie dann verarbeitet.“ [1]

Außerdem erfuhren wir, dass die Bio-Fleischerei ihre Produkte direkt in einem Hofladen im Ort sowie in Dresden vermarktet. Der Ökohof betreibt auch eine Hofbäckerei, deren Produkte ausschließlich aus biologischen Rohstoffen hergestellt werden. Die Kostproben vom Brot und den Brötchen waren einfach lecker.

M2 *Aus dem Exkursionsbericht eines Schülers ([1] Quelle: www.bio-fleischerei-moerl.de)*

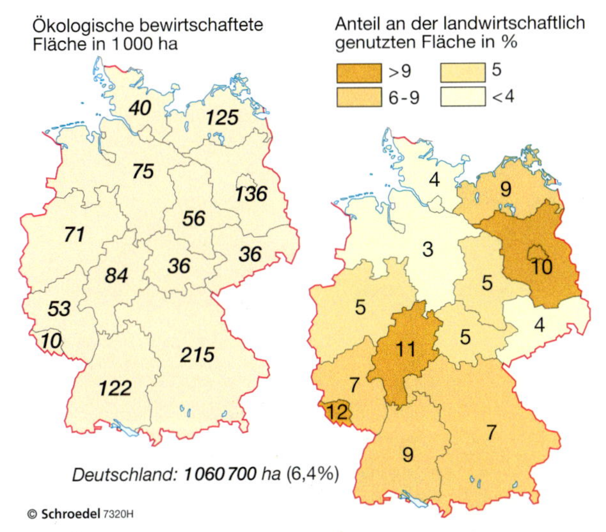

M4 *Öko-Landbau in Deutschland (2013)*

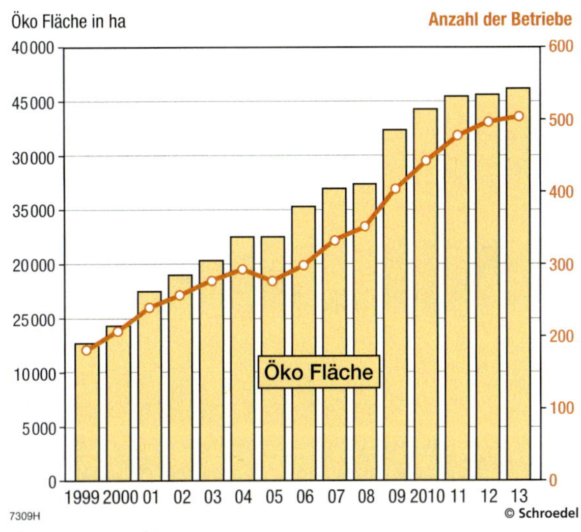

M6 *Entwicklung des Öko-Landbaus in Sachsen*

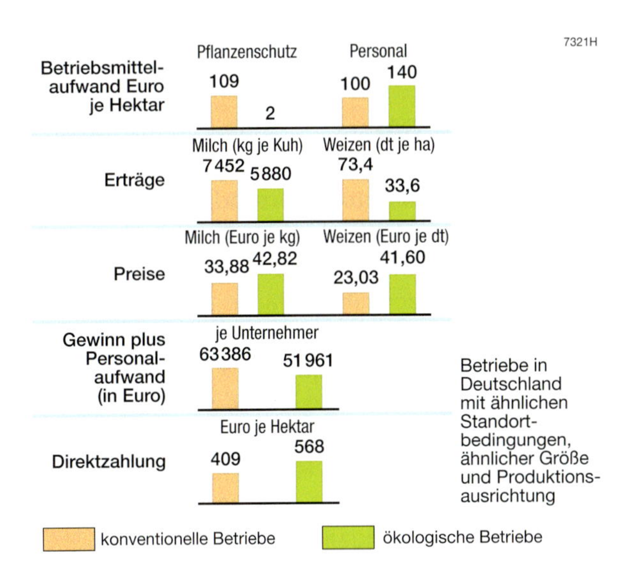

M5 *Konventionelle und ökologische Betriebe im Vergleich (2013)*

M7 *Karikatur*

1 2011 wurde erstmals in Deutschland mehr als eine Million Hektar landwirtschaftliche Nutzfläche ökologisch bewirtschaftet.

a) Stelle den ökologischen Landbau der konventionellen Landwirtschaft hinsichtlich folgender Kriterien gegenüber:

- Ziele
- Produktions-/Funktionsweise
- Stoffkreisläufe
- Produkte
- Umwelt (M1–M5, S. 74/75).

b) Fasse deine Ergebnisse in einer Übersicht zusammen.

c) Bewerte die Karikatur (M7).

d) Diskutiert in der Klasse Pro und Kontra des ökologischen und konventionellen Landbaus.

2 In Sachsen beträgt der Anteil ökologisch bewirtschafteter Flächen rund vier Prozent.

a) Beschreibe die Entwicklung des ökologischen Landbaus in Sachsen (M6).

b) Beschreibe die Anteile des Öko-Landbaus anderer Bundesländer auch im Vergleich zu Sachsen (M4).

c) Stelle die Funktionsweise des Ökohofs Mörl grafisch dar.

d) Beurteile den Ökohof Mörl bezüglich der Umsetzung der Kriterien des ökologischen Landbaus.

3 Nimm Stellung zur Frage, ob der ökologische Landbau eine Alternative zum konventionellen Landbau ist.

M1 *Biogasanlage in Sachsen*

Die Gemeinsame Agrarpolitik (GAP) der EU

Entwicklung der GAP

Im Europa der Nachkriegszeit lag der Versorgungsgrad bei 85 Prozent. Durch die **GAP** der EG bzw. EU konnte seit 1962 zunehmend die Versorgung der Bevölkerung und der Lebensmittelindustrie mit einem stabilen, vielfältigen Warenangebot zu angemessenen Preisen ermöglicht werden. Dabei kam es auch zu Fehlentwicklungen, die in den 1980er-Jahren immer spürbarer wurden. Mit ständigen Korrekturen versuchte man, die Krisen zu meistern. Es kam zur Drosselung von Produktionsmengen, die später mit der Förderung ökologischer und agrarstruktureller Verbesserungen verknüpft wurden. Die 1984 eingeführten Milchquoten trockneten den Milchsee nicht aus. Auch die seit 1988 gezahlten Prämien für Flächenstilllegung und Betriebsaufgaben sowie Mengenbegrenzung der Abnahmegarantie bestimmter Produkte erzielten nicht die gewünschten Erfolge.

Reformen der GAP

Die erste grundlegende Reform der GAP 1992 brachte für bestimmte Agrarprodukte Absenkungen der Außenzölle und Mindestpreise. Zum Ausgleich erhielten die Bauern Einkommenshilfen, wenn sie 15 Prozent ihrer Flächen stilllegten. Solche Flächen konnten mit nachwachsenden Rohstoffen bepflanzt werden. Auch die Umstellung auf ökologischen Landbau wurde gefördert. In der Tierhaltung koppelte man Ausgleichszahlungen an Höchstbesatzdichten pro Hektar Nutzfläche.
Die Reformen von 2005 und 2015 ziel(t)en auf nachhaltigere und qualitätsbewusstere Produktionsweisen, vereinfachte agrarpolitische Instrumente, eine gerechtere, ökologischere Struktur der Prämienzahlungen und verstärkte Förderung der Entwicklung des ländlichen Raumes, damit die Landwirtschaft der EU noch wettbewerbsfähiger und nachhaltiger wird.

Die Landwirtschaft Sachsens ist in die EU-Agrarpolitik eingebunden. Flächenstilllegungen, Abschaffung der Käfighaltung sowie Inanspruchnahme von Fördermitteln sind einige Beispiele, wie sich die GAP auf die sächsische Landwirtschaft auswirkt. In Kopplung mit den Erneuerbare-Energien-Richtlinien der EU kam es zu weiteren Veränderungen in der sächsischen Landwirtschaft. Eine wichtige Rolle spielt dabei das Biogas. Für viele landwirtschaftliche Betriebe Sachsens stellt die Erzeugung und Nutzung von Biogas eine alternative Einkommensquelle dar. Die für die Produktion von Biogas benötigten Energiepflanzen wie Mais und Raps bauen die Landwirte teilweise auf ihren Stilllegungsflächen an. Jedoch besteht bei steigender Zahl der landwirtschaftlichen Biogasanlagen auch ein erhöhter Flächenbedarf zum Anbau dieser Kulturen, was zum Konflikt zwischen Nahrungsmittelproduktion und Anbau von Energierohstoffen führen kann.

M2 *Sachsens Landwirtschaft und die GAP*

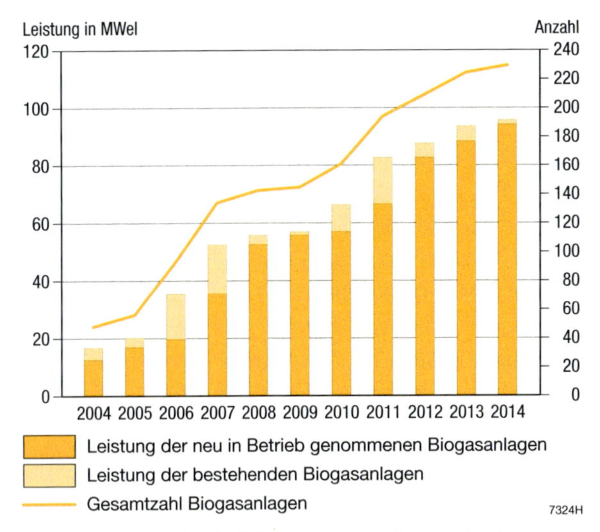

M3 *Landwirtschaftliche Biogasanlagen in Sachsen*

Jahr	Käfighaltung*	Bodenhaltung	Freilandhaltung
2013	3,4	84,2	9,8
2012	3,4	84,8	10,0
2011	4,2	84,9	10,9
2010	6,3	82,9	10,8
2009	39,8	51,0	9,2
2008	76,4	15,6	8,0

* seit 2010 in Deutschland vorzeitige Umsetzung der ab 2012 geltenden EU-Verordnung zum Verbot konventioneller Käfighaltung (nur noch Kleingruppenhaltung/ausgestaltete Käfige)

M5 *Haltung von Legehennen in Sachsen (in %)*

Vorwerk Podemus betreibt seit 1991 ökologischen Landbau, unter anderem finanziert durch EU-Fördermittel.
Probst: Das stimmt, wir erhalten Fördermittel, sogenannte flächengebundene Direktzahlungen, zur Umsetzung von Maßnahmen zur Förderung des ökologischen Landbaus, darunter insbesondere für die Umsetzung einer umweltgerechten Landwirtschaft.

Welche Vorteile bringen Ihnen die EU-Fördermittel?
Probst: Wenn es diese Mittelzuweisungen nicht gäbe, würden die Preise, z.B. unserer Öko-Kartoffeln, höher sein. Damit wären wir auf dem regionalen Verbrauchermarkt nicht mehr so wettbewerbsfähig. Übrigens haben die EU-Agrarsubventionen generell das Ziel, europäische Agrarprodukte auf das Weltmarktpreisniveau zu bringen.

Als sächsischer Landwirtschaftsbetrieb unterliegen Sie auch den Richtlinien der EU-Agrarpolitik.
Probst: Ja, so waren in den 1990er-Jahren Flächenstilllegungen gefordert, die wir jedoch durch den Anbau von Leguminosen, wie z.B. Klee, sinnvoll für Futter und Naturdünger genutzt haben.

Ihr skeptischer Blick verrät, dass Sie die EU-Agrarpolitik auch kritisch sehen.
Probst: Das ist richtig. Ich finde das Verteilungssystem der flächenbezogenen Direktzahlungen nicht gerecht, weil flächengroße Betriebe, meist mit konventioneller Landwirtschaft, damit einen Vorteil haben. Da keine Prämien pro Arbeitskraft oder Arbeitsstunde gezahlt werden, sind die Impulse für eine Verbesserung der Arbeitskräftesituation gering. Ein anderer Aspekt ist der mittlerweile enorme bürokratische Aufwand. Allein für die Beantragung von EU-Fördermitteln benötige ich ca. 150 Stunden im Jahr. In meinem Sechs-Mann-Betrieb ist eine Halbtagskraft nur mit Verwaltung und Buchhaltung beschäftigt.

Welche Veränderungen erwarten Sie für den neuen Förderzyklus bis 2020?
Probst: Ich gehe von geringeren Mittelzuweisungen aus. Und ich wäre nicht traurig, wenn die flächengebundenen Direktzahlungen abgeschafft würden, da mit dieser EU-Subventionierung der Landwirtschaftsbetriebe das System der freien Marktwirtschaft unterlaufen wird.

M4 *Interview mit Bernhard Probst von Vorwerk Podemus zur EU-Agrarpolitik*

1 Die GAP ist ein Instrument zur Gestaltung und Entwicklung der Landwirtschaft der EU.
a) Fasse wesentliche Ziele und Maßnahmen der GAP zusammen.
b) Begründe die Notwendigkeit der GAP.
c) Beschreibe Fehlentwicklungen bei der Umsetzung der GAP.

2 Auch die sächsische Landwirtschaft ist durch die GAP beeinflusst. Erkläre diese Tatsache (M1–M3, M5).

3 Herr Probst von Vorwerk Podemus sieht die Effekte der GAP zwiespältig (M4, www.vorwerkpodemus.de).
a) Stelle seinen Agrarbetrieb in einem Kurzreferat vor.
b) Erläutere die aus Herrn Probsts Sicht positiven und negativen Auswirkungen der GAP.

M1 *Verschlämmung des Bodens (Maisanbau)*

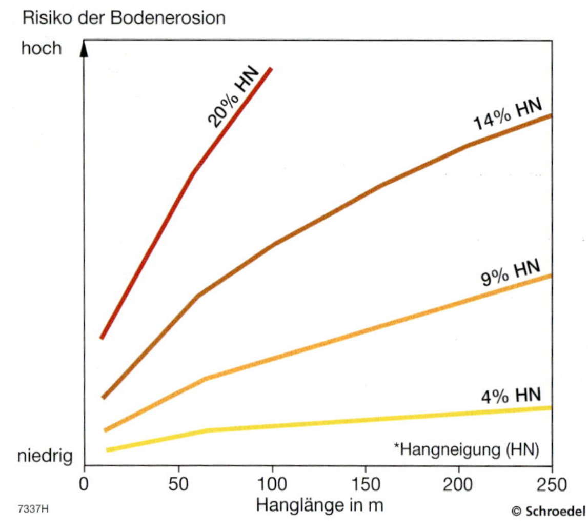

M2 *Risikoerhöhung der Bodenerosion*

M3 *Mulchsaat von Zuckerrüben*

Landwirtschaft im Spannungsfeld von Bodengefährdung und Bodenschutz

Gefährdung des Bodens

Bis zu fünf Tonnen Boden spült ein Starkregen von einem Hektar eines gepflügten Feldes fort. Rund 20 Prozent der gesamten sächsischen Ackerflächen unterliegen der Gefahr von Winderosion, vor allem in Nordsachsen mit vorwiegend feinsandreichen Böden. Von Wassererosion sind wegen geringer Korngrößen der Böden und Hangneigung der Anbauflächen sogar 60 Prozent besonders gefährdet. Obwohl der Boden für die Landwirtschaft ein wesentlicher Produktionsfaktor ist, trägt diese insbesondere mit der konventionellen Bearbeitung der Böden auch zu deren Schädigung bei. Intensivanbau, hoher Einsatz von Kunstdünger und Pestiziden wie auch der Einsatz von schwerer Großtechnik belasten den Boden. Eine zu starke mechanische Beanspruchung des Bodens, an Spurrinnen sichtbar, führt zur Bodenverdichtung. Die Bodendurchlüftung und Speicherfähigkeit für Wasser und Nährstoffe sind herabgesetzt. Dadurch sinken die Ernteerträge und die Erosionsgefahr nimmt zu.

Schutzmaßnahmen für den Boden

Mit gesetzlichen Regelungen versucht man, die Böden besser zu schützen. Im Bereich der Großtechnik kann durch eine verringerte Radlast und Belastungsdauer sowie breitere Reifen der Bodenschädigung entgegengewirkt werden. Eine andere Schutzmöglichkeit ist eine dem Standort angepasste Nutzung, beispielsweise unter Beachtung der Hangneigung. Das Anlegen von Ackerterrassen und Hecken kann die **Bodenerosion** mindern. Das ist auch bei der konservierenden Bodenbearbeitung der Fall. Die Lockerung des Bodens erfolgt mit Geräten, die den Boden nicht wenden. Die mit Pflanzenresten (Mulch) durchsetzte Bodenoberfläche wird für eine **Mulchsaat** oder Folgefrucht genutzt. An Bedeutung gewinnt auch die **Direktsaat**, bei der die Aussaat einer Folgefrucht mit Direktsägeräten ohne die Bearbeitung des Bodens ausgebracht wird. Aber die Umstellung auf Direktsaat ist anfangs schwierig und mit Kosten verbunden. Die Erträge können durch längere Keimzeiten der Pflanzen teilweise geringer ausfallen.

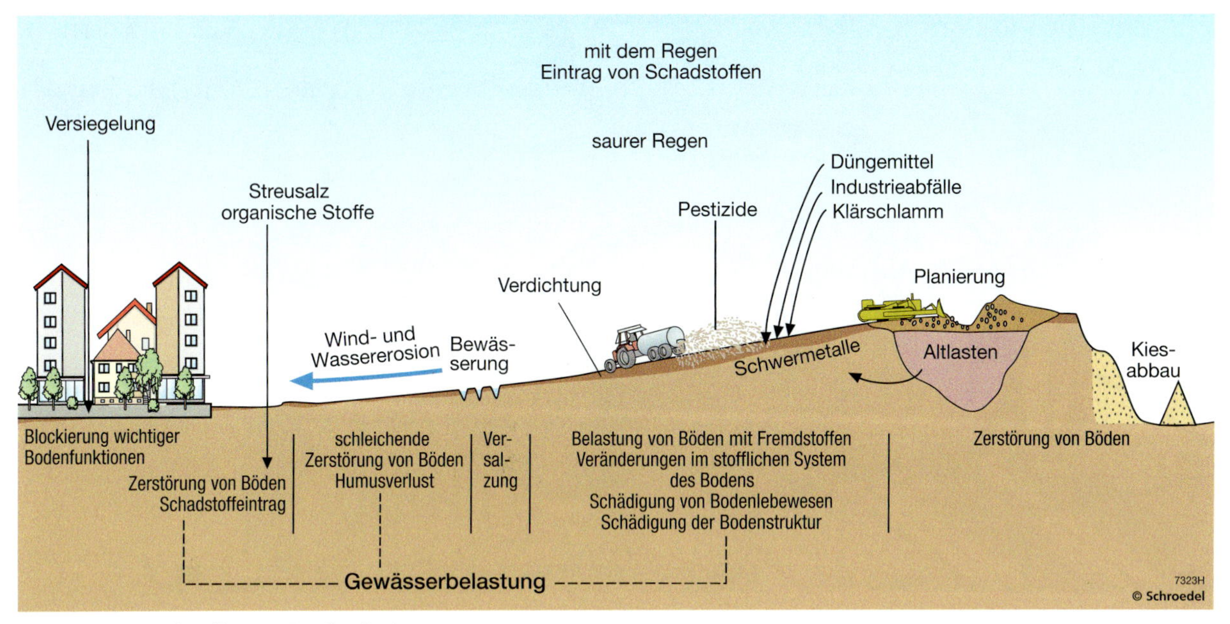

M4 *Nutzungsbedingte Bodenbelastung*

Ausgewählte Maßnahmen zum Bodenerhalt und Bodenschutz

Erosionsmindernde Flurgestaltung
Reduzierung der Wassererosion und Windoffenheit durch:
- Schlagunterteilung durch Erosionsschutzstreifen (z. B. Gehölzstreifen)

Acker-/pflanzenbauliche Maßnahmen
Reduzierung der Bodenerosion und -verschlämmung durch:
- Minimierung der Zeitspannen ohne Bodenbedeckung, z. B. durch Fruchtfolgen, Zwischenfrucht, Strohmulch
- Vermeidung hangabwärts gerichteter Fahrspuren

Erosionsmindernde Bodenbearbeitungs-/Bestellverfahren
Höhere Bodenbedeckung/-stabilität durch:
- konservierende Bearbeitung mit Mulchsaat

M5 *Bodenerhalt und Bodenschutz*

http://www.umwelt.sachsen.de/umwelt/boden/index.html
(Sächsisches Staatsministerium für Umwelt und Landwirtschaft)

http://kbd-sachsen.de/startseite/startseite.html
(Verein Konservierende Bodenbearbeitung/Direktsaat in Sachsen e.V.)

M6 *Ausgewählte Internetadressen*

1 Die Böden Sachsens sind durch verschiedene natürliche und menschliche Einflüsse gefährdet.
a) Beschreibe verschiedene Formen der Bodengefährdung und Bodenzerstörung (M1, M2, M4).
b) Erläutere Zusammenhänge zwischen den Geofaktoren Boden und Relief sowie dem Grad der Erosionsgefährdung (M2).
c) Erstelle drei Kausalketten zu Ursachen und Folgen von Bodengefährdung (M1, M2, M4).

2 Landwirtschaftliche Nutzung schließt den Bodenerhalt und Bodenschutz nicht aus. Erkläre ausgewählte Maßnahmen zum Bodenschutz und -erhalt in Sachsen (M5).

3 Direktsaat und Mulchsaat sind zwei spezielle Maßnahmen einer erosionsmindernden Bodenbearbeitung.
a) Beschreibe diese Bodenbearbeitungs- und Bestellverfahren (M3, M5, M6).
b) Beurteile die Direktsaatmethode als eine Maßnahme zum Bodenschutz. Informiere dich dazu vorher im Internet (M6).
c) Diskutiert in der Klasse die Rolle der Landwirtschaft hinsichtlich der Bodengefährdung und des Bodenschutzes (M1–M6).

M1 *Montage des BMW i3 mit Elektroantrieb im BMW-Werk in Leipzig*

Standortfaktoren der Industrie

Jeder Betrieb benötigt einen Standort. Von der richtigen Auswahl hängt der Erfolg des Unternehmens wesentlich ab. Wie aber findet es seinen Standort? Jeder Betrieb weist typische **Standortanforderungen** auf, die jedoch von Branche zu Branche sehr unterschiedlich sein können und zudem erheblichen zeitlichen Veränderungen unterliegen. Die Unternehmen müssen analysieren, inwieweit ein Gebiet ihren Anforderungen genügt, welche Standortfaktoren es aufweist. Dabei erfolgt zunächst die Auswahl des Makrostandorts, also der Region, dann die des Mikrostandorts, also des konkreten Platzes, an dem der Betrieb entstehen soll.

Standortfaktoren lassen sich in zwei Gruppen gliedern. Die **harten Standortfaktoren** sind unabdingbare, meist quantifizierbare und kostenwirksame Voraussetzungen. Sie dienen der Messung der wirtschaftlichen Rentabilität des Standorts. **Weiche Standortfaktoren** sind kaum quantifizierbar. Sie können aber bei der Anwerbung qualifizierter Mitarbeiter entscheidend sein und Einfluss auf den Absatz eines Produkts haben. Ihre Bedeutung steigt ständig. Bei der Wahl eines Standorts müssen viele Faktoren berücksichtigt werden. Die letztendliche Standortentscheidung wird daher ein ausgewogener Kompromiss sein.

Die Wahl eines Standorts hat nicht nur für das Unternehmen, sondern auch für den betroffenen Ort große Konsequenzen. Er bemüht sich daher, möglichst günstige Standortbedingungen zu entwickeln.

Nachdem BMW im Jahr 2000 ankündigte, ein neues Automobilwerk zu bauen, bekam am 18. Juli 2001 Leipzig den Zuschlag. Damit hatte sich der Standort gegen etwa 250 Bewerber aus ganz Europa durchgesetzt. Zuletzt waren noch Augsburg, Schwerin, Arras (Nordfrankreich) und Kolin (Tschechien) im Rennen. Für den Standort Leipzig sprachen besonders folgende Faktoren:

(1) Wirtschaftlichkeit und Flexibilität (vor allem bei der Gestaltung der Arbeits- und Produktionsprozesse)
(2) qualifizierte und motivierte Arbeitskräfte in der Region
(3) Lage und Beschaffenheit des Werksgeländes (ebene Fläche an der Autobahn)
(4) optimale Infrastruktur für Verkehr, Ver- und Entsorgung
(5) Nähe von Zulieferern in der Region Chemnitz–Zwickau
(6) effiziente Verwaltung und Förderung im Rahmen des „Aufbau Ost"

M2 *Standortentscheidung für Leipzig*

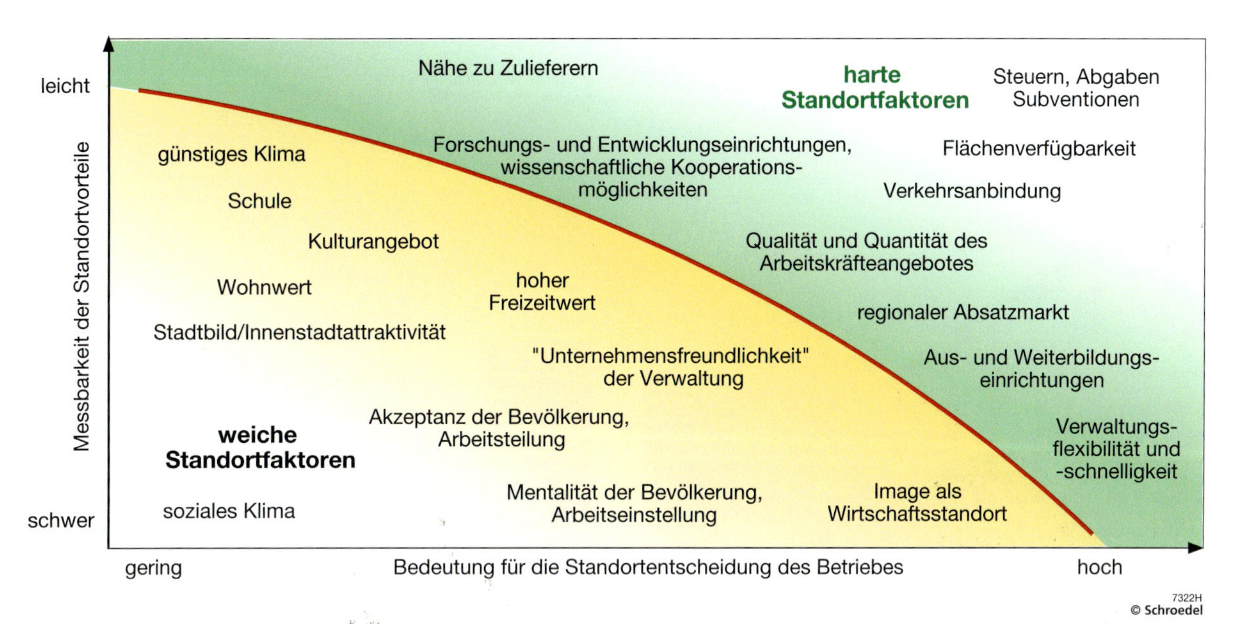

M3 *Übersicht der harten und weichen Standortfaktoren*

In der Vergangenheit hielten Unternehmen oft noch an einem Standort fest, wenn sich die Standortanforderungen längst geändert hatten. Heute sind kurzfristige Standortverlagerungen die Regel. Ursachen sind die Forderung des Marktes nach Flexibilität, die Nutzung von Kooperationsmöglichkeiten und neue Produktionskonzepte.

In vielen Industrien kommt es zur Bildung von Unternehmensnetzwerken, sogenannten **Clustern**. Hier kooperieren Produzenten, Zulieferer, Dienstleister und weitere beteiligte Institutionen miteinander. Der Wettbewerbsvorteil entsteht durch einen hohen Grad an Spezialisierung. Sehr oft entsteht dadurch eine räumliche Konzentration der Unternehmen, es treten **Agglomerationsvorteile** auf. Eine Sonderform sind **virtuelle Unternehmen**. Hierbei handelt es sich um eine zeitlich begrenzte Kooperation von unabhängigen Unternehmen zur Erstellung eines Produkts oder einer Dienstleistung.

Neue Produktionskonzepte verändern ebenfalls die Standortanforderungen. Dies gilt insbesondere für die Automobilindustrie. Die Unternehmen beschränken sich meist auf die Montage. Vor- und Zwischenprodukte werden nicht mehr selbst produziert, sondern von Zulieferern entwickelt, hergestellt und geliefert. Die Anlieferung erfolgt im **Just-in-time**-Konzept, das eine Lagerhaltung überflüssig macht, aber leistungsfähige Verkehrswege erfordert und oft die Ansiedlung der Zulieferer in der Nähe der Finalproduzenten erzwingt. Dies gilt besonders für die Automobilindustrie. Logistikzentren sorgen für eine termingerechte Anlieferung.

M4 *Wertewandel der Standortfaktoren*

Eröffnung: 2005
Fläche: ca. 2,1 Mio. m³
Beschäftigte: ca. 6000
Jahresproduktion: ca. 211 000 Fahrzeuge
Tagesproduktion: ca. 850 Fahrzeuge, davon 120 Elektrofahrzeuge
Gesamtinvestition: über 2 Mrd. Euro

M5 *BMW in Leipzig*

❶ Standortfaktoren bestimmen über die Ansiedlung von Industriebetrieben.
a) Erkläre die Begriffe harte und weiche Standortfaktoren (M3).
b) Erläutere den Wertewandel von Standortfaktoren (M4).

❷ Cluster sind neuartige Standortstrukturen. Fasse Vorteile dieser Struktur zusammen (M4).

❸ Das BMW-Werk Leipzig gehört zu den größten Industrieansiedlungen in Sachsen. Erstelle eine Übersicht zu harten und weichen Standortfaktoren, die BMW veranlasst haben, sich in Leipzig anzusiedeln (M2, M3, M5).

❹ BMW produziert im Just-in-time-Verfahren.
a) Erörtere, inwieweit dies zur Entscheidung für den Standort Leipzig beigetragen hat (M4).
b) Beschreibe Probleme, die durch dieses Verfahren für die Betriebe und für die Allgemeinheit entstehen können.

M1 *Dresden – Von der Innenstadt ...*

M2 *... auf die grüne Wiese*

Standortfaktoren des tertiären Sektors

Struktur und Entwicklung des tertiären Sektors

Der tertiäre Sektor umfasst Branchen und Tätigkeiten, in denen keine materiellen, sondern immaterielle Leistungen erbracht werden.

Die Bandbreite der Berufe und Unternehmen ist extrem vielfältig. Es existieren sowohl einfache Dienstleister, die meist ein niedriges Lohnniveau aufweisen (z. B. Einzelhandel, Gastronomie), als auch gehobene Dienstleistungen (z. B. Rechtsberatung, Forschung). Diese hoch qualifizierten Dienstleistungen werden oft als quartärer Sektor ausgegliedert.

Ausgehend von der Nachfrage lassen sich personenbezogene und unternehmensorientierte Dienstleistungen unterscheiden. Personenbezogene Dienstleistungen werden individuell vom Kunden nachgefragt (Friseur, Physiotherapie), unternehmensbezogene richten sich an Firmen (Werbung, Unternehmensberatung). In der Praxis ist eine exakte Zuordnung schwierig, weil häufig beide Kundengruppen angesprochen werden. Ergänzt wird das Spektrum noch durch die öffentlichen Dienstleistungen.

Die Dynamik des tertiären Sektors zeigt sich in hohen Wachstumsraten und einer sich ständig verändernden und differenzierteren Struktur.

Standortanforderungen des tertiären Sektors

Anders als der primäre und der sekundäre Sektor wirkt der tertiäre (und quartäre) durch die von ihm benötigte Infrastruktur raumprägend. Zunächst war die Verkehrsanbindung der entscheidende Standortfaktor. Eine gute Anbindung an das Verkehrsnetz ermöglicht eine gute Erreichbarkeit des Kunden. Zunehmend spielen aber Kommunikationsnetze und auch das Vorhandensein einer speziellen Infrastruktur (z. B. für den Tourismus) eine wichtige Rolle.

Die extreme Vielfalt der Dienstleistungsangebote bewirkt auch sehr differenzierte Standortbedingungen, die zusätzlich noch einer zeitlichen Veränderung unterliegen.

Ein gutes Beispiel bietet der Einzelhandel. Er benötigt eine gute Erreichbarkeit durch viele Kunden und konzentriert sich daher an verkehrsgünstigen Stellen. In der Vergangenheit waren dies die Stadtzentren, dort liegen die Verkehrsknotenpunkte. Seit Jahren verlagert sich der Einzelhandel an den Stadtrand, weil die Kunden mit dem Pkw zum Einkauf fahren. Standorte an großen Ausfallstraßen mit Autobahnauffahrten haben nun einen Standortvorteil gegenüber den historischen Stadtzentren.

Das Technologie Centrum Chemnitz (TCC) ist ein typisches Beispiel für eine Institution, die Jungunternehmern und Existenzgründern den erfolgreichen Eintritt in die Märkte ermöglichen soll.

Das TCC bietet zunächst eine intensive Gründungsberatung und begleitet die ersten Schritte des neuen Unternehmens. Es unterstützt bei der Büroorganisation sowie der Anmietung von Räumen und hilft bei der Einbindung in lokale und branchenspezifische Netzwerke. Darüber hinaus bietet das TCC technische Dienstleistungen auf höchstem Niveau, besonders im Bereich der Internetanbindung. Die flexible Bereitstellung von Gewerbeflächen und Verträge, die sich an den Entwicklungsstand des jungen Unternehmens anpassen, mindern dessen Risiken.

Zudem organisiert das TCC die Zusammenarbeit der von ihm betreuten Unternehmen mit kleinen und mittelständischen Unternehmen der Region, die selbst kaum über Forschungs- und Entwicklungspotenziale verfügen.

M3 *Technologie Centrum Chemnitz (TCC) – Beispiel eines unternehmensorientierten Dienstleisters*

- Berechnung von Materialeigenschaften
- Entwicklung kundenspezifischer Software
- Entwicklung von Assistenzsystemen für Pkw
- Simulationssysteme und Websimulation
- E-manufacturing (flexible Produktion direkt aus Daten)
- Marketing und Seminartätigkeit
- Optimierung von Kommunikationssystemen

M4 *Beispiele für Dienstleistungen, die im TCC angesiedelte Unternehmen anbieten*

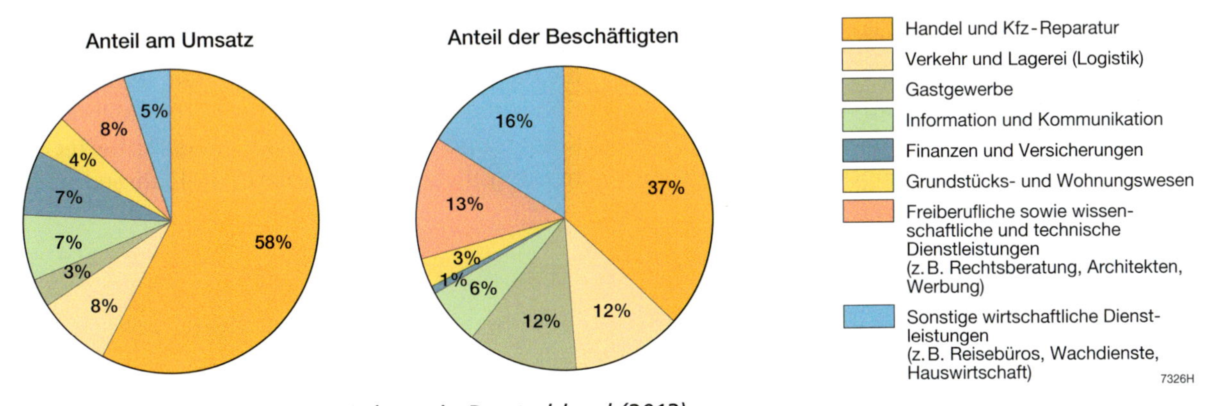

M5 *Gliederung des tertiären Sektors in Deutschland (2013)*

1 Der tertiäre Sektor unterliegt dynamischen Veränderungen.
a) Analysiere die Vielfalt des tertiären Sektors (M5).
b) Ordne die Angebote des TCC in Bereiche des tertiären Sektors ein (M3, M4).
c) Erläutere aktuelle Veränderungen im tertiären Sektor (M1, M2).

2 Spezifische Standortfaktoren und -bedingungen kennzeichnen den tertiären Sektor.
a) Gib einen Überblick über diese Standortfaktoren und -bedingungen.
b) Erläutere am Beispiel des Einzelhandels den Wandel der Standortbedingungen (M1, M2).
c) Ermittle Standortfaktoren, die für ein Technologiezentrum wie das TCC in Chemnitz wichtig sind (M3–M5).

Alarm!!

Nur in 29 Prozent der Haushalte Deutschlands lebten im Jahr 2011 überhaupt noch Kinder. Die Familie mit Kind gehört zu den bedrohten Lebensweisen. Viele der Menschen ohne Kinder haben ihren Nachwuchs schon großgezogen und ihren 60. Geburtstag bereits hinter sich. In der dramatischen Zahl der kinderlosen Haushalte spiegelt sich die Alterung der Gesellschaft wider. Wenn die Deutschen immer älter werden, steigt die Zahl der Haushalte mit älteren Menschen und der Anteil der Haushalte mit Kindern sinkt.

Weshalb gibt es aber so wenige Haushalte mit Kindern? Es fehlt an Einrichtungen für Kinder, sagen die Politiker. Es fehlt der richtige Partner, sagt die Hälfte der Kinderlosen. Kind und Karriere sind schwer miteinander zu vereinbaren, erklären die Frauenrechtlerinnen. Journalisten geben zu bedenken: Was fehlt, ist der Wille. Die Menschen wollen ungestört leben und Karriere machen. Kinder sind ihnen zu teuer. Meinungsforscher erklären dagegen: Während vor Jahrzehnten die Paare heirateten, dominieren heute die Zweifel am Partner, an der Fähigkeit, Eltern zu sein, und an der langen Verantwortung, die mit einem Kind verbunden ist.

M1 *„Deutschland sieht alt aus"*

Natürliche Bevölkerungsbewegung in Deutschland

Das zahlenmäßige Verhältnis zwischen alten und jungen Menschen ist in Deutschland nicht mehr im Gleichgewicht und beeinflusst so die Bevölkerungsentwicklung. Ein Teil dieser Entwicklung ist die **natürliche Bevölkerungsbewegung**. Sie spiegelt das Verhältnis von Geburtenrate und Sterberate wider. In Deutschland gibt es bereits seit Jahren einen Sterbeüberschuss, d.h. die Bevölkerungszahl in Deutschland schrumpft. Lebten im Jahr 2000 noch 82,3 Mio. Menschen in Deutschland, so waren es 2014 nur noch 81,3 Mio. Die zukünftige Entwicklung ist damit vorhersehbar. Die deutsche Bevölkerung wird voraussichtlich bis 2050 um etwa zwölf Millionen sinken. Ohne Zuwanderung aus dem Ausland wird der Rückgang noch stärker sein. Das bringt z.B. große Probleme bei der Versorgung der vielen alten Menschen und der Absicherung der Renten mit sich. Deshalb versucht die Politik, Maßnahmen zu ergreifen, die die Situation verbessern sollen. Dazu zählt die Zahlung von Kinder- und Elterngeld sowie ein garantierter Betreuungsplatz für Kinder unter drei Jahren.

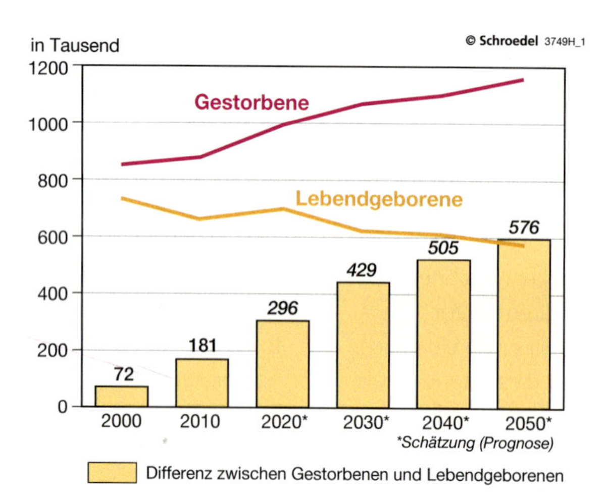

M2 *Sterben die Deutschen aus?*

Zensus-Daten für	2011	Vergleich 2014
Bevölkerung	81,8 Mio.	81,3 Mio.
Lebendgeborene	662 685	714 927
Gestorbene	852 328	868 373
private Haushalte	40,4 Mio.	40,2 Mio.
Wanderungssaldo	+279 207	+550 483
Ausländeranteil	8,8 %	10,1 %
Bevölkerung mit Migrationshintergrund	19,3 %	20,3 %
Familien mit minderjährigen Kindern	8,1 Mio.	8,1 Mio.

M3 *Daten zur deutschen Bevölkerung*

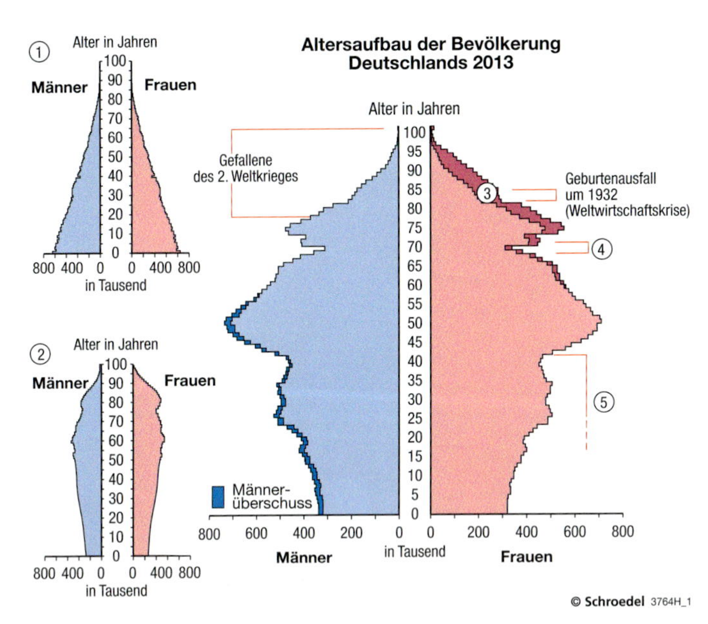

M4 *Bevölkerungsdiagramme von Deutschland*

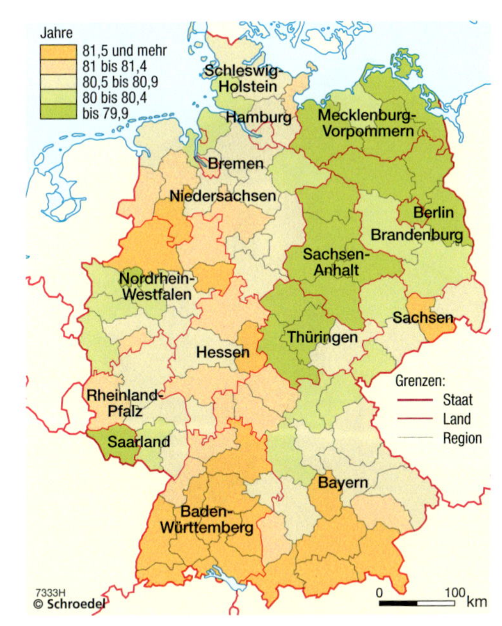

M6 *Lebenserwartung (Deutschland 2014)*

Wird der Bevölkerung im erwerbsfähigen Alter die jüngere Bevölkerung gegenübergestellt, für deren Aufwachsen, Erziehung und Ausbildung gesorgt werden muss, so ergibt sich der Jugendquotient. Wird die Zahl der Personen im Rentenalter, also der potenziellen Empfänger von Leistungen der Rentenversicherung oder anderer Alterssicherungssysteme, auf die Zahl der Personen im Erwerbsalter bezogen, ergibt sich der Altenquotient. Beide Quotienten zusammen addieren sich zum Gesamtquotienten, der zeigt, in welchem Ausmaß die mittlere Altersgruppe sowohl für die jüngere als auch für die ältere Bevölkerung zu sorgen hat.

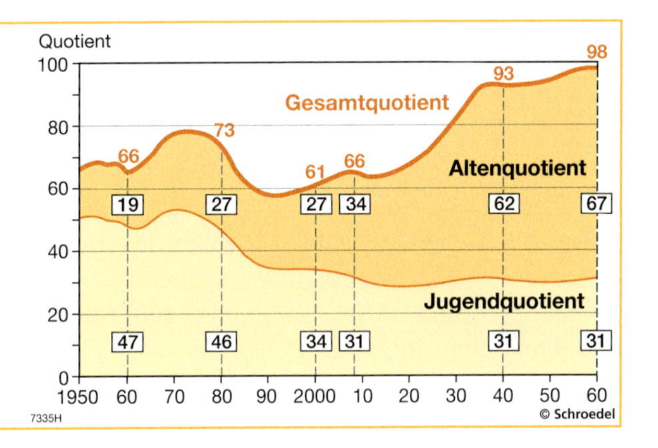

M5 *Jugend- und Altenquotient*

1 Das zahlenmäßige Verhältnis von jungen und alten Menschen ist für die Bevölkerungsentwicklung wichtig. Bewerte unter diesem Gesichtspunkt die Karikatur (M1).

2 Deutschlands Bevölkerung hat sich in über 100 Jahren entscheidend verändert.

a) Beschreibe die Altersstruktur der Bevölkerung Deutschlands 2013 (M4).

b) Ordne die folgenden Textbausteine den Ziffern (1–5) in M4 zu:

- Frauenüberschuss,
- Einführung der Pille sowie gesetzliche Erleichterung des Schwangerschaftsabbruchs,
- Geburtenausfall am Ende des Zweiten Weltkriegs,
- Bevölkerungsdiagramm im Jahr 1910,
- Bevölkerungsdiagramm im Jahr 2050.

c) Vergleiche die Bevölkerungsdiagramme von 1910 und 2050 hinsichtlich ihres Aufbaus (M4).

d) Erläutere die sich aus dem Altersaufbau ergebenden Probleme für die Bevölkerungsentwicklung.

e) Analysiere die Bevölkerungsentwicklung Deutschlands (M2–M6).

f) Erläutere die Bedeutung sowie die Entwicklung des Jugend- und Altenquotienten (M5).

3 Die Entwicklung der Bevölkerung in Deutschland wird durch verschiedene Faktoren beeinflusst.

a) Beurteile die Bedeutung von Kindern in Deutschland im Jahr 1910 (M4).

b) Diskutiert in der Klasse, ob sich diese Bedeutung bis heute verändert hat.

M1 *Verlassene Häuser in sächsischer Kleinstadt*

M2 *Schließung einer Baulücke in Berlin*

Bevölkerungsverteilung und Wanderungsbewegungen in Deutschland

Die Bevölkerungsentwicklung insgesamt wird einerseits von der natürlichen Bevölkerungsbewegung, andererseits von Wanderungsbewegungen (Migration) beeinflusst. Dabei werden **Außen-** und **Binnenmigration** unterschieden.
Als Außenmigration wird die Wanderung über Staatsgrenzen hinweg und als Binnenmigration die Wanderungsbewegungen innerhalb eines Staates bezeichnet. In Deutschland ist die Ost-West-Wanderung eine besonders ausgeprägte Form der Binnenwanderung.
Wanderungsbewegungen überlagern und beeinflussen zusätzlich die natürliche Bevölkerungsentwicklung.
Die Verteilung der Bevölkerung in einem Staat ist das Ergebnis der natürlichen Bevölkerungsentwicklung sowie nationaler und internationaler Wanderungsbewegungen. Beides wird entscheidend von der Wirtschaftssituation einer Region, hier besonders von der Arbeitsplatzentwicklung, beeinflusst. So entstehen Zu- und Abwanderungsgebiete.
Eine große Herausforderung für Deutschland sind die zahlreichen Flüchtlinge seit 2015 und ihre Integration in unsere Gesellschaft.

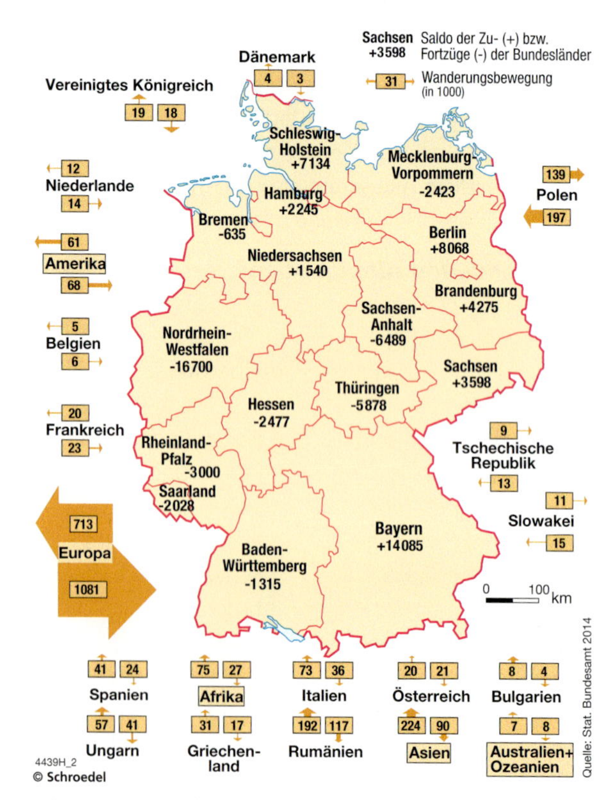

M3 *Nettowanderung innerhalb Deutschlands und zwischen Deutschland und dem Ausland (Auswahl)*

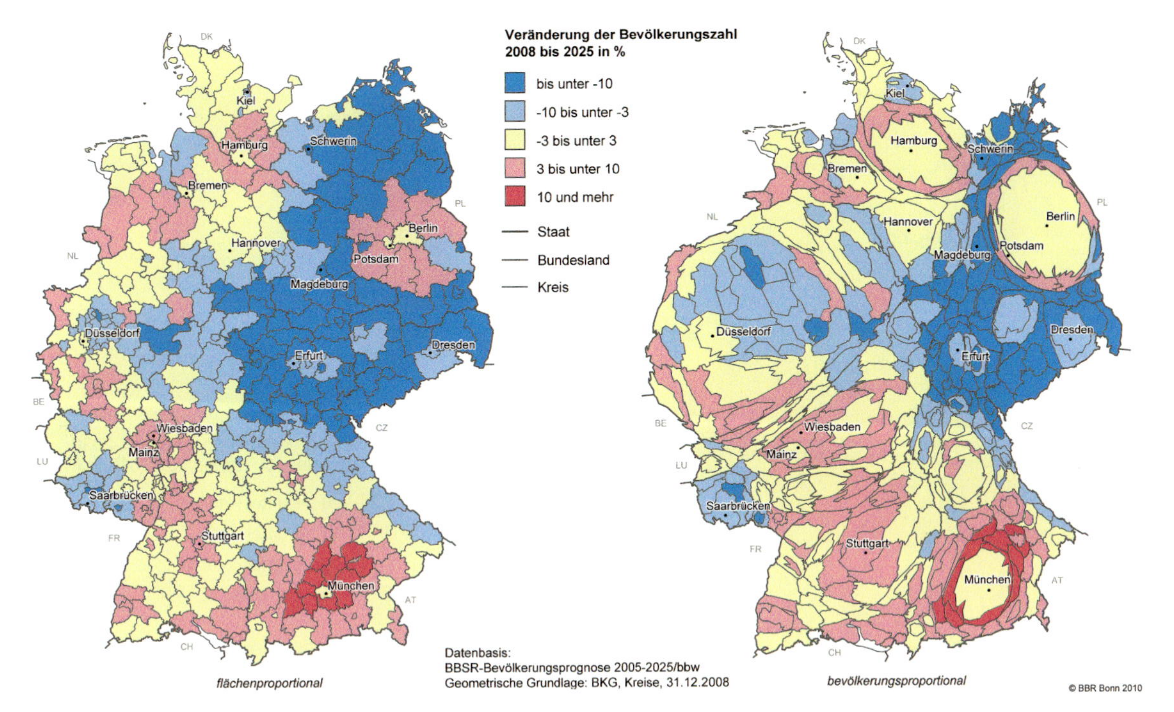

M4 *Bevölkerungsentwicklung zwischen 2008 und 2025 (flächen- und bevölkerungsproportional, 2010)*

Die neuen Einwanderer in Deutschland haben kaum noch etwas mit den Migranten gemein, die bis in die Neunzigerjahre ins Land kamen. Im Zuge der Gastarbeiteranwerbung zogen vor allem manuelle Arbeitskräfte ins Land. Jetzt sind es oft hoch qualifizierte. Mehr als 40 Prozent der Zuwanderer im erwerbsfähigen Alter hatten zuletzt einen Hochschulabschluss, meldet das Statistische Bundesamt. Der Anteil der Hochqualifizierten liegt damit höher als in der gesamten deutschen Bevölkerung. Mehrere empirische Studien zeigen, dass der Arbeitsmarkt, die Gesamtwirtschaft und der Sozialstaat in Deutschland von den neuen Einwanderern profitieren.

(Quelle: Brücker, H.: Der stille Transfer aus dem Süden. In: www.zeit.de, 27.09.2012)

M5 *Qualifikation von Zuwanderern (2012)*

Aus Syrien kommen nicht nur Ärzte, das stimmt. Aber die Syrer sind gebildeter als andere Flüchtlinge. [...] Um zu ermessen, was Deutschland in den nächsten Jahren an Integration zu leisten hat, muss man mehr über die Menschen wissen, die hier Asyl suchen. Woher kommen sie, was haben sie gelernt, wie werden sie sich verhalten? So viel steht fest: Die Herausforderung ist gewaltig. Eine Situation wie jetzt gab es noch nie. Allein im August kamen 105 000 Migranten nach Deutschland. Fast die Hälfte (45 Prozent) von ihnen waren Syrer. In der Statistik folgen Afghanen (11 Prozent), Iraker (9 Prozent), Albaner (8 Prozent), Pakistaner (5 Prozent) und Eritreer (3 Prozent). [...]

(Quelle: Gutschker, T. & Rasche, U.: Wer kommt da eigentlich zu uns? In: www.faz.net, 21.09.2015)

M6 *Integration von Flüchtlingen (2015)*

1 Die Bevölkerungsentwicklung wird neben der natürlichen Bevölkerungsbewegung auch durch Migration beeinflusst.
a) Beschreibe die Binnen- und Außenmigration Deutschlands (M3).
b) Erläutere Gründe, warum Deutschland Zuwanderer braucht (M5, S. 86–87).
c) Erläutere Folgen, die sich aus der Integration von Flüchtlingen ergeben (M5, M6).

2 Die Bevölkerungsverteilung in Deutschland wird sich in Zukunft verändern.
a) Analysiere die Prognose zur Veränderung der Bevölkerungszahl (M4).
b) Nenne Regionen mit Bevölkerungszu- und -abnahme (M1, M2, M4).
c) Erläutere anhand einer selbst erstellten Mindmap Gründe für diese Entwicklung.
d) Untersuche deine eigene Wohnregion hinsichtlich der Bevölkerungsentwicklung.
e) Vergleiche ausgewählte Regionen mit der Wirtschaftskarte (Atlas).

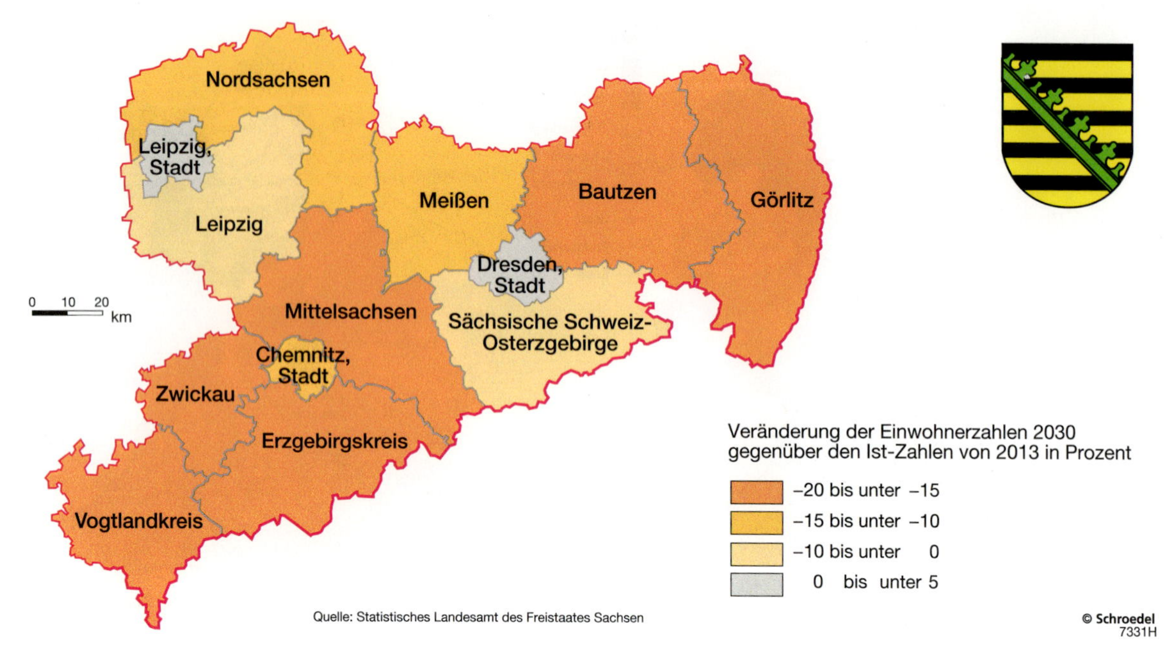

M1 *Veränderungen in Sachsens Bevölkerung*

Bevölkerung Sachsens

Die Bevölkerungszahl Sachsens ist seit vielen Jahrzehnten rückläufig. Lebten 1950 noch 5,68 Mio. Menschen im Freistaat, so waren es 2014 nur noch 4,04 Mio. Der Rückgang hat sich seit der Wiedervereinigung der beiden deutschen Staaten 1990 beschleunigt. Daran ändert auch die Tatsache nichts, dass seit wenigen Jahren die Zahl der Zuzüge nach Sachsen höher ist als die der Fortzüge. Die Wanderung innerhalb Sachsens zeigt zwei Zentren der Zunahme sowie große Gebiete mit abnehmender Bevölkerung.

Das Statistische Landesamt Sachsen hat eine Bevölkerungsprognose für das Jahr 2025 errechnet und gibt dafür zwei Szenarien an: ein Rückgang um neun Prozent (bezogen auf 2010) auf 3,77 Mio. oder ein Rückgang um zwölf Prozent auf 3,65 Mio.

Circa 4,4 Prozent der Einwohner Sachsens (2014) haben einen Migrationshintergrund. Damit ist ihr Anteil im Freistaat im Vergleich zum übrigen Bundesgebiet sehr gering.

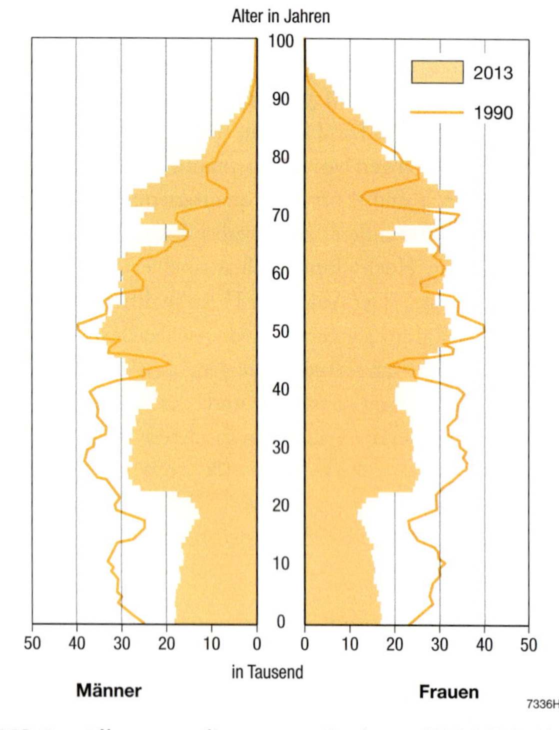

M3 *Bevölkerungsdiagramm Sachsen (1990/2013)*

1946	1950	1964	1970	1981	1990	1995	2000	2005	2010	2013	2014
5,56	5,68	5,46	5,42	5,15	4,78	4,57	4,43	4,27	4,15	4,05	4,04

M2 *Entwicklung der Einwohnerzahlen im Freistaat Sachsen (in Mio.)*

Ärzte scheuen die Arbeit auf dem Land – das ist nichts Neues. Doch wie es aussieht, wird es in Sachsen mit den Lehrern bald das gleiche Problem geben: Ein Drittel aller Lehrkräfte werden bis 2030 altersbedingt aus dem Schuldienst ausscheiden – doch die jungen Lehrer, die jetzt frisch von der Uni kommen, arbeiten lieber in der Stadt als auf dem Land. [...]
Eigentlich ist dieser Engpass erstaunlich: Denn in Sachsen bewerben sich jährlich 1000 Hochschulabsolventen auf 200 Lehrerstellen an Gymnasien. Die meisten von ihnen scheuen allerdings die sächsische Provinz. [...] Immer wieder bleiben Stellen unbesetzt. Dirk Reelfs vom Kultusministerium beschreibt die Situation so: „Wir sehen mentale Hürden bei den jungen Leuten, die frisch vom Studium kommen. Die können sich kaum vorstellen, woanders tätig zu sein als dort, wo sie viele Jahre lang studiert haben." Durch materielle Anreize will das Kultusministerium nun helfen, diese mentalen Hürden zu überwinden: Ab kommendem Wintersemester werden bis zu 100 Lehramtsstudenten mit monatlich 300 Euro unterstützt, wenn sie sich verpflichten, später eine Stelle an einer Grund- oder Oberschule auf dem Land anzunehmen. [...]
Das Schreckgespenst „Schulschließung" geistert immer wieder über das Land und bedroht vor allem Grund- und Mittelschulen. Die hübsche ländliche Idylle hat außerdem seit langem die gefühlte unangenehme Abgeschiedenheit im Schlepptau. [...]
Zudem muss Sachsen befürchten, im Wettbewerb um junge Lehrer ausgestochen zu werden: Aus Angst vor Lehrermangel locken andere Bundesländer Lehrer mit Beamtenstellen und mehr Geld. Wer in Sachsen an einer Schule anfängt, kann auch in Zukunft nicht damit rechnen, verbeamtet zu werden. [...]

(Quelle: Stange, Jennifer: Die Lehrer-Landflucht muss aufhören! In: www.mdr.de, 06.04.2015)

M4 *Die Lehrer-Landflucht muss aufhören!*

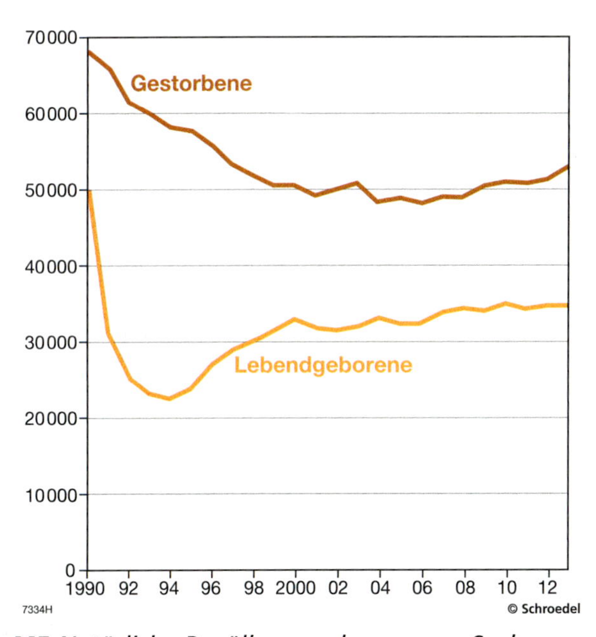

M5 *Natürliche Bevölkerungsbewegung Sachsens*

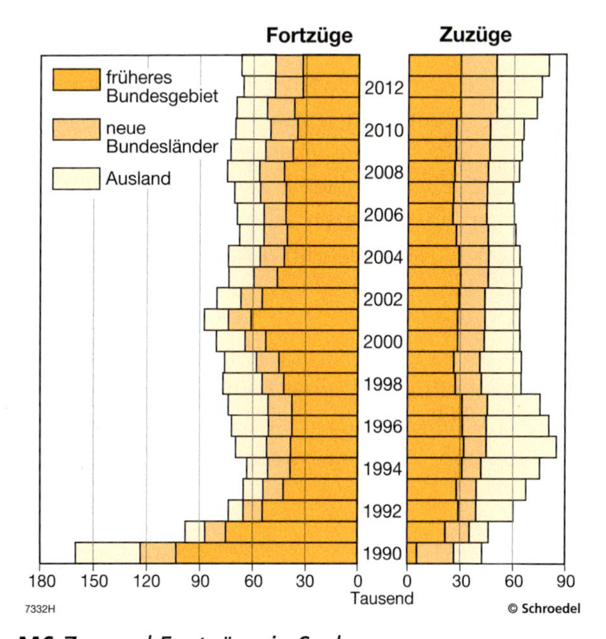

M6 *Zu- und Fortzüge in Sachsen*

1 Sachsens Bevölkerung verändert sich.
a) Stelle die Bevölkerungsentwicklung Sachsens grafisch dar (M2).
b) Beschreibe die Bevölkerungsentwicklung in Sachsen (M1, M2, M5, Internet: www.statistik.sachsen.de).
c) Untersuche das Bevölkerungsdiagramm Sachsens hinsichtlich der Entwicklung der Verteilung von Alter und Geschlecht (M3).
d) Analysiere die Zu- und Fortzüge von und nach Sachsen (M6).
e) Vergleiche die Bevölkerungsentwicklung Sachsens mit der Gesamtdeutschlands (M2, M3, S. 86–89).
f) Analysiere M4 hinsichtlich der räumlichen Folgen des Bevölkerungsrückgangs.
g) Nenne weitere Folgen für die Bereiche Infrastruktur, Wirtschaft und Sozialsysteme.

M1 *Paulinum der Universität Leipzig*

Bevölkerung Sachsens – Zuwanderungsraum Leipzig

Leipzig hat in den letzten Jahren einen deutschlandweit neuartigen Trend zu verzeichnen: eine deutlich steigende Bevölkerung. 2011 um 1,4 Prozent, 2012–2014 um jeweils zwei Prozent.

Das war in der jüngeren Vergangenheit ganz anders: In den 1990er-Jahren hatte Leipzig mit rückläufigen Einwohnerzahlen zu kämpfen, Eingemeindungen konnten den Trend teilweise stoppen. Aktuelle Vorhersagen gehen davon aus, dass Leipzig im Jahre 2032 über 600 000 Einwohner haben wird. Damit würde fast die bisherige Höchstzahl von über 718 000 Einwohnern 1930 erreicht.

Nach 1990 fand in Leipzig ein tiefgreifender wirtschaftsstruktureller Wandel statt. Zunächst brachen 85 Prozent des Industriepotenzials weg. Die Bevölkerungszahl sank.

Mit seiner Clusterstrategie und verschiedenen Initiativen gelang es Leipzig, neue Unternehmen anzulocken. Dazu gehören Porsche, BMW und DHL. Unternehmensansiedlungen werden durch Verfahrenserleichterungen beschleunigt (die Baugenehmigung für Amazon dauerte nur 16 Tage). Unternehmensgründungen werden z. B. durch Mikrokredite gefördert.

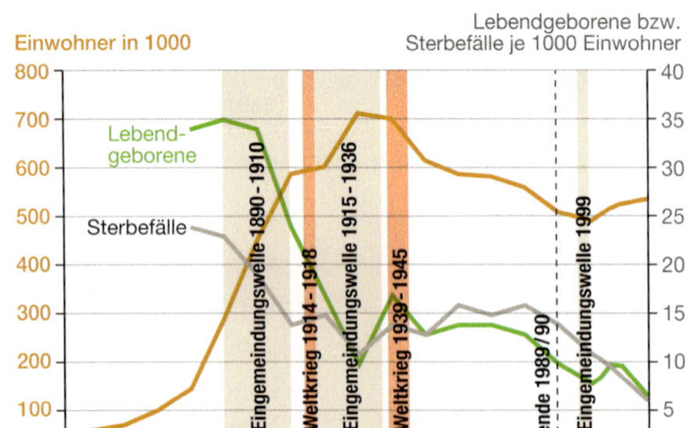

M2 *Bevölkerungsentwicklung von Leipzig*

Dr. Michael Schimansky (Amtsleiter Wirtschaftsförderung der Stadt Leipzig):

„Die Gründe für den Zuzug sieht die Stadt Leipzig in der florierenden Wirtschaft. Die Arbeitslosenquote konnte in den vergangenen 10 Jahren halbiert werden. Wir sehen uns in unserer Strategie, verschiedene Cluster zu fördern und auszubauen, bestätigt. Leipzig setzt weiterhin auf die fünf Cluster Automotive (dazu gehören BMW und Porsche), Energie / Umwelt, Gesundheit / Biotechnologie, Logistik (dazu gehören DHL und DB Schenker) und Medien / Kreative (dazu gehört der MDR)."

M3 *Auszug aus einem Interview mit Dr. Schimansky*

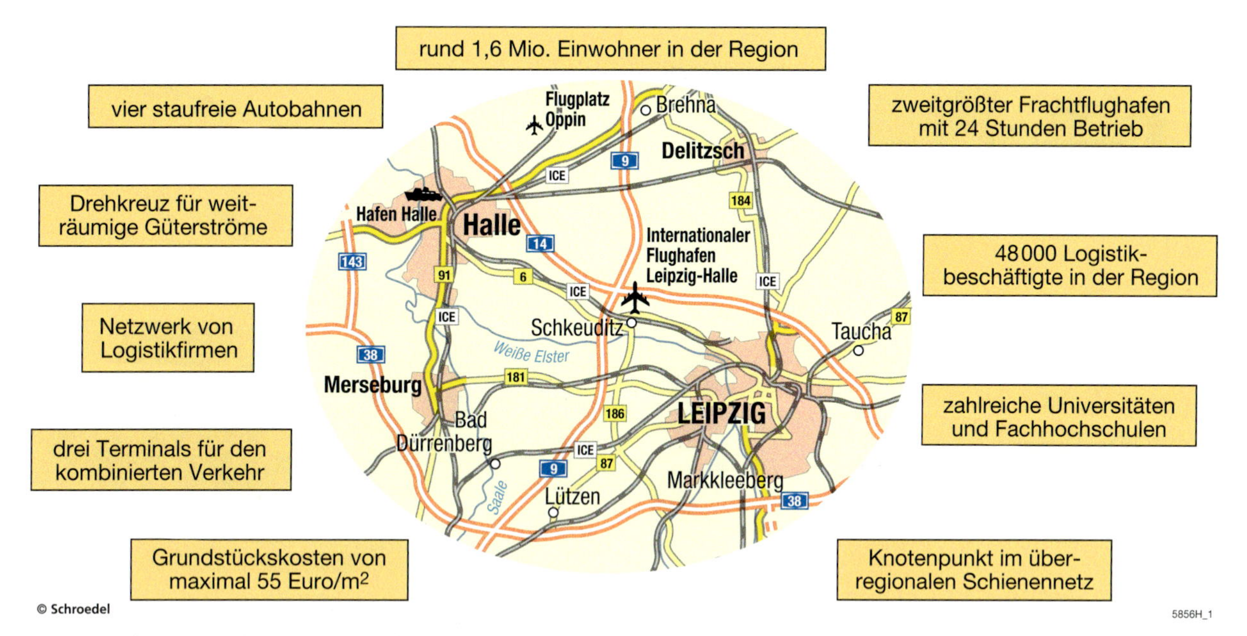

M4 *Standortvorteile des Logistikstandorts Halle-Leipzig*

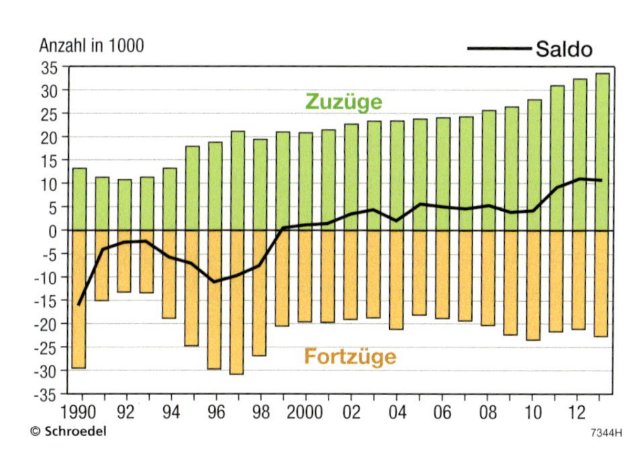

M5 *Zu- und Fortzüge Leipzigs*

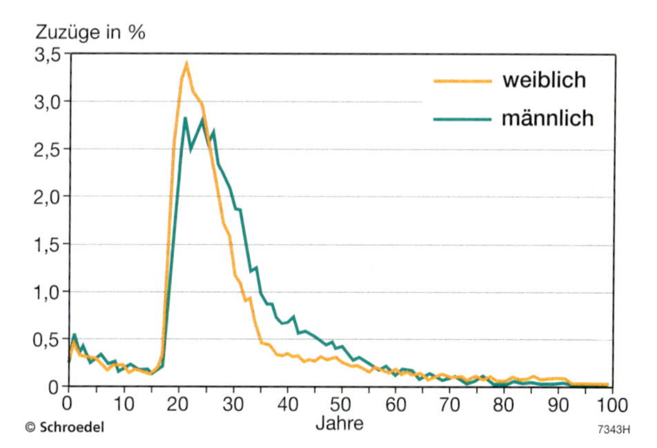

M7 *Anteil der Zuzüge nach Alter und Geschlecht am Gesamtzuzug nach Leipzig (2011)*

Beschäftigte		Arbeitslose		Fracht- und Postaufkommen am Flughafen Leipzig (in t)	
2001	204 116	2003	44 627 (19,7 %)	2007	101 364
2005	188 845	2005	46 870 (21,3 %)	2009	524 082
2010	211 234	2010	33 127 (14,4 %)	2011	760 335
2013	228 990	2014	26 241 (10,5 %)	2013	887 101

M6 *Daten zu Leipzig*

1 Die Einwohnerzahl Leipzigs hat sich in den letzten Jahrzehnten verändert.
a) Beschreibe die Bevölkerungsentwicklung von Leipzig (M2).
b) Analysiere die Materialien zur Migration (M5, M7).
c) Nenne Ursachen für das Bevölkerungswachstum von Leipzig (M1, M3, M4, M6).

M1 *Attraktive Bürgerhäuser in Aue*

M3 *Leerstehende Ladenzeile in Aue*

Bevölkerung Sachsens – Abwanderungsraum Aue

Die Kreisstadt Aue liegt im Erzgebirgskreis. Stadt und Landkreis haben heute mit rückläufiger Bevölkerung zu kämpfen. Zwischen 1990 und 2010 verlor Aue knapp 30 Prozent seiner Bevölkerung. Weitere Einwohnerverluste hatte die Stadt 2008 mit dem Verlust des Kreissitzes zu verzeichnen.

Zu DDR-Zeiten sah die Situation ganz anders aus: Durch den Uranbergbau der SDAG Wismut zogen viele Menschen nach Aue. Zu Spitzenzeiten (1950) hatte Aue sogar über 40000 Einwohner. Im Jahr 1968 beschäftigte die Wismut ca. 12000 Bergleute. Seit der Einstellung des Uran-Bergbaus nach 1990 versucht die Stadt den Bevölkerungsrückgang durch verschiedene Maßnahmen einzugrenzen. Dazu gehören das „Stadtleitbild Aue 2020" sowie das Städtebauliche Entwicklungskonzept. Aue wirbt gemeinsam mit anderen Gemeinden um Investoren und Rückkehrer.

Kernaussage	Folgen / Auswirkungen
weitere Bevölkerungsverluste durch natürliche Bevölkerungsentwicklung	• Wohnungsanzahl übersteigt die Nachfrage • geringere/r Bedarf/Auslastung der sozialen, sportlichen, kulturellen Infrastruktureinrichtungen • geringere/r Bedarf/Auslastung von Bildungs- und Erziehungseinrichtungen • geringere Auslastung der technischen Infrastruktur
weitere Überalterung der Bevölkerung	• vermehrter Bedarf an Wohnformen für ältere Bürger • vermehrter Bedarf an Betreuungseinrichtungen und speziellen Dienstleistungen
Überalterung ist in den Stadtgebieten unterschiedlich	• Bedarf an bestimmten Infrastruktureinrichtungen verändert sich • eventuell erhöhte Leerstände, da Wohnungen nicht dem Bedarf anderer Nutzer entsprechen
Abwanderung in der Altersgruppe der 15- bis 40-Jährigen hält weiter an (Wanderung über die Kreisgrenze steigt)	• Anzahl der Frauen im gebärfähigen Alter nimmt weiter ab. • Zukünftig fehlen junge qualifizierte Arbeitskräfte

M2 *Probleme der Stadt Aue – Auszug aus dem* Städtebaulichen Entwicklungskonzept von 2007

Aue hat mit der Abwanderung seiner Einwohner zu kämpfen. Bitte schildern Sie uns, was die Stadt dagegen unternimmt.

Hecker: Die Stadt Aue arbeitet auf verschiedenen Ebenen dafür, eine lebenswerte und für verschiedene Generationen attraktive Stadt zu sein. Aue betreibt z.B. eine Facebook-Seite und hat sich in zwei Projekten differenziert mit der momentanen und zukünftigen Entwicklung auseinandergesetzt. Bei „Willkommen in Aue" wurden sowohl Jugendliche als auch Senioren nach ihren Bedürfnissen und Wünschen befragt. In einer Demografie-Werkstatt wurden die verschiedenen Bereiche unter fachlicher Leitung analysiert. Bisher sind bereits einige Maßnahmen umgesetzt worden. So gibt es in Aue neben mehr als 20 Spielplätzen für Kinder auch einen Mehrgenerationenspielplatz sowie etliche Freizeitanlagen für Kinder und Jugendliche.

M4 *Auszug aus einem Kurzinterview mit Jana Hecker, Pressesprecherin von Aue*

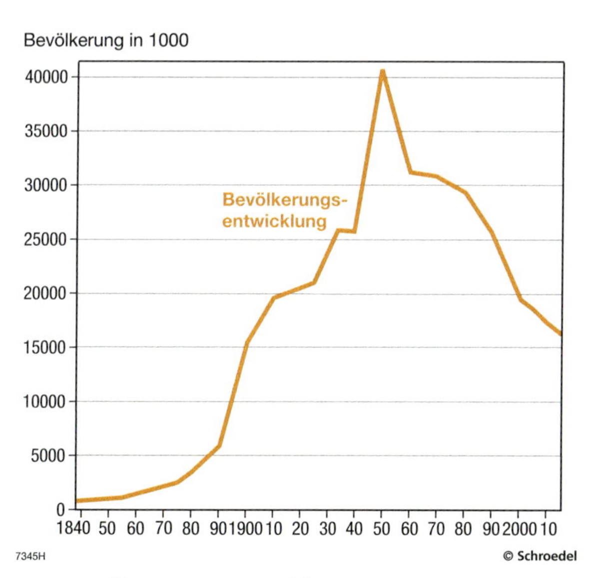

M5 *Bevölkerungsentwicklung von Aue*

In diesem Leitbild werden zahlreiche Thesen vorgestellt, die Handlungsleitlinien sein sollen.

Hier eine Auswahl:
- Die Kreisstadt Aue ist ein Teil des westsächsischen Wirtschaftsraumes.
- Die Kreisstadt Aue betreibt aktive Standortpflege zur Ansiedlung neuer Betriebe.
- Die Kreisstadt Aue bietet ausgeprägte Einzelhandelsstrukturen für den qualitätsbewussten Kunden.
- Die Kreisstadt Aue arbeitet kooperativ mit den Nachbarstädten zusammen.
- Die Kreisstadt Aue ist eine grüne Stadt mit Gründerzeitambiente.
- Die Kreisstadt Aue ist eine Stadt der „kurzen Wege".

M7 *Auszug aus dem „Stadtleitbild Aue 2020"*

Jahr	Beschäftigte	Zuwanderer	Abwanderer
2000	11 633	1 045	1 090
2005	9 193	984	1 045
2010	8 283	1 130	1 200
2013	7 902	1 198	1 321

M6 *Daten zu Aue*

1 Die Zahl der Einwohner von Aue geht deutlich zurück.
a) Beschreibe die Bevölkerungsentwicklung von Aue (M5).
b) Erläutere die Herausforderungen, denen sich die Stadt Aue durch die Bevölkerungsentwicklung stellen muss (M2, M3).

2 Die Stadt Aue bemüht sich, den Abwanderungstrend zu stoppen und mit den Folgen umzugehen.
a) Stelle die Lösungsstrategien dar (M1, M4, M7).
b) Nimm zu den Lösungsstrategien begründet Stellung.

M1 *Stadtzentrum in Chemnitz*

M2 *Innenstadt von Zwickau*

METHODE

Methode: fragengeleitete Raumanalyse – Wirtschaftsregion Chemnitz–Zwickau

Die **Raumanalyse** dient der Untersuchung geographischer Räume unter einer speziellen Zielsetzung. In verschiedenen Schritten muss herausgearbeitet werden, welche Merkmale, Strukturen und Prozesse diesen Raum prägen, wie diese entstanden und welche zukünftigen Entwicklungen zu erwarten sind. Im folgenden Beispiel soll die Wirtschaftsregion Chemnitz–Zwickau analysiert werden. Am Anfang steht die Suche nach einer möglichst übergeordneten Leitfrage (vgl. M4). Sie bestimmt darüber, unter welcher Zielsetzung die vorhandenen Materialien ausgewertet werden, welche Merkmale des Raumes besonders zu untersuchen sind. Um die sehr allgemein gehaltene Leitfrage beantworten zu können, werden verschiedene Teilfragen (gelber Kasten) gestellt.

Vier Schritte für eine fragengeleitete Raumanalyse

1. Verschaffe dir einen Überblick
Lage, Abgrenzung, Ausstattung des Raumes.
Die Abgrenzung ist infolge wiederholter Kreisreformen schwierig. Das Untersuchungsgebiet entspricht daher dem Verdichtungsraum Chemnitz–Zwickau (M5).

2. Entwicklung der Industrie (S. 98–99)
a) Begründe die Entstehung der Industrieballung zwischen 1830 und 1914.
b) Beschreibe die Entwicklung der Schlüsselindustrien.
c) Erkläre Ursachen und Folgen des Strukturwandels nach 1990.

3. Gegenwart und prognostische Entwicklung
a) Beschreibe die Rolle der Automobilindustrie für den Wirtschaftsraum Chemnitz–Zwickau (S. 99).
b) Erläutere die Bevölkerungsentwicklung in der Region (S. 100).
c) Arbeite aus der Stärken-Schwächen-Analyse der Wirtschaftsförderung die wesentlichen Entwicklungspotenziale und -risiken heraus (S. 102 M1).
d) Bewerte die Karte zum Gewerbeflächenmarketing (S. 103 M2). Erkläre, mit welchen Argumenten die Stadt Glauchau für die Ansiedlung neuer Betriebe wirbt.

4. Zusammenfassung
a) Diskutiere, ob das Leitbild die aktuelle Situation und die Zukunft der Region realistisch widerspiegelt.
b) Erörtere die Thesen: Die Bevölkerungsentwicklung stellt das größte Entwicklungsproblem der Wirtschaftsregion dar. Eine einseitige Ausrichtung der Region auf die Automobilindustrie birgt große Risiken.

M3 *VW-Werk in Zwickau*

Raumanalysen erfordern umfangreiche Materialrecherchen und -auswertungen. Je nach Situation kann ein Materialpool zu einer bestimmten Leitfrage führen oder aber die Materialrecherche beginnt erst nach der Erstellung der Teilfragen. Eine denkbare Leitfrage lässt sich aus dem Leitbild der Wirtschaftsregion (S. 102 M1) ableiten:

Ist die Region ein Wachstumszentrum des Automobilbaus in Europa und ein Kompetenzzentrum des Maschinen- und Fahrzeugbaus?

Arbeitsaufträge:

- Formuliere für die Themenkomplexe auf den folgenden Seiten Teilfragen.
- Beziehe aktuelle Materialien ein (Statistiken, Zeitungsartikel, Internetseiten).
- Fasse deine Ergebnisse so zusammen, dass sie eine Antwort auf die Leitfrage ermöglichen.
- Präsentiere dein Ergebnis als Poster oder Referat.

M4 *Arbeitsaufträge und Leitfrage zur Raumanalyse der Wirtschaftsregion Chemnitz–Zwickau*

M5 *Raumgliederung Sachsens*

Material zur Raumanalyse – Industrie

M1 *Websaal der Tuchfabrik Pfau in Crimmitschau (heute Textilmuseum)*

M4 *Lokomotivproduktion in der Sächsischen Maschinenfabrik Richard Hartmann Chemnitz*

Schon in vorindustrieller Zeit entstand ein überregional produzierendes Textilgewerbe. Verlage organisierten eine dezentrale Produktion von Heimwebern, oft in ländlichen Gebieten.

Kurz nach 1800 begann die Industrialisierung mit dem Einsatz von Textilmaschinen. Neben Stoffen spielte besonders die Produktion von Strümpfen eine große Rolle.

Über 100 Jahre blieb die Textilindustrie das Herz der Wirtschaft in der Region Chemnitz–Zwickau. Neben den qualifizierten und motivierten Arbeitskräften begünstigte das niedrige Lohnniveau diese Entwicklung. Bemerkenswert ist die Tatsache, dass ein bedeutender Teil der Textilindustrie in Dörfern (z. B. Oberlungwitz) angesiedelt war.

Als problematisch erwiesen sich zunehmend die geringen Betriebsgrößen, der nach wie vor hohe Anteil an Handarbeit und die Abhängigkeit vom Export. Dies verursachte im Ersten Weltkrieg eine tiefe Krise, von der sich die Region danach nur sehr langsam erholte.

Nach 1945 wurden die meisten Betriebe enteignet. In der Planwirtschaft der DDR erhielt die Textilindustrie nur wenige Mittel zur Modernisierung. Veraltete Maschinen und marode Gebäude waren charakteristisch. So ist es nicht verwunderlich, dass den meisten Betrieben der Textilindustrie nach der Wiedervereinigung der Übergang in die Marktwirtschaft nicht gelang. Heute existieren nur noch wenige Betriebe.

M2 *Textilindustrie*

Am Beginn der Industrialisierung wurden die benötigten Maschinen aus England importiert. Doch schon recht früh begannen in Chemnitz und Umgebung Unternehmen mit der Produktion von Textil- und Dampfmaschinen sowie Lokomotiven. Besonders hervorzuheben ist hier die Firma Richard Hartmann in Chemnitz. Der Werkzeugmaschinenbau erweiterte das Produktionsspektrum wesentlich. Chemnitz erhielt den Namen „sächsisches Manchester".

Um 1900 war so eine der am höchsten industrialisierten Regionen Europas entstanden, allerdings mit einer auf die Textilindustrie ausgerichteten Monostruktur.

Im Gegensatz zur Textilindustrie entwickelte sich der Maschinenbau auch während der Zeit der DDR sehr erfolgreich. Es entstanden Großbetriebe, sogenannte Kombinate, mit mehreren Tausend Beschäftigten, die ihre Produkte aber vor allem in der ehemaligen UdSSR absetzten. Da dieser Markt nach der Wiedervereinigung weg brach, sah sich auch dieser Industriezweig einer schweren Krise ausgesetzt. Viele Betriebe schlossen, andere sind als deutlich kleinere Unternehmen heute wieder sehr erfolgreich.

M3 *Maschinenbau*

Horch (1925)

Trabant (1964–1990)

VW-Modelle (2015)

M5 *Zwickauer Automarken im Wandel der Zeit*

Im Jahr 1904 verlegte der Autopionier August Horch seine Produktionsstätte nach Zwickau. Er nutzte die Möglichkeit, mit den zahlreichen schon vorhandenen Betrieben der Metallverarbeitung zu kooperieren. Damit begann die Geschichte jenes Industriezweiges, der die Stadt bis heute prägt.
Horch war ein begabter Ingenieur, aber ein wenig erfolgreicher Unternehmer. So musste er sein Werk bald verlassen und gründete stattdessen unter dem Namen Audi, der lateinischen Form von Horch, eine neue Fabrik in Zwickau. Beide Werke produzierten meist hochwertige Luxusfahrzeuge und gerieten in der Weltwirtschaftskrise in große Probleme. Als Ausweg aus den Schwierigkeiten erwies sich die Gründung der Auto Union, zu der außer Horch und Audi auch der Chemnitzer Pkw-Produzent Wanderer und die DKW-Motorradwerke in Zschopau gehörten. Das Unternehmen produzierte sowohl Fahrzeuge der Oberklasse als auch Kleinwagen und war mit seiner Rennsportabteilung sehr erfolgreich. Wie alle größeren Unternehmen in der sowjetischen Besatzungszone wurde die Auto Union nach 1945 enteignet und zum Teil demontiert. Ab 1947 begann man erneut mit der Produktion. Neben Kleinwagen wurden Lkw und Traktoren gebaut.
Seit 1958 lief dann der Klassiker der Autoindustrie der DDR, der Trabant, von den Zwickauer Bändern. Insgesamt wurden bis 1991 rund 3,1 Millionen Fahrzeuge dieses Typs hergestellt. Zu Beginn der Fertigung war der Trabant ein modernes Fahrzeug. Doch weil die SED-Führung die Weiterentwicklung verhinderte, wurde der Trabant nahezu 30 Jahre unverändert produziert.
Nach der Wiedervereinigung entschied die Volkswagen AG, ein komplett neues Automobilwerk in Mosel bei Zwickau zu errichten. Das große Angebot an qualifizierten Arbeitskräften und die Unterstützung durch die Politik gaben den Ausschlag. Inzwischen ist VW Sachsen der mit Abstand wichtigste Arbeitgeber in der Region. Gegenwärtig liegt die Kapazität bei 1 350 Pkw der Typen Passat und Golf pro Tag. Seit 1995 wurden fast vier Millionen Fahrzeuge hergestellt. Die zahlreichen Zulieferer in und um Zwickau, die das Werk im Just-in-time-Verfahren beliefern, prägen heute die Wirtschaftsstruktur der Region.

M6 *Entwicklung der Automobilproduktion*

Material zur Raumanalyse – Bevölkerung

Bevölkerung

Im Vergleich mit anderen Verdichtungsräumen weist die Bevölkerung der Wirtschaftsregion Chemnitz–Zwickau einige Besonderheiten auf. Der Anteil der beiden Oberzentren (vgl. S. 97 M5) an der Gesamtbevölkerung ist relativ gering, Mittel- und Kleinstädte haben einen bemerkenswerten Anteil. Für die Bevölkerung und ihre Entwicklung kann die Stadt Glauchau als exemplarisches Beispiel dienen.

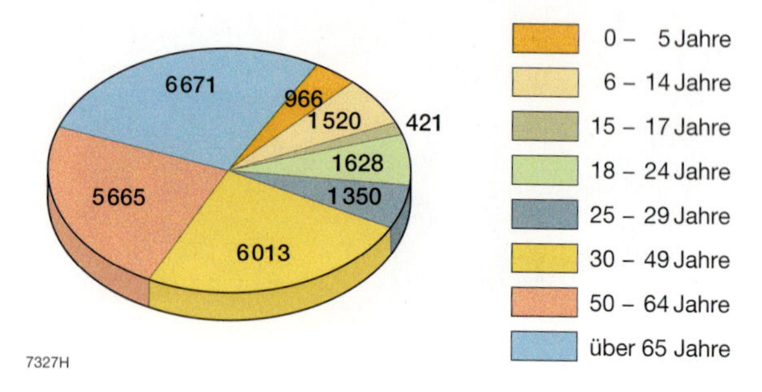

M3 *Altersstruktur von Glauchau (2012)*

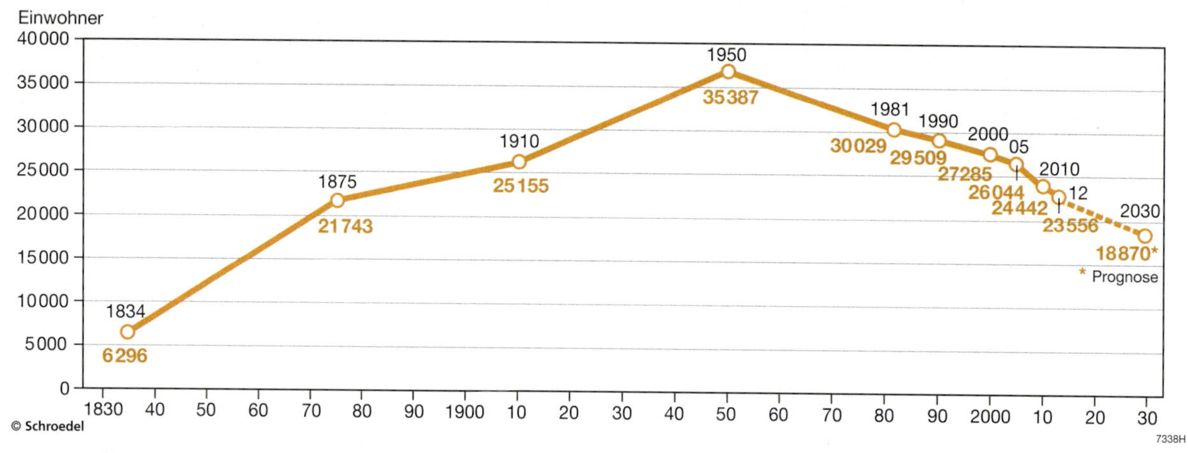

M1 *Bevölkerungsentwicklung von Glauchau*

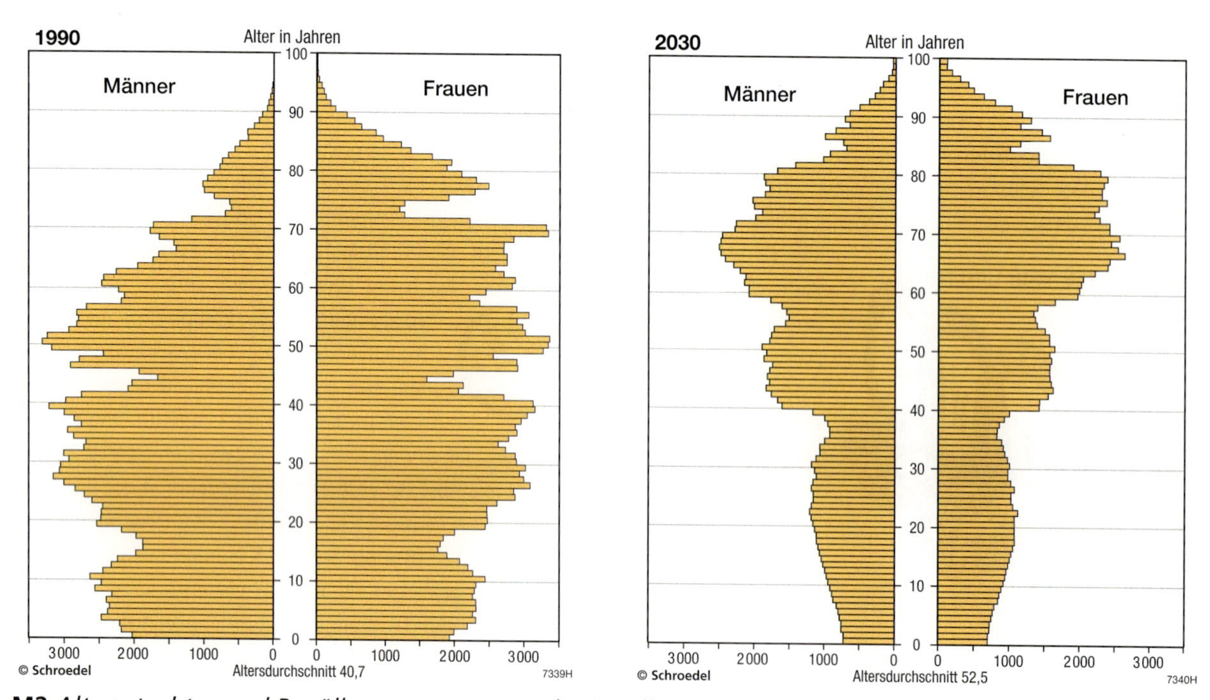

M2 *Altersstruktur und Bevölkerungsprognose des Landkreises Zwickau*

Material zur Raumanalyse – Merkmale der Wirtschaftsstruktur

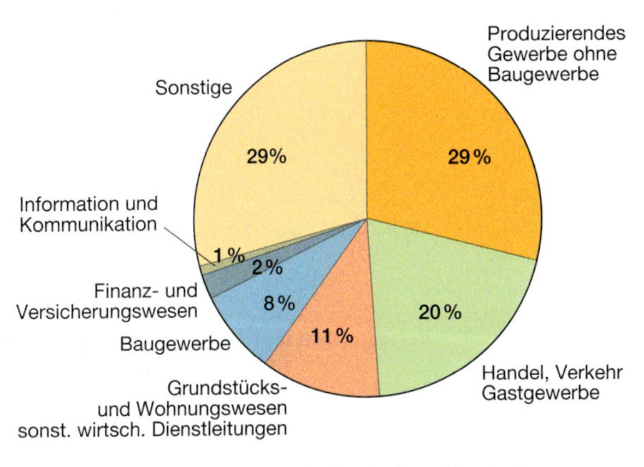

M1 *Anteil der Beschäftigten nach Wirtschaftszweigen (Kammerbezirk Chemnitz)*

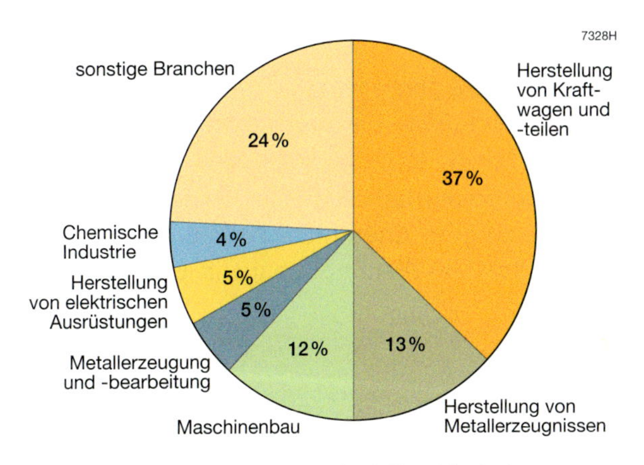

M4 *Anteil des Gesamtumsatzes im verarbeitenden Gewerbe nach Branchen (Kammerbezirk Chemnitz)*

kreisfreie Stadt Landkreise Kammerbezirk	Bruttoinlandsprodukt (BIP) zu Marktpreisen				
	2005		2012		Entwicklung 2012/2005 auf %
	insgesamt Mio. Euro	je Erwerbstätigen in Euro	insgesamt Mio. Euro	je Erwerbstätigen in Euro	
Chemnitz, Stadt	6204	43078	6974	48018	112,4
Erzgebirgskreis	6088	39975	6912	45635	113,5
Mittelsachsen	6190	44748	7254	50149	117,2
Vogtlandkreis	4343	40695	4975	47273	114,6
Zwickau	6744	43060	7826	49376	116,0
Kammerbezirk Chemnitz	29569	42364	33940	48138	114,8
Freistaat Sachsen	83079	43785	97200	49159	117,0

M2 *Bruttoinlandsprodukt zu Marktpreisen nach Kreisen (2005 und 2012)*

kreisfreie Stadt Landkreise Kammerbezirk	Unternehmen insgesamt	davon mit sozialversicherungspflichtigen Beschäftigten von ... bis			
		0–9	10–49	50–249	250 und mehr
Chemnitz, Stadt	10028	8911	868	203	46
Erzgebirgskreis	15446	13904	1261	252	29
Mittelsachsen	12834	11469	1086	247	32
Vogtlandkreis	10443	9457	781	176	29
Zwickau	13634	12343	1024	227	40
Kammerbezirk Chemnitz	62385	56084	5020	1105	176
Freistaat Sachsen	168291	152189	12845	2774	483

M3 *Unternehmen nach Beschäftigtengrößenklassen und Kreisen (2013)*

Material zur Raumanalyse – Zukunftsszenarien

Leitbild

In den Jahren 2007/2008 hat die Wirtschaftsförderung der beteiligten Städte und Landkreise ein Leitbild für die Region entwickelt, das bis heute seine Gültigkeit behalten hat. Danach definiert sich die Region Chemnitz–Zwickau als Wachstumsregion des Automobilbaus in Europa sowie als Kompetenzregion des europäischen Maschinen- und Fahrzeugbaus.

Während der Erarbeitung dieses Leitbildes wurde eine umfangreiche Stärken-Schwächen-Analyse durchgeführt, die in Auszügen in der Tabelle vorgestellt wird.

Stärken/Chancen	Schwächen/Risiken
Lagemerkmale	
• zentrale Lage in Europa • Bestandteil einer Metropolregion • gutes Image der Region auf EU-Ebene • Kooperationsmöglichkeiten, EU-Förderung	• periphere Lage zu europäischen Wachstumskorridoren • geringe Kapitalausstattung • fehlende Kontakte
Bevölkerung/Arbeitsmarkt	
• hohe Bevölkerungsdichte • starke Bindung der Bevölkerung an die Region • hohes Qualifikationsniveau	• Bevölkerungsrückgang • Alterung der Bevölkerung • Fachkräftemangel • Abwanderung junger, gut ausgebildeter Fachkräfte
Wirtschaft/Forschung	
• Branchenvielfalt • Flexibilität und Spezialisierung durch kleine und mittelständische Betriebe • hoher Anteil des verarbeitenden Gewerbes mit großer Exportquote • Existenz von Netzwerken und Clustern • entwickelte Forschung in Hochschulen und Universitäten • Möglichkeit der Erweiterung der Branchenstruktur durch neue Technologien	• sehr hoher Anteil von Betrieben mit weniger als 20 Beschäftigten • Entscheidungszentren großer Unternehmen oft außerhalb der Region • schwache private Industrieforschung, dadurch oft ungenügende Produktentwicklung • starke Abhängigkeit von VW Sachsen • hohes Durchschnittsalter der Beschäftigten • Verlust an Know-how und Arbeitskräften durch Abwanderung
Verkehr/Infrastruktur	
• gute Autobahnanbindung • dichtes Straßen- und Eisenbahnnetz • Nähe zu internationalen Flugplätzen • Ausbau von Güterverkehrszentren zur Koppelung des Transports auf Straße und Schiene • moderne Ver- und Entsorgungssysteme	• Ausbaumängel im regionalen Straßennetz • fehlende Anbindung an das ICE-Netz der Bahn • langsamer und unflexibler ÖPNV • fehlende Mittel der Kommunen zum Ausbau des Verkehrsnetzes • unzureichende Qualität des Internetzugangs
Kultur/Tourismus	
• hohe Dichte an Kultureinrichtungen • intensive Traditionspflege (Weihnachtsland) • Erholungsregion Erzgebirge/Vogtland	• Probleme mit der Erreichbarkeit durch ÖPNV • geringe Auslastung • geringer Anteil ausländischer Gäste

M1 *Analyse von Stärken/Chancen und Schwächen/Risiken*

Gewerbeflächenmarketing der Stadt Glauchau

Glauchau war bis 1990 ein sehr wichtiger Standort der Textilindustrie, die inzwischen vollständig verschwunden ist.

Durch die Nähe zum neu errichteten VW-Werk in Mosel am Nordrand von Zwickau ergab sich für die Stadt die Möglichkeit, ein Zentrum der Zulieferung und Logistik für VW zu werden. Auf Industriebrachen und neuen Gewerbeflächen entstanden so bereits über 1000 neue Arbeitsplätze. Nach Ansicht der Wirtschaftsförderung der Stadt Glauchau ist das Potenzial aber noch nicht ausgeschöpft.

Mit einer Karte wirbt die Stadt um weitere Ansiedlungen. Dargestellt werden die vorhandenen und geplanten Gewerbeflächen der Stadt Glauchau sowie die vorhandenen Verkehrstrassen.

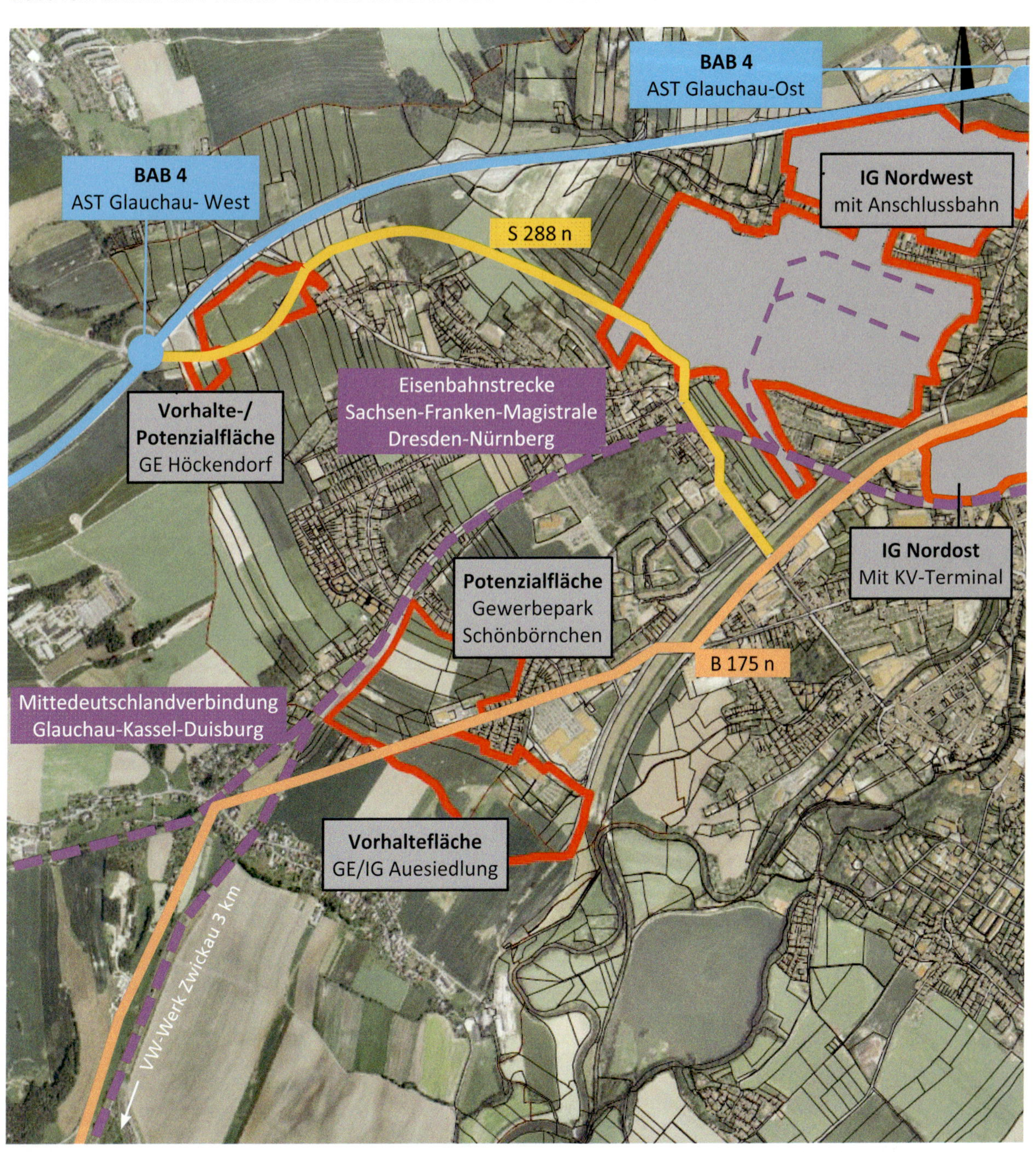

M2 *Vorhandene und perspektivische Gewerbe- und Industriegebiete der Stadt Glauchau*

Gewusst – gekonnt: Wirtschaftsraum Sachsen

1. Die Leistungsfähigkeit der deutschen Landwirtschaft hat sich im vergangenen Jahrhundert stark verändert.

a) Weise diesen Sachverhalt anhand der Statistik nach.

b) Erläutere Ursachen für diese Entwicklung.

Landwirtschaft Deutschlands – Jahrhundertvergleich

Kriterium	1900	1950	2014
Nutzfläche je Einwohner (ha/EW)	0,6	0,3	0,2
Erwerbstätigenanteil (%)	38,2	24,3	1,5
Anteil Bruttowertschöpfung (%)	29,0	11,3	0,9
Arbeitskräftebesatz (AK/100 ha)	30,6	29,2	3,3
erzeugte Nahrungsmittel je Landwirt für Ernährung von … Personen	4,0	10,0	144,0
Weizenproduktion (dt/ha)	18,5	27,3	86,2
Kartoffelproduktion (dt/ha)	129,8	224,1	468,8
Zuckerrübenproduktion (dt/ha)	276,8	345,5	780,0

2. Der Boden ist durch natürliche und menschliche Einflüsse gefährdet.

a) Erkläre mithilfe der Fotos das Gefährdungspotenzial für den Boden.

b) Nenne weitere Ursachen für die Bodengefährdung.

c) Beschreibe ausgewählte Maßnahmen des Bodenschutzes in der Landwirtschaft.

3. Das Wiesengut bei Hennef/Sieg betreibt ökologischen Landbau.

a) Erläutere am Beispiel dieses Landwirtschaftsbetriebes die Umsetzung der Kriterien des ökologischen Landbaus.

b) Der ökologische Landbau – die Zukunft unserer Landwirtschaft? Diskutiert dazu in der Klasse.

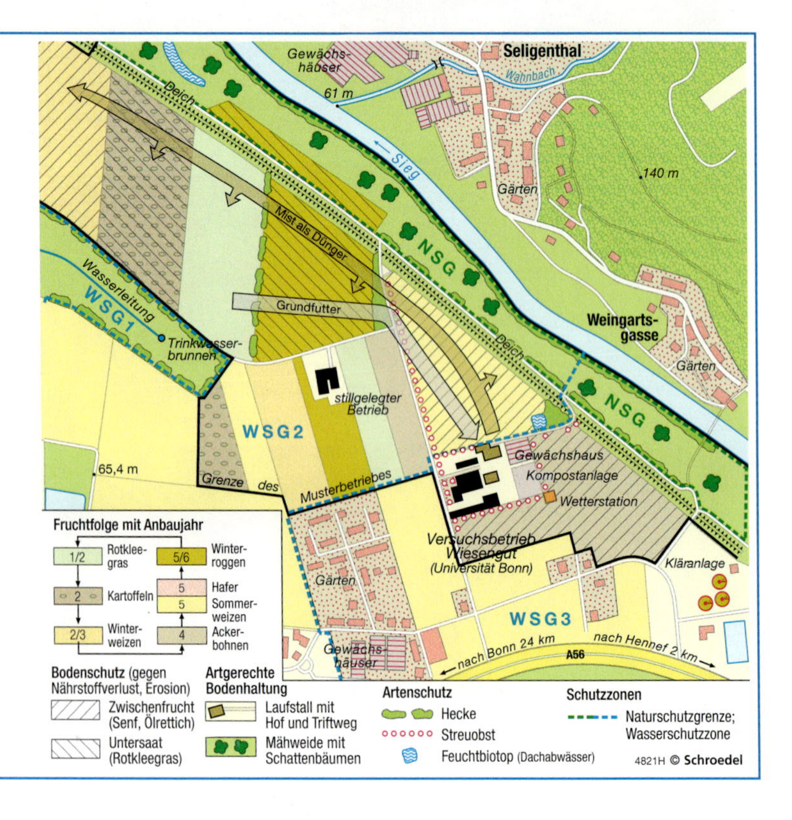

4. Arbeitet in Kleingruppen mit je vier Schülern.

a) Ordnet die Begriffe zu vier Begriffsgruppen/Themenbereichen.

b) Formuliert zu jeder Begriffsgruppe eine Überschrift.

c) Fertigt arbeitsteilig zu jedem Themenbereich eine Zusammenfassung an.

d) Stellt die Zusammenfassungen in der Kleingruppe vor.

Standortanforderungen | **Direktzahlungen** | **Reformen** | **hart**

EU | **Standortfaktoren** | **Sekundärsektor** | **Wirtschaftsbereiche**

Außenwanderung | **GAP** | **Bevölkerungsbewegung** | **Tertiärsektor**

Primärsektor | **Überalterung** | **weich** | **Fourastié** | **Fördermittel**

natürlich | **Bevölkerungsdiagramm** | **Wertewandel** | **Standortbedingungen**

Sektorentheorie | **Beschäftigtenanteile** | **Migration** | **Flächenstilllegung**

5. Bewerte die Karikatur.

Der deutsche Rentenzahler 2050 — *Horst Haitzinger*

6. Fachbegriffe

Wirtschaftssektor
primärer Sektor
sekundärer Sektor
tertiärer Sektor
Sektorentheorie
quartärer Sektor
Gunstraum
Ungunstraum
konventionelle Landwirtschaft
Agrobusiness
Intensivtierhaltung
ökologischer Landbau
GAP (Gemeinsame Agrarpolitik)
Bodenerosion
Mulchsaat
Direktsaat
Standortanforderungen
harte Standortfaktoren
weiche Standortfaktoren
Cluster
Agglomerationsvorteil
virtuelles Unternehmen
just in time
natürliche Bevölkerungsbewegung
Außenmigration
Binnenmigration
Raumanalyse

Europa im Wandel

Feier zum EU-Beitritt Kroatiens im Jahr 2013

EUROPA!
iNovine

M1 *Exportland Deutschland – Hamburger Hafen*

M3 *Lebenssituation in Bulgarien*

Deutschland – Europas Wirtschaftsmotor und Stabilitätsanker
Die deutschen Unternehmen sind so wettbewerbsfähig wie selten in den letzten Jahrzehnten. Sie tragen dazu bei, dass Deutschland das wirtschaftliche Rückgrat der Eurozone bildet. Das wirkt sich auch positiv auf den inländischen Arbeitsmarkt aus, wie die sinkende Arbeitslosigkeit und steigende Löhne zeigen.

M2 *Außenwahrnehmung Deutschlands …*

Bulgarien – Armenhaus der EU
Auch Jahre nach dem EU-Beitritt hat das Land mit großen wirtschaftlichen Problemen zu kämpfen. Es fehlt gerade für Akademiker an geeigneten beruflichen Perspektiven, sodass in den vergangenen zehn Jahren mehr als eine Million Bulgaren ihr Land verlassen haben. Das hat gravierende Folgen für die Funktionsfähigkeit der Wirtschaft sowie den Bildungs- und Gesundheitssektor.

M4 *… und Bulgariens*

Räumliche Disparitäten in Europa

Die Außenwahrnehmung der wirtschaftlichen und sozialen Leistungsfähigkeit der verschiedenen europäischen Staaten zeigt deutlich, dass Europa kein homogener Raum ist. Das spiegelt sich wider in den mitunter großen Differenzen hinsichtlich der wirtschaftlichen Stärke und der Lebensbedingungen der Bevölkerung der einzelnen europäischen Staaten oder auch innerhalb dieser Länder. Solche Abweichungen von einer gedachten und auf eine Region bzw. mehrere Regionen bezogene Referenzverteilung bestimmter, ausgewählter Merkmale bezeichnet man als **räumliche Disparitäten**. Ein wesentliches Ziel der Europäischen Union ist es, vor allem Disparitäten in wirtschaftlichen und sozialen Bereichen zwischen den **Aktivräumen** (wirtschaftlich und politisch bedeutsamen Gebieten, von denen Wachstumsimpulse für die weitere Entwicklung ausgehen) und **Passivräumen** abzubauen. Dabei spielt auch der Nachhaltigkeitsaspekt, zum Beispiel bezüglich ökologischer Belange, eine zunehmende Rolle.

Für die Erfassung räumlicher Disparitäten werden verschiedene Indikatoren genutzt. Sie sind zwar einerseits nur statistische Größen, können aber bereits einen ersten Eindruck bezüglich strukturstarker und strukturschwacher Räume innerhalb Europas anhand konkreter Daten vermitteln. Man unterscheidet Kennziffern für die Bestimmung wirtschaftlicher, sozialer und demografischer Disparitäten.

Im Folgenden werden Disparitäten für ausgewählte Staaten der EU betrachtet.

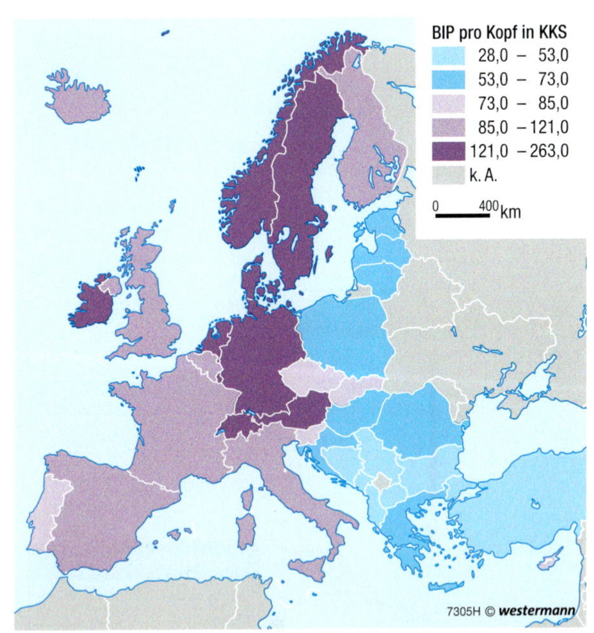

M5 *BIP in Kaufkraftstandards pro Kopf (2015)*

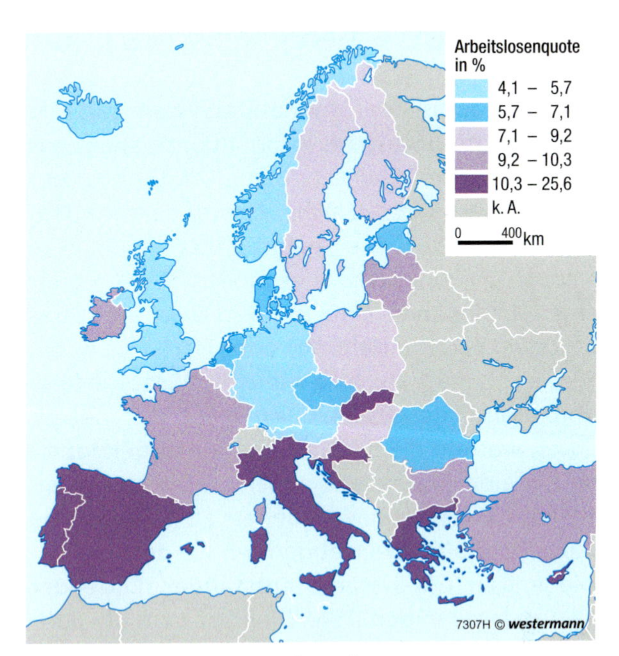

M8 *Arbeitslosenquote (2015)*

Dimitar, Student (22): „Ich studiere in Sofia Mathematik und Maschinenbau, um dann im europäischen Ausland meine berufliche Karriere zu starten – am liebsten als Ingenieur in der Automobilbranche in Deutschland. Hier in Bulgarien sehe ich für mich keine Perspektive. Es gibt, bis auf einige Zulieferbetriebe, keine Automobilindustrie bzw. einfach nicht genug andere attraktive Jobs und moderne Betriebe. Die Fabriken sind meist veraltet oder geschlossen."

Mariana, Jungunternehmerin (28): „Nach der Schule habe ich in Großbritannien an einer Eliteuniversität studiert, bin dann aber wieder nach Sofia zurückgekehrt. Mit Freunden habe ich ein erfolgreiches Startup-Unternehmen gegründet mit dem Ziel, über eine Internetplattform weltweit kleine landwirtschaftliche Betriebe mit regionalen Verbrauchern zu verknüpfen, ohne Einflüsse von Großunternehmen bzw. Zwischenhändlern."

M6 *Junge Bulgaren berichten*

- BNE, BIP (einschließlich jeweiliger Pro-Kopf-Werte)
- Lebenserwartung und Säuglings-/Kindersterblichkeitsrate
- Erwerbstätigen-/Arbeitslosenquote
- Konsumausgaben, Kaufkraft
- natürlicher Bevölkerungssaldo
- Wanderungssaldo
- Anteile der Wirtschaftsbereiche am BIP
- Wirtschaftsbereiche
- Analphabetenrate und Anteile mittlerer/höherer Bildungsabschlüsse
- infrastrukturelle Ausstattung
- Altersstruktur der Bevölkerung

M7 *Ausgewählte Indikatoren zur Bestimmung von Disparitäten*

1 Europa ist durch räumliche Disparitäten gekennzeichnet.
a) Erkläre den Begriff räumliche Disparitäten.
b) Ordne ausgewählte Indikatoren zur Bestimmung von Disparitäten in die nachfolgende Tabelle ein (M7).

Wirtschaftlicher Indikator	Sozialer Indikator	Demografischer Indikator

c) Analysiere die Karten M5 und M8 bezüglich erkennbarer regionaler Disparitäten.

2 Die Einschätzung der wirtschaftlichen Leistungskraft Deutschlands und Bulgariens fällt sehr unterschiedlich aus.
a) Überprüfe, inwiefern die Materialien der Doppelseite diese Einschätzung stützen (M1–M6, M8, Atlas).
b) Bestimme weitere Aktiv- und Passivräume innerhalb Europas (Atlas, Internet).

Methode: GIS – Geographisches Informationssystem

Ein **Geographisches Informationssystem (GIS)** ist ein computergestütztes Informationssystem, das geographische Objekte (z. B. ein Land) mit zugehörigen Sachdaten (Fläche, Einwohnerzahl, HDI usw.) verbindet. Die geographischen Objekte werden als Punkt (z. B. eine Stadt, ein Berg oder eine Mülldeponie), Linie (z. B. ein Fluss, eine Straße oder eine Rohrleitung) oder Fläche (z. B. ein See, ein Land oder eine Industriefläche) erfasst und digital gespeichert. An diese Geometriedaten werden die Sachinformationen gekoppelt und in einer Datenbank abgelegt. Die so gespeicherten Informationen können als thematische Karte oder als Tabelle abgerufen werden.

Die ersten GIS-Systeme entstanden Ende der 1960er-Jahre in den USA. Zunächst fand die Software Anwendung in der Forschung. Seit den 1980er-Jahren ist GIS ein kommerzielles Produkt. Für Planungsbüros, Versandhäuser und Logistikunternehmen ist es ein alltägliches Arbeitsmittel. Aber auch im privaten Bereich wird GIS als Navigationssystem oder bei der internetbasierten Stadtplansuche genutzt. Da hier die Daten auf einem Server im Internet liegen, spricht man von Web-GIS-Anwendungen.

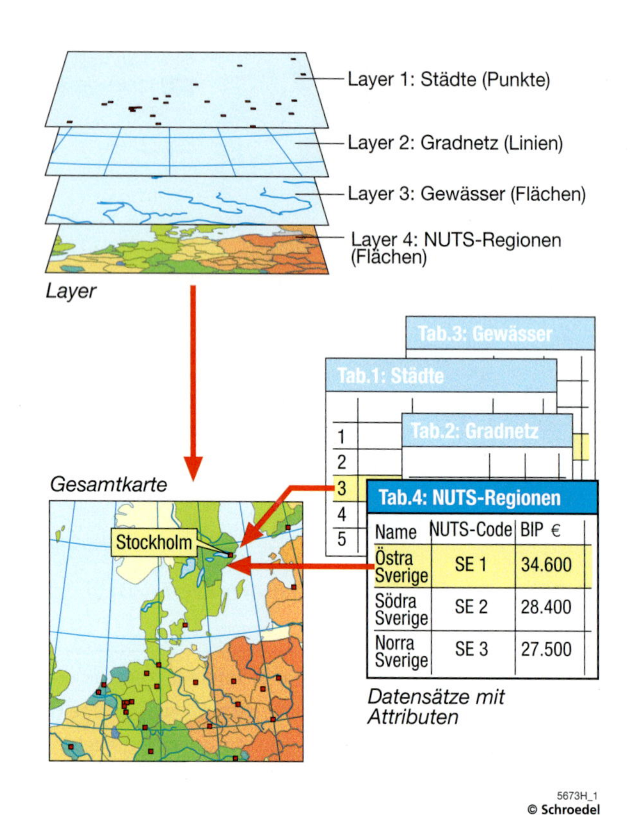

M2 *Das Prinzip der Layer*

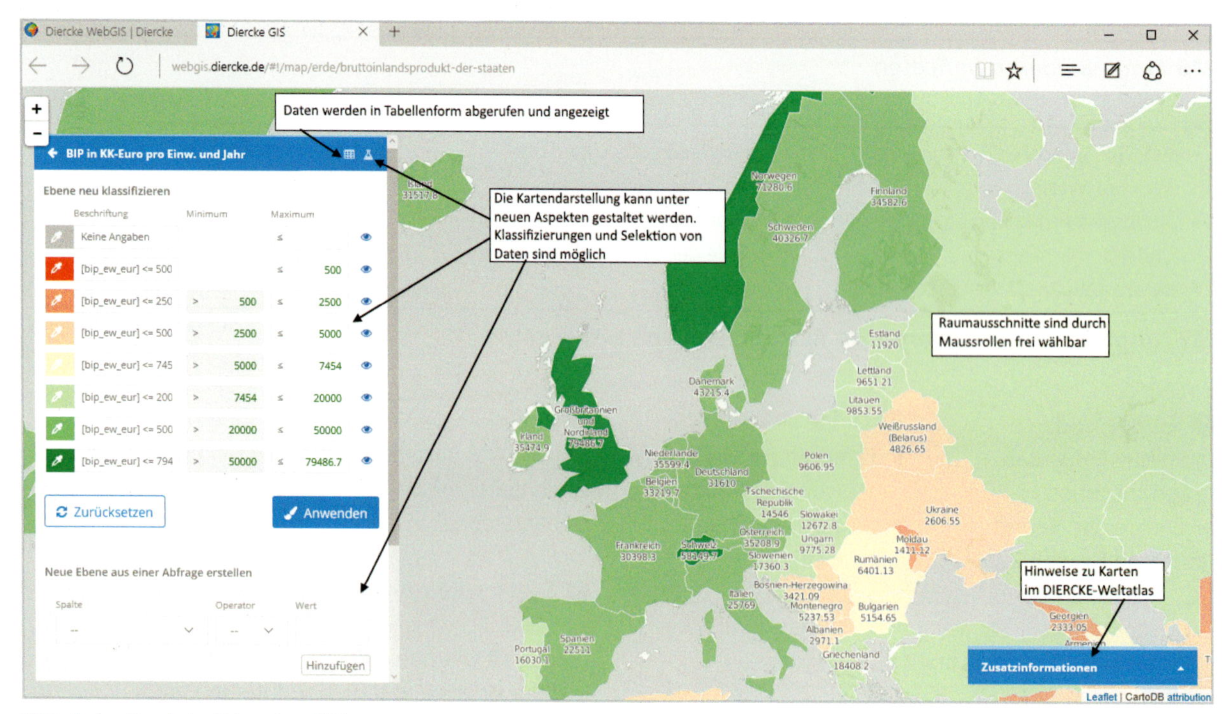

M1 *Arbeitsplatz Diercke-GIS*

Sechs Schritte zur Kartenerstellung mit Diercke WebGIS

1. Öffne die Startseite von Diercke WebGIS
http://www.diercke.de/diercke-webgis
Wähle das entsprechende Projekt aus.

2. Raumausschnitt wählen
Raumausschnitt mit Mausscrollen und Einstellung des Fensters entsprechend der Aufgabenstellung auf den Bildschirm einstellen.

3. Überblick verschaffen
Kläre die Begriffe und Einheiten in der Legende und erfasse die grundlegenden räumlichen Strukturen.

4. Kartendarstellung an Aufgaben anpassen
Vorliegende Daten neu klassifizieren und benennen. Bezeichnungen bzw. Farben in der Legende ändern.

5. Abfragen erstellen und auswerten
Spezielle Fragen und Zusammenhänge durch Filtern von Daten klären.

6. Abschluss und Fazit
Erstellte Karten speichern bzw. durch Screenshot sichern. Abfragetabellen speichern. Beantwortung der gestellten Aufgabe. Offene Fragen bzw. Grenzen des Web-GIS notieren.

M3 *Karten gestalten*

Neue Ebene aus einer Abfrage erstellen

Spalte: bip_ew_eur
Operator: <
Wert: 10000

Kriterien eingeben

AND OR

SELECT * FROM Tabelle **WHERE**

bip_ew_eur > 45000
OR bip_ew_eur < 10000

Ergebnis anzeigen lassen

Erstellen

BIP in KK-Euro pro Einw. und Jahr (Auswahl)

BIP in KK-Euro pro Einw. und Jahr

M4 *Abfragen erstellen*

Die meisten Web-GIS-Systeme bieten die Möglichkeit, Karten nach eigenen Vorstellungen zu gestalten.

❶ Erstelle eine Karte, die die Wirtschaftskraft der europäischen Länder in drei Gruppen gliedert. Gehe dazu folgendermaßen vor:
a) Erstelle eine eigene Klassifikation. Lege eine Abstufung fest und stelle die Bereiche, Farben und Bezeichnungen neu ein (M3).
b) Stelle die neue Karte dar.
c) Beurteile die Aussagekraft der Karte und nimm ggf. weitere Änderungen vor, die die Strukturen deutlicher sichtbar machen.
d) Analysiere das Resultat.

Mit WebGIS ist es möglich, einfache oder kombinierte Abfragen zu erstellen. Dazu wird für einen Indikator eine mit den logischen Operatoren UND bzw. ODER verknüpfte Bedingung festgelegt.

❷ Finde alle Länder der Erde, die eine überdurchschnittlich hohe bzw. geringe Wirtschaftskraft aufweisen.
a) Lege Abgrenzungskriterien fest (M4).
b) Gib die Abfrage entsprechend der Kriterien ein.
c) Stelle das Resultat als Tabelle und als Karte dar.
d) Analysiere das Ergebnis.

M1 *Europa bei Nacht – Spiegel räumlicher Disparitäten*

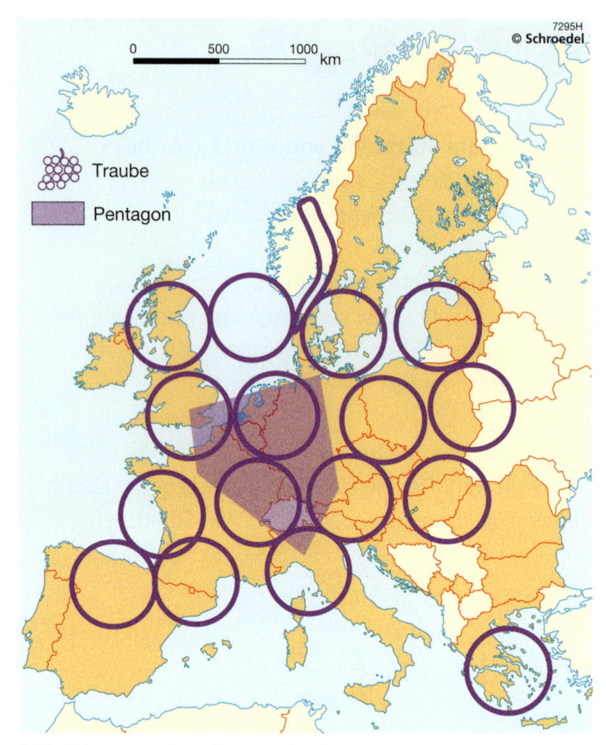

M3 *Metropolregionen in Europa*

Ursachen räumlicher Disparitäten

Der Blick auf das nächtliche Europa lässt bereits räumliche Disparitäten auf dem Kontinent erkennen. Die Ursachen für die Entstehung räumlicher Disparitäten sind vielfältig. Sie liegen in Ungleichheiten der naturräumlichen Ausstattung, der infrastrukturellen Erschließung, der zentralörtlichen Ausstattung, der wirtschaftlichen Entwicklung sowie in den politischen Einflussmöglichkeiten.
Räumliche Disparitäten sind historisch gewachsen und spiegeln sich teilweise sehr deutlich in den Unterschieden bezüglich der Lebenschancen, des Lebensstandards sowie in der Lebensweise der Bevölkerung in Europa wider. Solche Unterschiede zwischen bzw. innerhalb von Staaten und Regionen dürfen nicht statisch betrachtet werden, sondern unterliegen Veränderungen. Sie können sich durch bestimmte ökonomische, soziale und politische Prozesse verschärfen oder reduzieren.
Das wird in der Entwicklung Deutschlands nach dem Zweiten Weltkrieg und der deutschen Wiedervereinigung oder im Zusammenhang der Transformationsprozesse in Osteuropa deutlich.

Im Zuge von gesellschaftlichen und wirtschaftlichen Veränderungen in Europa in den letzten Jahrzehnten haben Wissenschaftler nacheinander verschiedene Modelle zur europäischen Raumstruktur entworfen, die diese Entwicklungstendenzen aufzeigen sollen: von der „Blauen Banane", über die „Gelbe Banane", die „Traube" bis hin zum sogenannten „Pentagon".
Hierbei handelt es sich um das „20-40-50-Pentagon" (M3), einen vom Städte-Fünfeck London-Paris-Mailand-München-Hamburg umgrenzten Raum der EU mit einem Anteil von 20 Prozent der Fläche, 40 Prozent der Bevölkerung und 50 Prozent des BIP der EU.
In ihm konzentriert sich bis heute die Wirtschaftskraft der EU. Nordeuropäische Wissenschaftler kritisieren, dass das „Pentagon" einzelne Regionen wie Nord- und Osteuropa, aber auch Mitteleuropa ausschließt. Die EU strebt daher zum Abbau von Disparitäten die Einrichtung mehrerer „Pentagone" an.

M2 *Modelle zur europäischen Raumstruktur – das „Pentagon"*

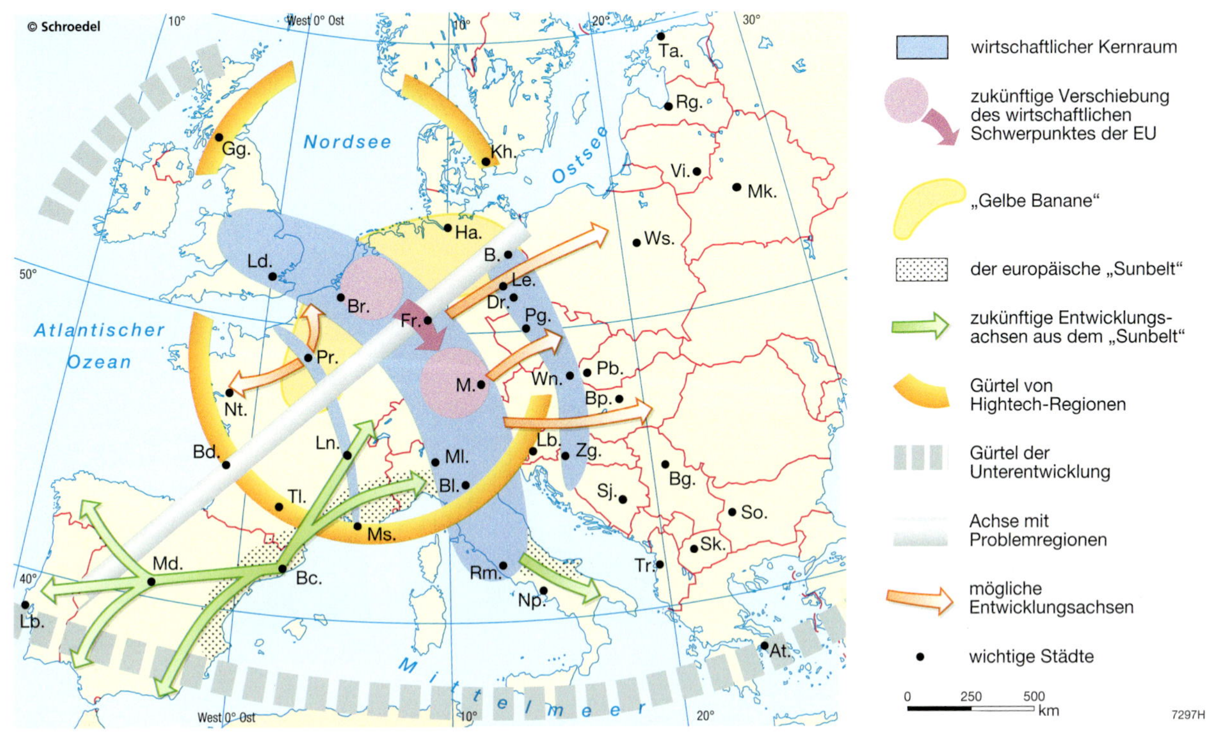

M4 *Wirtschaftliche Raummodelle – Aktiv- und Passivräume in Europa*

Im Modell der „**Blauen Banane**" bildete der französische Wissenschaftler Roger Brunet 1989 seine Forschungsergebnisse zu den räumlich-strukturellen Disparitäten in Europa kartografisch ab. In diesem Modell hebt sich ein von Mittelengland über die Benelux-Staaten, den Westen Deutschlands nach Norditalien verlaufender wirtschaftlicher Kernraum ab, der die Form einer Banane aufweist und mit einem blauen Farbton markiert wurde. Dieses ursprüngliche Modell wurde stets weiterentwickelt. Im heutigen Modell sind weitere spezifische, sich möglicherweise entwickelnde wirtschaftliche Kernräume eingearbeitet, wie zum Beispiel der „Sunbelt" oder auch die „Gelbe Banane".

Wie auch in den anderen Modellen sichtbar, zeigt die „Blaue Banane" Abhängigkeiten von regionalen Interessen. So führt Brunet die „Blaue Banane" bewusst an Frankreich vorbei. Dadurch entsteht der Eindruck, dass das Land abseits des europäischen Kernwirtschaftsraumes liegt und besonders auf Fördermittel der EU angewiesen ist. Brunet wollte zugleich die französische Regierung für eine stärkere Einbindung in den europäischen Integrationsprozess sensibilisieren.

Die „Traube" steht als Bild für die sehr zuversichtliche Annahme der Entwicklung einer Vielzahl von Wirtschaftsstandorten bzw. Metropolregionen sowohl in Nord-Süd-Richtung (zwischen Helsinki und Madrid) als auch von West nach Ost (zwischen Dublin, Warschau und Athen).

M5 *Modelle zur europäischen Raumstruktur – „Blaue Banane" und „Traube"*

1 Die räumlichen Disparitäten in Europa haben verschiedene Ursachen.
a) Erkläre diese Tatsache (M1, Atlas).
b) Erläutere mögliche Ursachen für räumliche Disparitäten zwischen Bulgarien und Deutschland (Atlas, S. 108/109).

2 Die Raumstrukturen Europas können in Modellen abgebildet werden.
a) Beschreibe das Trauben-Modell und das sogenannte Pentagon (M2, M3, M5).
b) Erkläre das erweiterte Modell der „Blauen Banane" (M4, Atlas).
c) Begründe, weshalb Brunet die „Blaue Banane" als einen Raum zusammengefasst hat (M4, M5, Atlas, Internet).
d) Lege dar, inwieweit sich im erweiterten Modell der „Blauen Banane" gesellschaftliche Veränderungen bzw. wirtschaftliche Entwicklungen widerspiegeln (M4, M5, Atlas).
e) Bewerte die Modelle zur europäischen Raumstruktur kritisch (M2–M5).

M1 *Mit EU-Mitteln gefördertes Projekt in Leipzig*

Maßnahmen zur Überwindung räumlicher Disparitäten in Europa

Die Kohäsionspolitik der EU

Die EU ist durch vielfältige Maßnahmen bemüht, die bestehenden regionalen Disparitäten zwischen strukturstarken und strukturschwachen Regionen in Europa abzubauen. Der Ausgleich ist auch daher wichtig, weil nur ausgeglichene und stabile Sozial- und Wirtschaftsverhältnisse langfristig zu einem nach innen und außen starken europäischen Wirtschaftsraum führen können. Für deren Umsetzung stehen der EU verschiedene Instrumente, wie zum Beispiel die **Kohäsionspolitik** im Rahmen der europäischen Regionalpolitik, zur Verfügung.

Ziele der Kohäsionspolitik

Im Zentrum der Kohäsionspolitik für den Förderzeitraum 2014–2020 steht das striktere Ausrichten auf die Ziele von „Europa 2020" und damit die konsequentere Steigerung der Wettbewerbsfähigkeit und des Wirtschaftswachstums in den geringer entwickelten Regionen der EU. Dafür stellt die EU mehr als 350 Mrd. Euro bereit. Das bedeutet das verstärkte Investieren

- in Wachstum und Beschäftigung,
- in die Bekämpfung des Klimawandels und der Energieabhängigkeit sowie
- in die Verringerung von Armut und sozialer Ausgrenzung in den Mitgliedsstaaten der EU.

Instrumente der Kohäsionspolitik

Zur Umsetzung der Ziele der Kohäsionspolitik stehen fünf verschiedene Fonds, die seit 2014 unter der Sammelbezeichnung **ESI** (**Europäischer Struktur- und Investitionsfonds**) zusammengefasst sind, zur Verfügung. Dazu gehören unter anderen die beiden Strukturfonds **EFRE** (**Europäischer Fonds für regionale Entwicklung**) und **ESF** (**Europäischer Sozialfonds**). Über den EFRE erfolgt die Förderung von Regionen mit Entwicklungsrückstand und Strukturproblemen. Der ESF ist ein Instrument zur Unterstützung von Maßnahmen im Bereich der Beschäftigungspolitik.

Kohäsionspolitik der EU in Sachsen

Mit den Instrumenten der europäischen Regionalpolitik ist die EU bemüht, auch Projekte in einzelnen Regionen Sachsens zum Abbau räumlicher Unterschiede zu fördern. So wurden in den vergangenen Jahrzehnten in Sachsen zahlreiche Verkehrsinfrastrukturprojekte realisiert. Hinweistafeln an den Baustellen, wie zum Beispiel beim Brückenbau im Zuge der Öffnung des Elstermühlgrabens in Leipzig, weisen darauf hin. Im aktuellen Förderzeitraum 2014–2020 stellt die EU für Sachsen insgesamt fast vier Milliarden Euro zur Umsetzung der europäischen Kohäsionspolitik zur Verfügung.

Auch Sachsen profitiert von Strukturfonds
Im abgelaufenen Förderzeitraum 2007–2013 konnten mithilfe von 1,1 Mrd. Euro aus dem EFRE 2840 Projekte in den Bereichen Forschung und Entwicklung realisiert werden, die wiederum Grundlage für Innovationen in Sachsen sind. Auch in die Verbesserung der Verkehrsinfrastruktur flossen mehr als eine halbe Milliarde Euro, um umweltfreundliche Verkehrsträger oder die 150 Maßnahmen im Staatsstraßenbau zu fördern. Als Grenzbundesland zu Polen und Tschechien kann Sachsen gemeinsam mit seinen Nachbarn auch Fördermittel für Projekte zur grenzüberschreitenden territorialen Zusammenarbeit in Anspruch nehmen.
Aus dem ESF standen für Sachsen mehr als 870 Mio. Euro bereit, die in verschiedene Programme zur Förderung von Bildung und Beschäftigung flossen. Über eine halbe Million Menschen Sachsens profitierten davon.

M2 *EU-Fördermittel für Sachsen*

Hochwasserschutz und andere Infrastrukturprojekte
Die Extrem-Hochwasserereignisse von 2002 und 2013, von denen einige Gebiete Sachsens in besonderem Maße betroffen waren, zeigen deutlich, wie notwendig bautechnische Maßnahmen zum Hochwasserschutz sind. Mit finanzieller Hilfe der EU wurden zwischen 2007 und 2013 fast 380 Projekte zum Hochwasserschutz in Sachsen mit mehr als 287 Mio. Euro aus dem EFRE realisiert bzw. begonnen. Davon profitieren vor allem Aue, Dresden, Grimma, Zschopau, Flöha, Mylau und Leipzig sowie weitere Gemeinden an der Freiberger und Zwickauer Mulde, der Mulde, Elbe und Lausitzer Neiße.

Mit den verbleibenden Mitteln der insgesamt 570 Mio. Euro aus dem EFRE für den Ausbau bzw. der Verbesserung der Infrastruktur Sachsens konnten weitere Projekte in anderen Bereichen umgesetzt werden, z.B.:
- zur nachhaltigen Stadtentwicklung
- zum Klimaschutz
- zum Boden- und Gewässerschutz
- zur Revitalisierung von Industriebrachen
- zur Sicherung und zum Ausbau von bergbaulichen Entwässerungssystemen in Bergbaurevieren.

M3 *EFRE fördert Sachsens Hochwasserschutz*

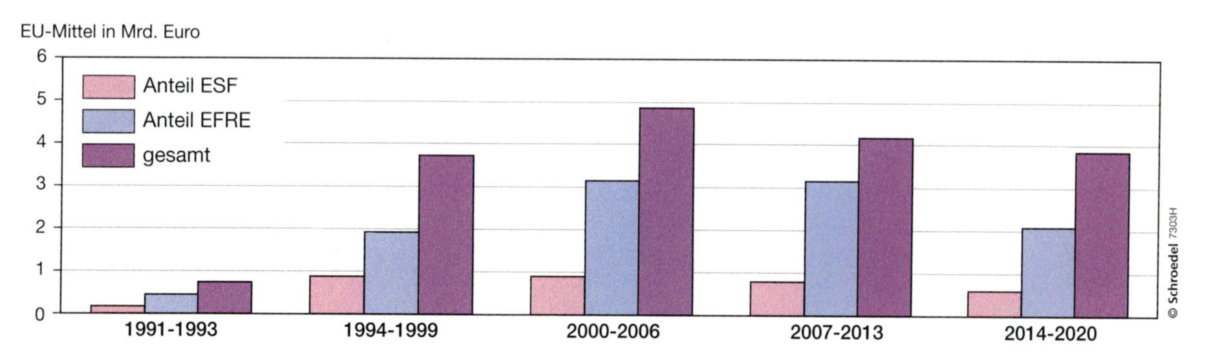

M4 *EU-Mittel Kohäsionspolitik 1991–2020 Sachsen (in Mrd. Euro)*

1 Die EU leistet in einigen Bereichen Unterstützung beim Abbau regionaler Disparitäten.
a) Erkläre einzelne Ziele sowie die Strukturfonds der Kohäsionspolitik der EU (M1).
b) Fasse die Inhalte beider Strukturfonds sowie der anderen drei Fonds zur Umsetzung der Ziele der Kohäsionspolitik in einer Übersicht zusammen (Internet).

2 Sachsens wirtschaftliche Erfolge seit den 1990er-Jahren basieren auch auf der Unterstützung durch die EU.
a) Weise diesen Sachverhalt nach (M1–M4).
b) Fertige eine kleine Dokumentation zu einem durch EU-Fördermittel unterstütztes Projekt in deinem Heimatgebiet an.

M1 *Blick über Tallinn*

Neue Staaten in Europa

Seit den 1990er-Jahren hat sich die politische Landkarte in Europa verändert. Während es einerseits zur deutschen Wiedervereinigung kam, lösten sich andere Staaten im mittleren und östlichen Teil Europas auf. Einige der ehemaligen sozialistischen Staaten zerfielen in einzelne, neue Staaten. Dieser Prozess, den die Länder seither durchliefen und noch durchlaufen, ist durch tiefgreifende Veränderungen in den politischen, sozialen, wirtschaftlichen und ökologischen Strukturen bestimmt. Er wird als **Transformationsprozess** bezeichnet.

Elf der einst zum sogenannten Ostblock gehörenden Länder sind mittlerweile Mitglieder der Europäischen Union. Dadurch stiegen die Bevölkerungszahl und das Wirtschaftspotenzial der EU. Die Heterogenität innerhalb dieses Staatenbündnisses wurde größer, was sich zum Beispiel in den teilweise großen wirtschaftlichen und sozialen Unterschieden widerspiegelt. Diese vielfältigen Disparitäten sollen im Rahmen der Kohäsionspolitik der EU schrittweise abgebaut werden.
Dafür stehen mit rund 352 Mrd. Euro 32,5 Prozent des Gesamthaushaltes der EU zur Verfügung.

Indikator	Estland	Lettland	Litauen	Deutschland	EU-28
BIP je Einwohner (in Euro)	14800	12100	12400	35200	27300
Wirtschaftswachstum (in %)	2,1	2,4	2,9	1,6	1,3
Inflationsrate (in %)	0,5	0,7	0,2	0,8	0,6
Anteil der 30- bis 34-Jährigen mit Hochschulabschluss (in %)	46,6	39,9	53,3	31,4	37,9
Erwerbslosenquote, 20- bis 64-Jährige (in %)	7,3	10,9	10,8	5,0	9,9
Treibhausgasemissionen (2012) (1990 = 100)	47,4	42,9	44,4	76,6	82,1
Privathaushalte mit Breitbandzugang (in %)	81	73	65	87	78

M2 *Ausgewählte statistische Angaben zu den baltischen Staaten im EU-Vergleich 2014*

Die drei **baltischen Staaten** Estland, Lettland und Litauen gehörten bis 1990 zur Sowjetunion. Sie schlossen sich nach dem Zerfall der Sowjetunion nicht der **GUS** (**Gemeinschaft Unabhängiger Staaten**) an, sondern orientierten sich seither in Richtung Westen und EU. Estland gilt heute als „Musterschüler" in der EU und entwickelte sich in den letzten beiden Jahrzehnten erfolgreich. Die traditionell-kulturellen Bindungen zu Finnland sowie der Drang der jungen Generation nach Freiheit und Selbstständigkeit förderten ebenfalls diese Entwicklung. Estland wandelte sich zu einem modernen, politisch und wirtschaftlich stabilen Land. Die EU unterstützt diesen Prozess, wie beispielsweise hier in Tallinn, mit Geldern aus dem EFRE für Stadterneuerungsprojekte.

M3 *Baltische Staaten – Bindeglieder zwischen Osten und Westen*

Nur wenige Jahre hat es gedauert, bis das Internet in allen Haushalten Estlands zum Alltag gehörte. Der baltische Staat führt die Weltrangliste der Pro-Kopf-Internetanschlüsse an. Das Internet ist für alle Esten gesetzlich garantiert. Fast das gesamte Land ist mit kostenlosen WLAN-Hot-Spots ausgestattet. Sogar auf öffentlichen Parkplätzen und an Stränden wird dieser Service angeboten. Alle Schulen sind online. Menschen ohne eigenen Computer können die mehreren Hundert kostenlosen öffentlichen Terminals in öffentlichen Einrichtungen nutzen. Seit 2005 wird auch über das Internet gewählt. Das kann als eine echte elektronische Revolution bezeichnet werden. Selbstbewusst zeigt das Land bereits auf dem Flughafen großformatig, dass die Software für Skype eine estnische Entwicklung ist.

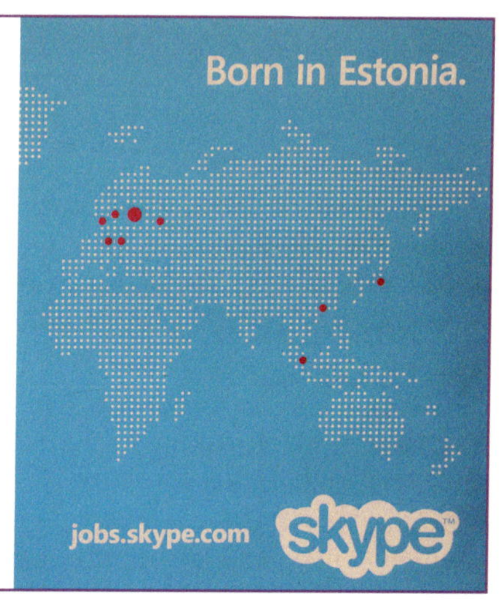

M4 *Estland: Entwicklung der Telekommunikation als Schritt in die Moderne*

1 In den 1990er-Jahren kam es in einigen Staaten im mittleren und östlichen Europa zu einem tiefgreifenden Wandel.
a) Erkläre, was man unter dem Transformationsprozess versteht.
b) Fertige eine Übersicht zu den Staaten an, die den Transformationsprozess durchlaufen (Atlas).

2 Seit 2004 sind elf ehemalige sozialistische Staaten der EU beigetreten. Verorte diese Staaten auf einer Europa-Karte (Atlas).

3 Die Länder des Baltikums sind seit 2004 EU-Mitglieder.
a) Ordne die Flaggen den entsprechenden baltischen Staaten zu (M3).
b) Werte die Statistik zu den baltischen Staaten im Vergleich zu Deutschland aus (M2).
c) Begründe, weshalb man diese Staaten auch als Bindeglieder zwischen dem westlichen und östlichen Europa sehen kann (M3, Internet).

4 Estland wird oft als „Musterschüler" der EU bezeichnet.
Diskutiert in Kleingruppen, ob diese Bezeichnung gerechtfertigt ist (M1–M4, Internet).

M1 *Moskau – das Herz Russlands (Kreml und Basilius-Kathedrale)*

Transformation in Russland

Ende der 1970er-Jahre waren die Anzeichen einer tiefen Krise in der Sowjetunion unübersehbar. Die in den 1980er-Jahren vom damaligen Generalsekretär Michail Gorbatschow eingeleiteten Reformen konnten die politische und wirtschaftliche Lage nicht mehr stabilisieren. Die Union der sozialistischen Sowjetrepubliken (UdSSR) löste sich 1991 auf und die Gemeinschaft Unabhängiger Staaten (GUS) als lockerer Staatenbund entstand. Russland ist mit Abstand der größte Nachfolgestaat der UdSSR. In den 1990er-Jahren hatte der Übergang vom zentral gelenkten System zu pluralistisch-marktwirtschaftlichen Strukturen in allen gesellschaftlichen Bereichen Russlands Prozesse der Auflösung und des Zerfalls ausgelöst. Russland verlor die frühere Weltmachtstellung.

Mit Beginn des zweiten Transformationsjahrzehnts ab 2000 stabilisierte sich das Land wieder. Allerdings gibt es bis heute noch große regionale Unterschiede. Russland ringt bis heute um die politische und ökonomische Bedeutung in der Welt.

	Menge	Weltrang
Fläche	17 Mio. km²	1
Erdölvorräte	21 Mrd. t	4
Erdgasvorräte	142 Mrd. t	1
Steinkohle	2600 Mrd. t	3
Uran	12000 t	11
Gold	1100 t	5
Palladium	85 t	1
Holz	81 Mrd. m³	1

M2 *Ressourcenreichtum in Russland (2014)*

Die sowjetische Wirtschaftsordnung war eine Zentralverwaltungswirtschaft, die auch als Planwirtschaft bezeichnet wird. Anders als in markwirtschaftlichen Systemen verfügte in der Sowjetunion allein der Staat über die Produktionsmittel sowie über Boden, Rohstoffe, Energie, Kapital und Arbeit. Alle wirtschaftlichen Aktivitäten wurden dabei zentral von Moskau mit staatlichen Plänen gelenkt. Die Preise für Waren und Dienstleistungen sowie die Löhne legte die zentrale Behörde fest. Internationale Wirtschaftsbeziehungen spielten sich zu großen Teilen mit den anderen sozialistischen Ländern im Rahmen des sogenannten Rats für gegenseitige Wirtschaftshilfe (RGW) ab.

M3 *Sowjetische Wirtschaftsordnung*

M4 *Lage- und Größenvergleich Russland und Nachfolgestaaten der Sowjetunion – USA*

M7 *Karikatur*

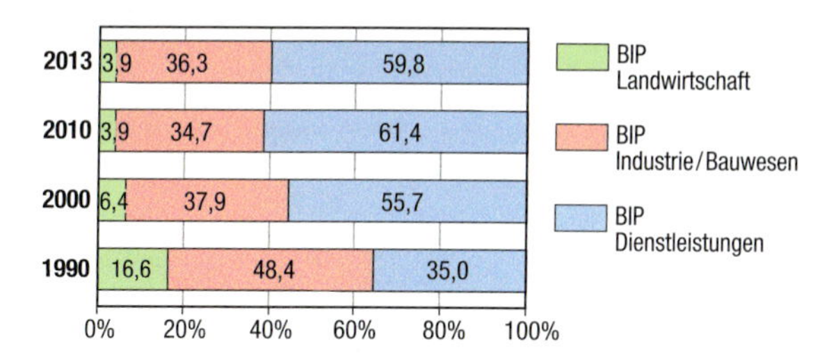

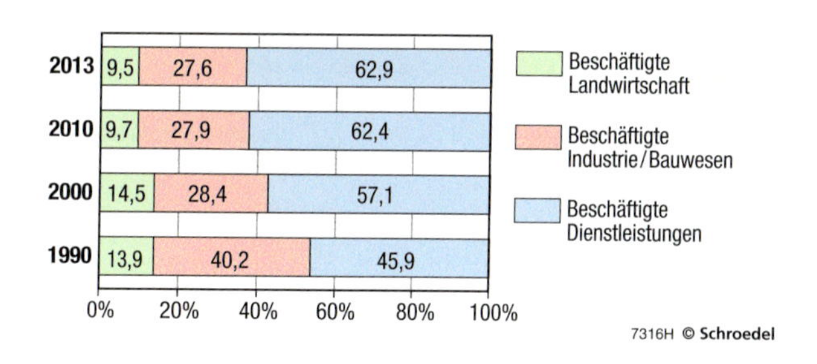

M5 *Wirtschafts- und Beschäftigtenstruktur*

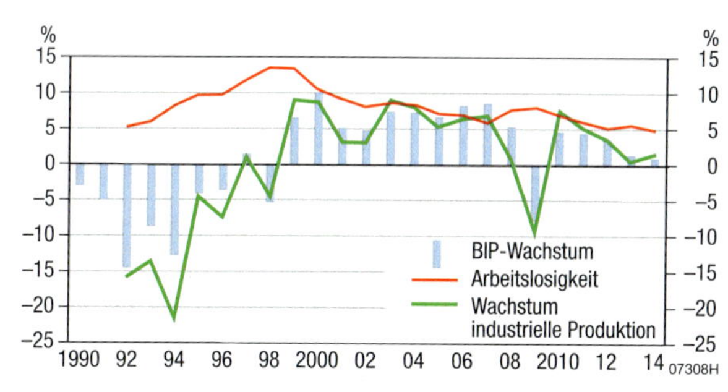

M6 *Wirtschaftliche Entwicklung seit 1990*

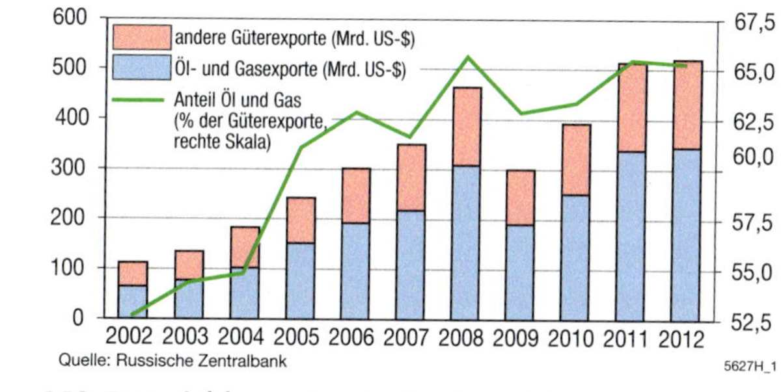

M8 *Entwicklung des Außenhandels*

1 Auch nach der Auflösung der Sowjetunion ist Russland ein Rekordland.
a) Vergleiche Russland und die USA hinsichtlich Breitenlage, Entfernungen, Klima (M4, Atlas).
b) Erläutere Vor- und Nachteile der großen Staatsfläche Russlands.
c) Erkläre die Bezeichnung „Russland – der globale Rohstoffriese" (M2).

2 Russland befindet sich seit Beginn der 1990er-Jahre in einem tiefgreifenden Wandel.
a) Stelle Unterschiede zwischen der sozialistischen Zentralwirtschaft und den marktwirtschaftlichen Systemen dar (M3).
b) Erläutere den Begriff der Transformation und deren wirtschaftliche Folgen in Russland (M5, M6).
c) „Die Basis der russischen Wirtschaft beruht in den letzten zweieinhalb Jahrzehnten auf ihrem Rohstoffreichtum." Beurteile diese Aussage (M2, M8).
d) Etwa 30 Prozent der EU-Gasversorgung und 35 Prozent der EU-Ölimporte kommen aus Russland. Bewerte vor diesem Hintergrund die Karikatur (M7).

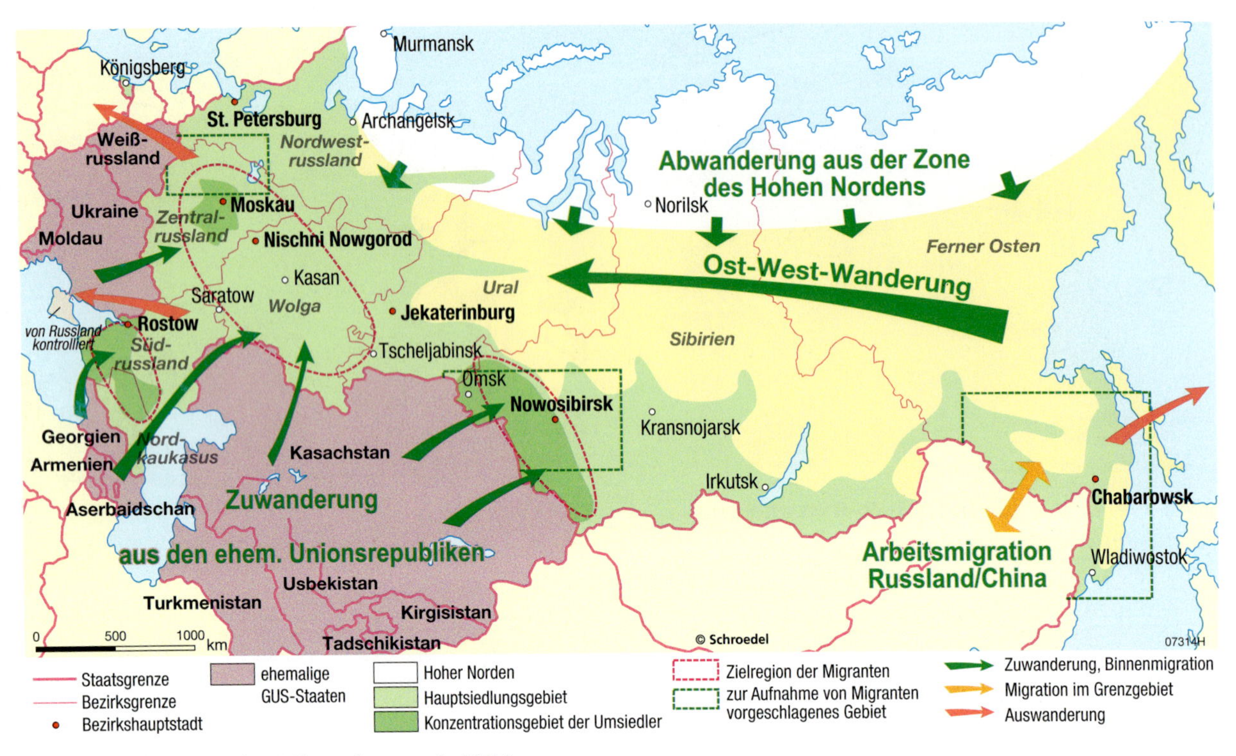

M1 *Hauptströme der Migration nach 1990*

Bevölkerungsentwicklung in Russland

Trotz der Größe des Landes leben drei Viertel der russischen Bevölkerung in den europäischen Landesteilen. Mit 143 Millionen Einwohnern (2013) steht Russland heute hinsichtlich der Bevölkerungszahl an neunter Stelle in der Welt.

Mit Beginn der Transformation kämpfte Russland lange mit einem deutlichen Rückgang der Bevölkerung. Die Anzahl der Geburten sank, gleichzeitig stiegen die Sterbefälle überdurchschnittlich an. Ein Grund waren die sich mit der wirtschaftlichen Krise verschlechternden Bedingungen im staatlichen Gesundheitssystem. Die unzureichende medizinische Versorgung hatte die Zunahme von Infektionskrankheiten, z. B. Tuberkulose, Hepatitis und AIDS zur Folge. Die schlechte sozioökonomische Situation und die daraus resultierende Perspektivlosigkeit, die vor allem bei Männern zu einem verbreiteten übermäßigen Alkohol- und Drogenkonsum führte, ließ die durchschnittliche Lebenserwartung sinken. Mittlerweile konnte der Abwärtstrend der Bevölkerungsentwicklung gestoppt werden.

Der Zerfall der Sowjetunion löste vielfältige Wanderungsbewegungen aus (M1). Städte sind die begehrten Migrationsziele, vor allem die Wachstums- und Metropolregionen Moskau und St. Petersburg. Die Abwanderung aus dem Norden und dem Fernen Osten hält unvermindert an. Im Zuge der Transformation wurde die Versorgung dieser peripher gelegenen Siedlungen z. B. mit Lebensmitteln, Energie, Dienstleistungen immer problematischer, sodass einzelne Siedlungen schon ganz aufgegeben werden mussten.

M2 *Migration innerhalb der GUS*

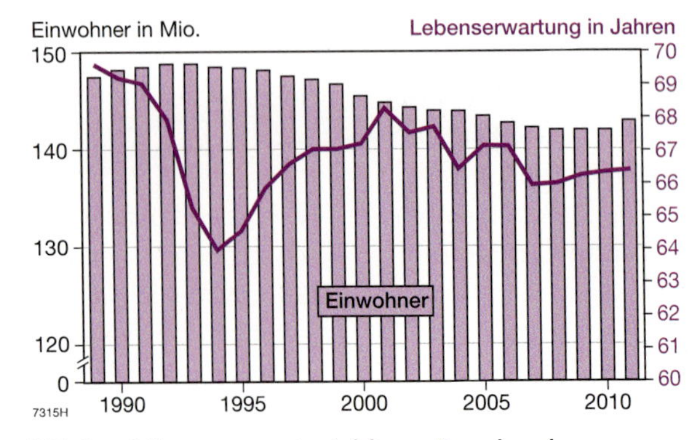

M3 *Bevölkerungsentwicklung Russlands*

Einst erschuf die sowjetische Planwirtschaft rund um ein Kombinat oder mehrere Großbetriebe große Städte aus dem Nichts: Arbeitersiedlungen für die Holzfabriken des Nowgoroder Gebiets oder die Metallschmelzen hinter dem Ural, Inseln der Plattenbauzivilisation inmitten der Tundra des Hohen Nordens, in denen die Arbeiter der Öl- und Gasfelder lebten. Die Kombinate bauten die Straßen, versorgten die Kindergärten und Schulen, heizten die Sporthallen und Schwimmbäder und kauften die Autobusse für den Nahverkehr. Sie bildeten die Stadt, und ihre Direktoren waren für die Bewohner eine Mischung aus Zar, Hausmeister und Glucke.

Heute stehen viele der Unternehmen vor dem Bankrott, denn die globale Wirtschaftskrise hat Russland viel schwerer getroffen als andere Länder mit aufstrebender Volkswirtschaft. Sie hat die Nachteile der russischen Wirtschaftsstruktur offengelegt – Monostädte gehören dazu. Vor der Krise erarbeiteten die gut 400 Städte 40 Prozent des russischen Bruttoinlandsprodukts, doch seither geht es für viele von ihnen bergab.

Russlands Regierung hat das Problem erkannt. Aus Angst vor sozialen Spannungen werkelt sie an einer Strategie, die festlegen soll, was mit den maroden Städten und Siedlungen geschieht. Das ist eine Jahrzehnteaufgabe – doch die Zeit drängt. Laut Ministerium für Regionale Entwicklung dürfte sich die Situation von 60 Monostädten in den kommenden Jahren erheblich verschlechtern, 17 Städte gelten schon heute als „explosionsgefährdet". Etwa 20 könnten nach Schätzung der Regierung zu Geisterstädten werden.

Jeder vierte Russe lebt in einer Monostadt. Vielen geht es weiterhin passabel: Besonders die Öl- und Gasstädte werden von der Krise nur schwach erschüttert. Aber große Metallkombinate, Unternehmen der Baustoffbranche, Auto- und Lastwagenwerke leiden unter dem eingebrochenen Absatz und ihrer uneffektiven Struktur. Ganz schlecht sieht es aber aus für jene Städte, die fern der Verkehrsmagistralen, fern der regionalen Ballungsräume und der eigenen Märkte liegen.

(Quelle: Voswinkel, Johannes: Einst Russlands Segen, heute Fluch. In: www.zeit.de, 28.01.2010)

M4 *Probleme der Städte im asiatischen Teil Russlands*

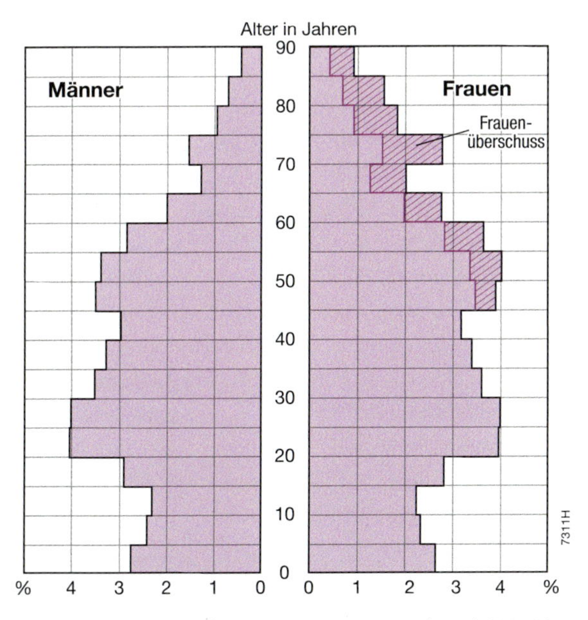

M5 *Bevölkerungsdiagramm von Russland (2013)*

1 Die zweieinhalb Transformationsjahrzehnte haben die Bevölkerungsentwicklung Russlands geprägt.
a) Beschreibe die Bevölkerungsentwicklung Russlands und deren Ursachen (M1–M3, M5).
b) Stelle Zusammenhänge zwischen der Bevölkerungsentwicklung und der Altersstruktur Russlands dar (M1, M3, M5).
c) Erläutere die Wanderungsbewegungen in Russland (M1, M2)
d) Diskutiert wirtschaftliche und soziale Folgen des Wandels der Bevölkerung.

2 Während der Zeit der Sowjetunion entstanden viele Städte in unmittelbarer Nachbarschaft zu neu gegründeten, meist abseits der traditionellen Zentren liegenden Industriestandorten.
Erstelle eine Conceptmap zur Entwicklung dieser Monostädte (M4).

M1 *Moskaus Gegensätze – Feinkostladen ...*

M3 *... obdachlose Rentnerin im Randbezirk*

Moskau – sozialer Spagat

Moskau, mit über elf Millionen Einwohnern die größte europäische Stadtregion, hat ihre Position als das politische, kulturelle und wirtschaftliche Zentrum in Russland gefestigt. So wächst hier in den letzten Jahren eine soziale Mittelschicht heran. Der monatliche Durchschnittsverdienst eines Moskauers beträgt umgerechnet 1 500 Euro. Aber die Unterschiede zwischen Arm und Reich sind bis heute sehr groß.

2003 wurde von der russischen Regierung ein Stabilisationsfonds geschaffen, in dem Erdölgelder sicher angelegt werden. Der Fonds dient zur Stabilisierung der Wirtschaft bei sinkenden Ölpreisen, der Tilgung von Auslandsschulden und stellt als Wohlstandsfonds Gelder zur staatlichen Rentenzahlung zur Verfügung.

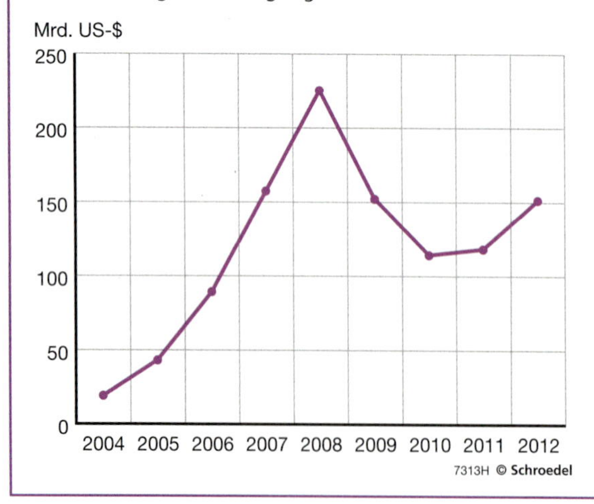

M2 *Erdölstabilisierungsfonds*

[...] Leonid Sergejewitsch ist siebzig Jahre alt und eigentlich längst in Rente. Er war Professor für Physik und Mathematik. Jetzt ist er krank, braucht Medikamente, und die sind teuer. Teurer, als seine Rente es erlaubt. Deshalb arbeitet er einfach weiter. „Viele meiner Kollegen geben Nachhilfe. Einige sind sogar noch älter als ich und unterrichten von morgens bis abends. Solange meine Gesundheit es zulässt, werde ich das auch tun."

Wer in Moskau leben, und nicht nur überleben will, muss sich anstrengen. Die Metropole ist teuer. Denn Lebensmittel, öffentliche Verkehrsmittel, Friseurbesuche – der ganz normale Alltag kostet in der Hauptstadt 50 Prozent mehr als im Rest Russlands. Viele Moskauer haben deshalb zwei Jobs. Rentner vermieten ihre Wohnungen im Stadtzentrum und ziehen zu den Kindern oder in billige Absteigen am Stadtrand. Viele dieser Nebenverdienste laufen am Fiskus vorbei. [...]

Dabei gibt die Stadt ein Fünftel des Haushalts für soziale Zwecke aus. Moskauer Rentner erhalten jeden Monat eine Zulage aus dem Stadtsäckel, weil die reguläre russische Rente nicht ausreicht, um das Existenzminimum in der Hauptstadt zu decken. Gäbe es diese Zulage nicht, wäre die Zahl der Armen noch viel höher, so hoch vermutlich wie in manchen russischen Regionen. [...] Moskau kann sich das leisten, weil die Stadt enorme Steuereinnahmen hat. Hier befinden sich so gut wie alle Konzernzentralen. Schon jetzt gibt es in Moskau Sozialeinrichtungen, von denen die Menschen in anderen Regionen nur träumen können. [...]

(Quelle: Dornblüth, Gesine: Survival of the fittest. In: www.deutschlandradiokultur.de, 07.11.2011)

M4 *Leben der Armen in Russland*

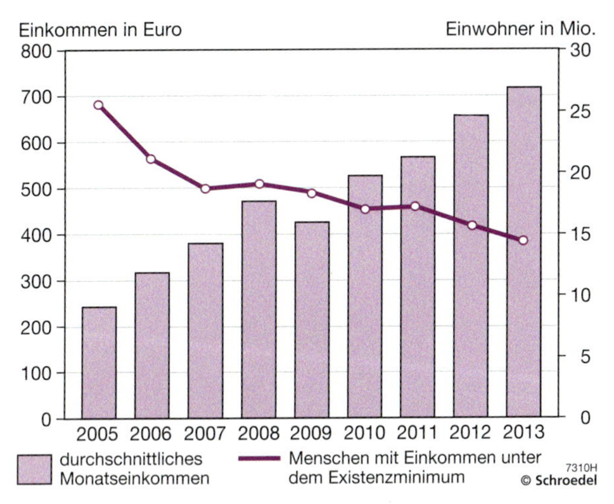

M5 *Russlands soziale Entwicklung*

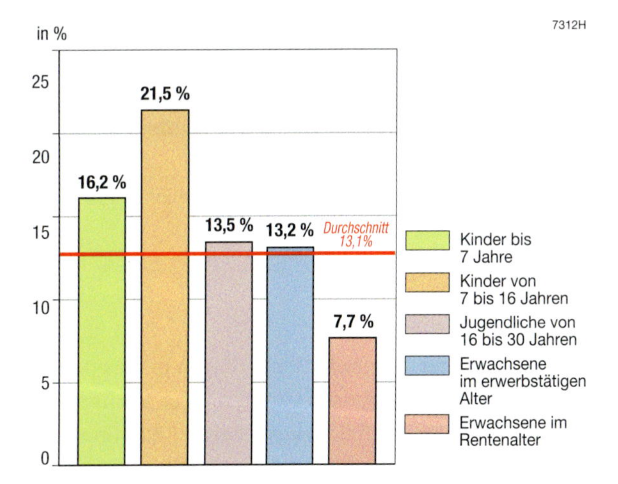

M7 *Anteil der Bevölkerung unterhalb des Existenzminimums 2010*

[...] In Moskau gibt es so viele Dollar-Milliardäre wie nirgendwo anders. Schon jetzt zieht es die Reichen in die Außenbezirke, wo sie sich prächtige Villen bauen. Nun soll eine komplette neue Stadt nur drei Kilometer westlich des Moskauer Autobahnrings entstehen, quasi als geschütztes „Biotop" für russische Millionäre und Milliardäre. Eine Stadt wie aus dem Bilderbuch mitten in der Natur und doch nicht weit von Moskau und vor allem mit allen Annehmlichkeiten, die sich die finanzkräftigen Neubürger so wünschen: Jachthafen, Reitareal, Businesszentrum und viele, viele edle Restaurants. „Rubljowo-Archangelskoje" heißt das drei Milliarden Dollar teure Projekt auf dem Reißbrett, russische Medien haben jedoch inzwischen einen anderen Namen gefunden: „Die Stadt der Millionäre." Auf 430 Hektar sollen rund 10 000 Häuser und Luxusapartments für etwa 30 000 Einwohner entstehen. [...]

(Quelle: Hille, S.: Stadt der Millionäre. In: www.dw.com, 29.11.2005)

M6 *Gated Community in der Hauptstadt Moskau*

1 Moskau hat durch die Transformation an Bedeutung gewonnen. Aber nicht alle Einwohner sind Gewinner.
a) Begründe die Vormachtstellung Moskaus innerhalb Russlands (Atlas).
b) Analysiere die materielle Lage der russischen Bevölkerung und vergleiche mit Moskau (M1, M3, M5–M7).
c) Stelle die Folgen des ersten Transformationsjahrzehnts für die Lebensbedingungen der Russen dar (M4).
d) „Moskau ist die russische Stadt mit den meisten abgeschlossenen Wohngebieten für Superreiche." Begründe.
e) „Der Bau von abgegrenzten, für Millionäre konzipierte Stadtviertel verschärft die sozialen Unterschiede in Moskau" (M6). Bewerte diese Aussage.

2 Mithilfe von Google Earth und Google Street View kann Moskau untersucht werden.
a) Ermittle mit Google Earth die räumliche Ausdehnung Moskaus.
b) Untersuche anhand der folgenden Moskauer Stadtteile soziale Unterschiede:

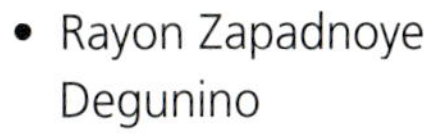

- Rayon Zapadnoye Degunino
- Presnensky rayon
- Pokrovski hills
- Starvil

Präsentiere die Ergebnisse mit aussagekräftigen und beschriebenen Screenshots.

Gewusst – gekonnt: Europa im Wandel

1. In Europa gibt es nicht nur zwischen einzelnen Staaten räumliche Disparitäten, sondern auch innerhalb einzelner Länder.

a) Weise das mithilfe der Karte zum BIP je Einwohner nach.

b) Erkläre mögliche Ursachen für diese regionalen Disparitäten.

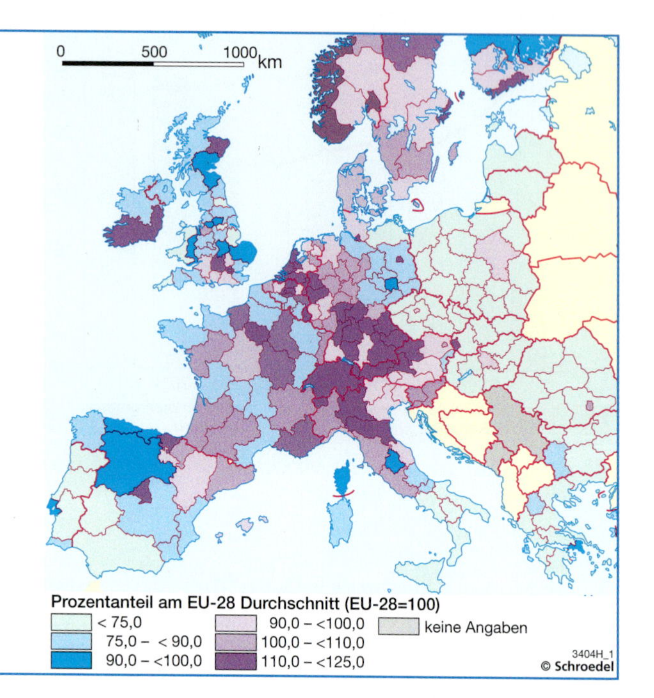

2. Zum Abbau regionaler Disparitäten in Europa stehen verschiedene Instrumente zur Verfügung. Dazu gehört auch das durch den EFRE kofinanzierte Operationelle Programm „Polen-Deutschland".

a) Informiere dich im Internet zu Zielen und Aufgaben dieses Programms.

b) Stelle ein im Rahmen des Operationellen Programms „Polen-Deutschland" bereits realisiertes oder geplantes grenzüberschreitendes Projekt vor (Internet).

3. Seit Beginn der 1990er-Jahre durchlaufen einige europäische Staaten einen Transformationsprozess, der sich auch in den sich wandelnden Stadtansichten, wie zum Beispiel in der litauischen Hauptstadt Vilnius, widerspiegelt.

a) Ordne die ausgewählten Flaggen den entsprechenden Transformationsländern zu (Atlas).

b) Diskutiert Chancen und Risiken des Transformationsprozesses für die einzelnen Staaten und für Europa.

100800-101
www.diercke.de

4. Entscheide, welche der Antworten jeweils zutreffen. Begründe deine Wahl.

a) Welche der Staaten sind wie Russland sogenannte Transformationsländer?

A Ungarn
B Österreich
C Slowakei
D Deutschland
E Kuba

b) Die Transformation führte in Russland zu einem tiefgreifenden wirtschaftlichen Wandel, da …

A … der Großteil der Produktionseinrichtungen in Privateigentum umgewandelt wurden.
B … ausländische Direktinvestitionen leichter möglich wurden.
C … nicht mehr ein zentraler Plan, sondern der freie Markt die Produktionsprozesse bestimmt.
D … sich die Industriebetriebe am Weltmarkt behauptet haben.

c) Die russische Hauptstadt Moskau …

A … ist die drittgrößte Stadtregion Europas.
B … besitzt eine wirtschaftliche Vormachtstellung innerhalb Russlands.
C … ist geprägt von großen sozialen Unterschieden.
D … löst das Problem der Straßenkinder mit dem Bau neuer Stadtteile.

5. Bewerte die Karikatur

„Oh – du hast jemanden mitgebracht?"

6. Welche Schlussfolgerungen können aus dem Bevölkerungsdiagramm gezogen werden?

A – In Moskau ist die Anzahl der Menschen im erwerbsfähigen Alter höher als in Gesamtrussland.
B – Der Geburtenrückgang ist in Moskau und Russland seit 2000 gestoppt.
C – Moskau hat seit Beginn der Transformation durch Zuwanderung an Einwohnerzahl gewonnen.
D – Der Anteil von Kindern und Jugendlichen an der Gesamteinwohnerzahl ist in Moskau geringer als in Russland.

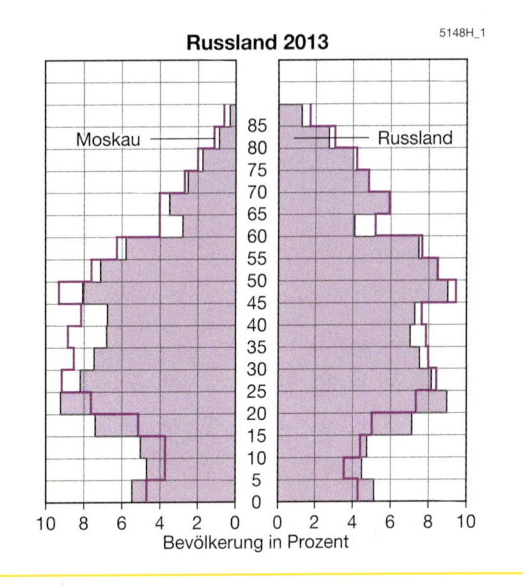

7. Fachbegriffe

räumliche Disparitäten
Aktivraum
Passivraum
Geographisches Informationssystem (GIS)
„Blaue Banane"
Kohäsionspolitik
ESI (Europäischer Struktur- und Investitionsfonds)
EFRE (Europäischer Fonds für regionale Entwicklung)
ESF (Europäischer Sozialfonds)
Transformationsprozess
baltische Staaten
GUS (Gemeinschaft Unabhängiger Staaten)

Dresden – mögliches Ziel einer Stadtexkursion

Wahlpflicht 1

M1 *Einkaufsstraße in Leipzig*

PROJEKT

Exkursion Stadt

Eine geographische Stadt-Exkursion stellt eine methodische Form des Lernens in einer außerschulischen Lernumgebung mit einer Dauer von wenigen Stunden bis zu mehreren Tagen dar. Beispiele wären Betriebs- und Museumsbesuche sowie Erkundungen von Stadtteilen und Siedlungen. Hierbei werden der Kontakt mit der räumlichen Realität und das selbstständige Arbeiten der Schüler ermöglicht. Die hier vorgestellten Materialien für eine Stadt(-teil)-Exkursion stellen Angebote und Möglichkeiten dar.

Natürlich ist eine weitere Recherche notwendig, um möglichst detaillierte und aussagekräftige Informationen zu erhalten.

Sechs Schritte für eine Funktionskartierung

1. Vorbereitung
Raum auswählen; thematische Fragestellung festlegen; Materialbeschaffung (Literatur, historische Daten, Internet).

2. Erhebungsbogen anfertigen (M4, M5)
Erhebungsbogen mit den festzustellenden Merkmalen (z. B. Wohnfunktion) vorbereiten; für Einzelhandel und Dienstleistungen erfolgt eine weitere Unterteilung nach Bedarfsgruppen.

3. Daten erfassen
Datenerhebung im Kartiergebiet (hilfreich sind Firmenschilder, Klingelbeschriftungen, Befragungen); Daten in Erhebungsbogen und Skizze eintragen.

4. Karte anfertigen
Erstelle anhand deiner gewonnenen Informationen eine Karte (M2, M3).

5. Karte und Daten auswerten
Hauptfunktionen bzw. Veränderungen herausarbeiten sowie hinsichtlich der Fragestellung beurteilen und bewerten, Entwicklungstendenzen beurteilen.

6. Ergebnisse präsentieren

Methode: Eine Funktionskartierung durchführen

Mit der Funktionskartierung einer Geschäftsstraße, eines Karrees in der Innenstadt oder eines Wohnviertels kann eine Bestandsaufnahme der gewerblichen Nutzung und der Wohnungsnutzung durchgeführt werden. Sie gibt z. B. Auskunft über Nutzungsverhältnisse, zentrale örtliche Einrichtungen und/oder die Attraktivität und den baulichen Zustand der Gebäude des Untersuchungsraumes. Weiterhin ergibt sich daraus die Möglichkeit, die Nutzungsveränderung und den Sanierungsgrad zu erfassen. Ebenso können aus dieser Funktionskartierung Bedürfnisse der Einwohner und deren Wandel dargestellt werden, wenn die Kartierungen z. B. jährlich wiederholt werden.

M2 *Grundsätzliches zur Methode Funktionskartierung*

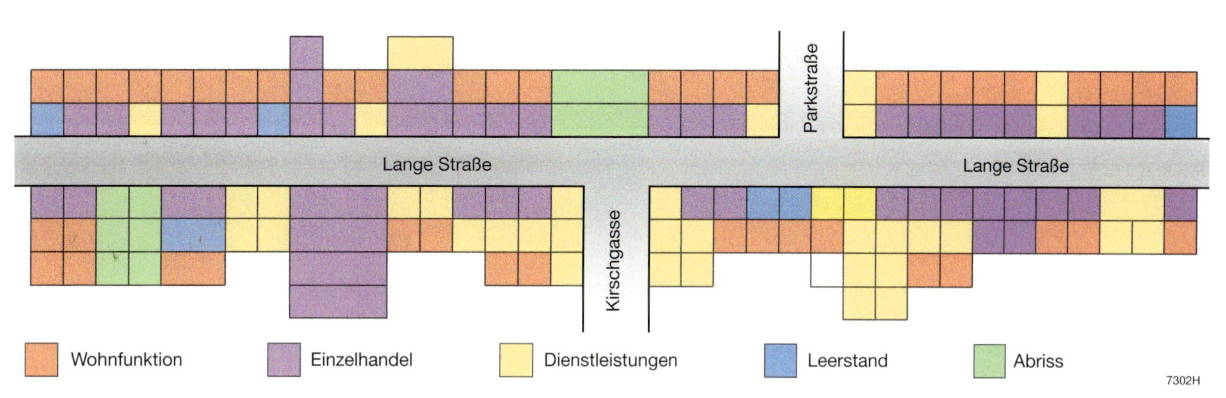

M3 *Beispiel einer Funktionskartierung*

Note	1	2	3	4	5	6
Welchen Eindruck haben Sie von der City?						
Fassaden	I	III	卌 I	II	I	
Pflasterung		卌 III	卌 卌	I		
Sauberkeit		卌 卌	II		I	
Sitzgelegenheiten		II	III	卌 卌		
Bepflanzung		I	I	卌 II	卌 卌	
Wie sind Sie mit der Angebotsvielfalt zufrieden?						
Einzelhandel	I	卌 卌	卌 I	I	III	
Restaurants	II	IIII	卌 卌	III	I	I
Dienstleistungen	I	II	卌 卌 II	卌		
Gibt es ausreichend Parkmöglichkeiten?	II	I	卌 I	卌 卌 卌	I	
⋮	⋮	⋮	⋮	⋮	⋮	⋮

M4 *Ausschnitt aus einem Fragebogen*

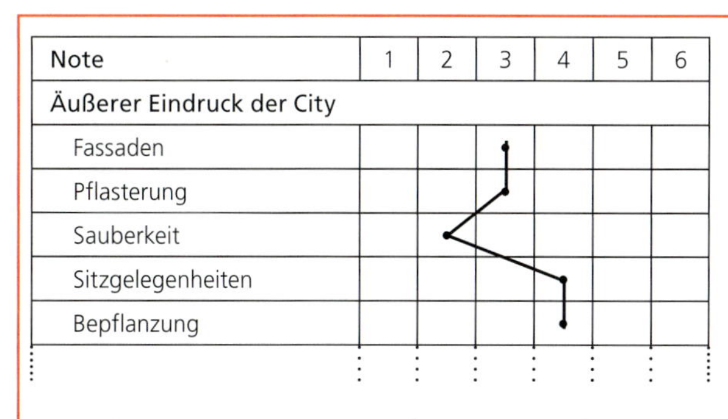

Ausschnitt aus einem Attraktivitätsprofil

Mögliche weitere Fragen zur Attraktivität sind:

- Wie oft suchen Sie Einrichtungen der City/des Karrees/der Straße auf? Was ist der Grund für den Besuch?
- Geben Sie bitte Ihren Wohnort an.
- Wie viel Geld geben Sie im Durchschnitt beim Besuch aus und wofür?
- Mit welchem Verkehrsmittel sind Sie heute angekommen?

Erstrebenswert wäre eine Untersuchung an mehreren Tagen und zu bestimmten Tageszeiten.

M5 *Fragebogen zur Attraktivität einer City, eines Karrees oder einer Straße*

M1 *Im ländlichen Raum (Oberlausitz)*

Exkursion ländlicher Raum

Ist der ländliche Raum der Verlierer der räumlichen Entwicklung? Dieser Fragestellung soll mit der Methode der Befragung durch eine Exkursion in den ländlichen Raum nachgegangen werden.

Was ist ein ländlicher Raum?

Dörfer waren früher klassisch auf Landwirtschaft ausgerichtete Siedlungen. Ihre Struktur ist heutzutage durch verschiedene Entwicklungen überprägt, beispielsweise: a) die Art der Bauten änderte sich im Zuge der Suburbanisierung durch das Ausweisen von Bauland für Einfamilienhäuser; b) die Verkehrsinfrastruktur wird verstärkt durch Pendler genutzt; c) es sind ganz andere und vielfältigere Berufe im Dorf vertreten. Der ländliche Raum lässt sich grundsätzlich dem verstädterten Raum gegenüberstellen. Allerdings unterscheiden sich ländliche Räume untereinander, sodass in ländliche Kreise mit Verdichtungsansätzen sowie dünn besiedelte ländliche Kreise unterschieden wird. Aufgrund der Vielfältigkeit des ländlichen Raumes gibt es verschiedene Unterteilungskriterien, z. B. nach der Dichte der Besiedlung oder nach funktional prägenden Elementen wie der Landwirtschaft. In der Regel sind die Siedlungen im ländlichen Raum funktional sehr eng mit ihrem Umfeld verknüpft. Da es ländlichen Räumen wirtschaftlich oft nicht gut geht, gibt es ein „Netzwerk Ländliche Räume" sowie ein spezielles EU-Förderprogramm (LEADER). Die ländlichen Räume haben einen Strukturwandel durchlaufen. Die Oberlausitz ist ein Beispiel für einen ländlichen Raum in Sachsen.

Die Entwicklung der Städte und Dörfer soll so erfolgen, dass

- das historische Siedlungsgefüge berücksichtigt wird,
- die Innenstädte bzw. Ortskerne der Dörfer als Zentren für Wohnen, Gewerbe und Handel, Infrastruktur und Daseinsvorsorge gestärkt und weiterentwickelt,
- Brachflächen einer neuen Nutzung zugeführt,
- eine energiesparende und energieeffiziente, integrierte Siedlungs- und Verkehrsflächenentwicklung gewährleistet,
- die gesundheitlichen Belange der Bevölkerung berücksichtigt sowie
- beim Stadt- bzw. Dorfumbau bedarfsgerecht sowohl Maßnahmen zur Erhaltung, Aufwertung, Umnutzung, zum Umbau und Neubau als auch zum Rückbau umgesetzt werden.

M2 *Auszug aus Sachsens Landesentwicklungsplan*

Methode: Eine Befragung durchführen

Bei einer Befragung handelt es sich um eine Meinungsumfrage. Sie hat zum Ziel, zu quantitativen Aussagen zu kommen, die sich in Diagrammen, Tabellen o. ä. darstellen lassen. Für qualitative Fragestellungen eignet sich oft das Interview mehr. Vor einer Befragung ist zu klären, welche Fragestellungen beantwortet werden sollen. Eignet sich dafür eine persönliche Befragung oder reicht eine telefonische Befragung aus? Kann ich die Befragten so auswählen, dass die Ergebnisse repräsentativ sind? Zudem ist es wichtig, einen Fragebogen zu erstellen, nach dem die Fragen immer gleich gestellt werden können. Das Wichtigste bei einer Befragung ist die Formulierung einer zielgerichteten Frage. Es ist v. a. darauf zu achten, dass die möglichen Antworten sich hinterher weiter verarbeiten lassen. Grundsätzlich ist zwischen gebundenen Fragen (hier werden die Antworten vorgegeben, der Befragte muss sich nur noch für eine entscheiden) und offenen Fragen (der Befragte antwortet frei und beliebig lang) zu unterscheiden.

M3 *Grundsätzliches zur Methode Befragung*

Vier Schritte für eine Befragung

1. Vorbereitung
Zu welchen Themen möchte ich die Befragung durchführen? Wer soll befragt werden? Welche Befragungsart eignet sich am besten?

2. Durchführung
Befragung durchführen und Antworten im Fragebogen notieren

3. Auswertung der Ergebnisse
Auswertung der Befragungsantworten. Grafische Aufbereitung und Formulierung der Ergebnisse.

4. Ergebnisse präsentieren

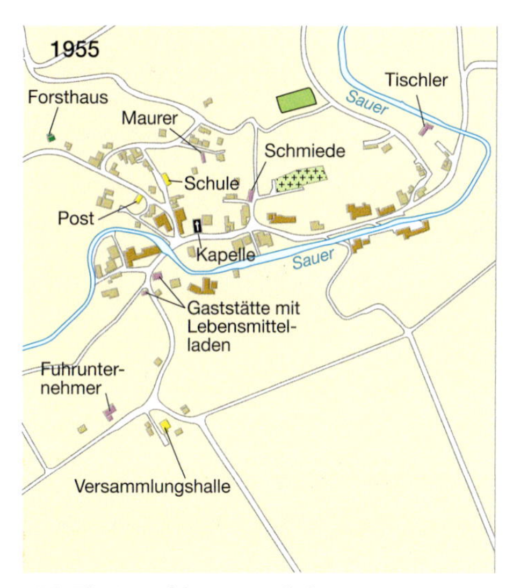

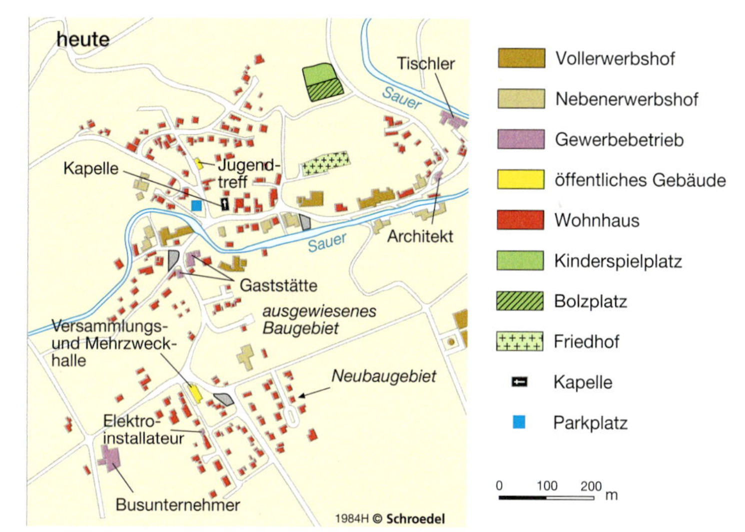

M4 *Ein Dorf im Wandel*

Standortfaktor	sehr wichtig	wichtig	weniger wichtig	unwichtig
Absatzmarkt				
Nähe zum Hauptabnehmer				
günstiger Preis des Ansiedlungsgeländes				
gute Verkehrsanbindung				
qualifizierte Arbeitskräfte				

M5 *Fragebogen-Beispiel*

Wahlpflicht 3

M1 *Der Grenzfluss Neiße in der Euroregion „Neiße" zwischen den Städten Görlitz und Zgorzelec*

PROJEKT

Exkursion Euroregion

Euroregionen sind Ländergrenzen übergreifende Regionen, bei denen mindestens zwei Staaten kooperieren. Die allgemeinen Ziele sind die grenzüberschreitende Zusammenarbeit sowie die Förderung der ganzen Region. Bei den Euroregionen handelt es sich nicht um staatliche Institutionen, sondern sie sind privatrechtlich organisiert. Die älteste Euroregion entstand 1958 an der Grenze zwischen Deutschland und den Niederlanden.

Euroregionen in Sachsen

In Sachsen gibt es seit Anfang der 1990er-Jahre vier Euroregionen: Egrensis, Erzgebirge, Elbe/Labe und Neiße. Es gibt in jeder Euroregion jeweils eine Geschäftsstelle als Hauptarbeitsebene und Ansprechpartner, die von einem länderübergreifenden beschließenden Gremium unterstützt und kontrolliert wird. Thematische Arbeitsgruppen (z.B. zu Umweltschutz, Verkehr) arbeiten den Gremien fachlich zu.

Die vier sächsischen Euroregionen haben sich drei thematische Arbeitsschwerpunkte gesetzt: Ökologie/Naturschutz, Fremdenverkehr/Erholung/Freizeit, Kultur/Sport. Die Euroregionen werden über Gelder von der EU sowie vom Land Sachsen finanziert.

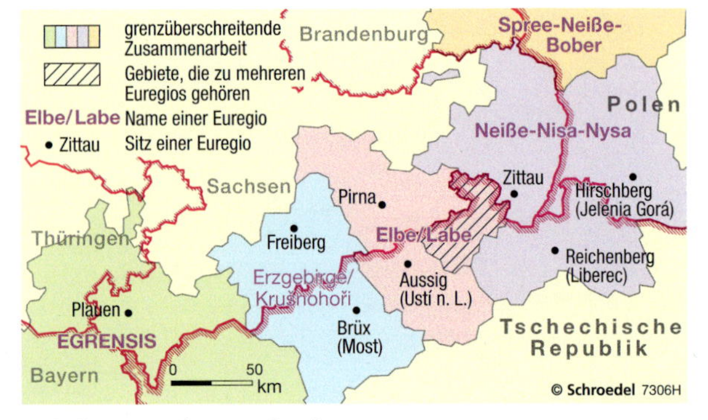

M2 *Euroregionen Sachsens*

- Stärkung der Wettbewerbsfähigkeit des Gesamtraumes
- Beseitigung oder Verringerung negativer Auswirkungen der grenznahen Gebiete
- Verbesserung des Lebensstandards der Einwohner der Region
- Pflege und Verbesserung der ökologischen und kulturellen Potenziale; Tourismusförderung
- Entwicklung des Wirtschaftspotenzials mittels gezielter Kooperationsbeziehungen über die Grenzen hinweg – wirtschaftlicher Aufschwung durch gemeinsame Wirtschaftsförderung
- Technologietransfer und Unternehmenskooperation
- Förderung der regionalen Identität sowie gleichzeitig des europäischen Gedankens

M3 *Allgemeine Ziele der Euroregionen*

Methode: Ein Interview durchführen

Eine Möglichkeit, bei einer Exkursion Informationen zu sammeln, ist das Interview. Dabei ist zu überlegen, welche Fragen gestellt werden sollten, um zu den gewünschten Themen Antworten zu erhalten. Es muss entschieden werden, welche Art des Interviews geführt werden soll: Ein fest an einen Leitfaden von Fragen gebundenes oder eines, bei dem der Interviewpartner überwiegend auf offene Fragen antworten soll. Vor einem Interview sollte man sich genau über das Thema informieren, da nur so zielgerichtete Fragen gestellt werden können. Einen zu den eigenen Fragen passenden Interview-Partner zu finden, ist nicht immer leicht. Über das Internet lässt sich eine Vorrecherche durchführen. Details lassen sich durch Telefonate mit Firmen und/oder Behörden klären. Nach der Auswahl werden die Fragen zusammengestellt, die geklärt werden sollen. Auf die formalen Rahmenbedingungen (z. B. angemessene Kleidung, Diktiergerät, Einwilligung zur Veröffentlichung) ist auch zu achten.

Drei Schritte für ein Interview

1. Vorbereitung
Was möchte ich herausfinden? Wer wäre ein passender Interviewpartner? Welche Interviewart ist die passende? Welche Fragen sollen gestellt werden?

2. Durchführung
Wie stelle ich Kontakt zu meinem Interviewpartner her? Wie soll das Interview dokumentiert werden? Interview führen.

3. Ergebnisse
Interview dokumentieren. Die Antworten auf die ursprünglichen Themen beziehen und die Erkenntnisse formulieren.

M4 *Grundsätzliches zur Methode Interview*

Redaktion: Beschreiben Sie bitte die Euroregion Elbe/Labe sowie die dort geleistete Arbeit.

Wagenschmidt: In den Euroregionen wird seit vielen Jahren die grenzüberschreitende Zusammenarbeit vorangetrieben, das ist vorteilhaft für ein entgrenztes Europa. Nach 1990 konnte die Zusammenarbeit auf eine neue Basis gestellt werden. Die Euroregion Elbe/Labe wurde am 24.06.1992 gegründet, in ihr leben heute ca. 1,3 Mio. Menschen. Die Region ist durch die Elbe sowie das Elbsandsteingebirge geprägt, ungefähr die Hälfte der Fläche steht unter Naturschutz. Die Ziele der regionalen Zusammenarbeit, z. B. Förderung von Wirtschaft und Tourismus, Schutz der Umwelt, Ausbau der Infrastruktur, Austausch in den Bereichen Kultur, Bildung und Sport, geschieht v. a. in der Form grenzüberschreitender Projektarbeit. In den Jahren 1992–2012 wurden von der EU 143 Mio. Euro und vom sächsischen Staat 18 Mio. Euro für solche Projekte ausgegeben.

Redaktion: Wie schätzen Sie den Stand der Zusammenarbeit ein?

Wagenschmidt: Die Evaluationen im Rahmen der 20-Jahr-Feierlichkeiten zeigten weiteren Handlungsbedarf: Es besteht nach wie vor ein Wohlstandsgefälle, das durch seine wirtschaftliche Konkurrenzsituation für eine Kooperation nicht förderlich ist. 2011 lag der durchschnittliche Bruttoverdienst in Sachsen bei 2 561 Euro, in Tschechien dagegen nur bei 838 Euro. Die Bemühungen um einen Ausgleich waren nicht erfolgreich. Das hat verschiedene Ursachen, z. B. gibt es auf tschechischer Seite keine der IHK entsprechende Institution. Nur auf der Ebene des Kleingewerbes ist das Gefälle förderlich: In einem grenznahen tschechischen Dorf mit 580 Einwohnern gibt es u. a. elf Gaststätten und sechs Frisöre. Durch Einkaufsfahrten wird die Anzahl der grenzüberschreitenden Begegnungen zwar erhöht, führt aber nicht zwangsläufig zu einem besseren gegenseitigen Verständnis. Wichtig ist v. a. die Zusammenarbeit im Bereich der Bildung: Die Sprachkenntnisse auf beiden Seiten der Grenze lassen oft zu wünschen übrig, aber ohne Sprachkenntnisse wird eine Zusammenarbeit erschwert. Ein positives Beispiel ist das Friedrich-Schiller-Gymnasium in Pirna, das seit 1998 ein deutsch-tschechisches Bildungsprofil hat. Bei der Evaluation ist festzustellen, dass es einen gemeinsamen Wirtschaftsraum nicht gibt. Das Ziel sollte daher sein, einen gemeinsamen Kommunikations- und Kooperationsraum zu schaffen. Das Bewusstsein für das Zusammenleben ist aber in den 20 Jahren durch rund 1 350 Projekte mit über 3 000 Partnern gefördert worden.

M5 *Interview mit der Regionalwissenschaftlerin Dr. Marlies Wagenschmidt zur Euroregion Elbe/Labe*

Ausgewählte Arbeitsmethoden – kurz und knapp

Klimadiagramme auswerten (aus Klasse 6)

Um dich z. B. auf eine Reise vorzubereiten, solltest du das Klima kennen.

1. Wo befindet sich die Klimastation?
   (Höhe über dem Meeresspiegel, Lage zum Meer, Staat)
2. Welche Temperatur herrscht dort?
   (Jahresdurchschnittstemperatur, Jahrestemperaturverlauf, Jahrestemperaturschwankung, maximale und minimale Monatsdurchschnittstemperatur)
3. Wie hoch ist der Niederschlag?
   (Jahresniederschlagssumme, Jahresniederschlagsverteilung, trockene und feuchte Monate)
4. Welche Schlussfolgerungen können gezogen werden?
   (Ursachen für Temperatur- und Niederschlagswerte, Auswirkungen auf die Vegetation, Einordnen in Klima- und Vegetationszone)

Klimadiagramme digital erstellen

Klimadaten sind in Diagrammform anschaulicher, schneller erfassbar und leichter vergleichbar. Das Zeichnen von Klimadiagrammen per Hand ist aufwendig. Mithilfe des Computers lassen sich heute Klimatabellen viel leichter grafisch umsetzen. Neben Tabellenkalkulationsprogrammen gibt es auch spezielle Software, wie z. B. den Diercke Klimagraph.

1. Gib die folgende Adresse in deinen Web-Browser ein:
   http://www.diercke.de/unterricht/klimagraph.xtp
2. Verwendest du den Diercke-Weltatlas, findest du in der ersten Umschlagseite deinen persönlichen Online-Schlüssel, mit dem du dich kostenfrei im System anmelden kannst.
3. Gib die Daten aus der Klimatabelle ein (Ort, Höhe über dem Meeresspiegel, Monatsmitteltemperaturen, Monatsniederschläge). Die Jahresdurchschnittstemperatur sowie der Jahresniederschlag werden automatisch berechnet.
4. Kontrolliere deine Eingaben.
5. Das Ergebnis kannst du speichern. Es wird im JPG-Format abgelegt und kann so z. B. in ein Textverarbeitungsdokument, eine Präsentationssoftware oder ein Bildbearbeitungsprogramm eingefügt werden.

Ein Referat halten (aus Klasse 9)

Um ein Referat vorzubereiten, beachte Folgendes:

1. Auswählen des Themas:
   Festlegen des Themas, Gliederung erstellen
2. Sammeln von Material:
   Materialrecherche im Internet, in Fachliteratur, im Atlas etc. unter Beachtung des Themas und der Gliederung des Referats
3. Vorbereiten der Präsentation:
   Sortieren des Materials entsprechend der Gliederung des Vortrags, Anfertigen von Folien u.ä. zur Veranschaulichung der Inhalte, Erstellen eines Handouts, Anfertigen von Stichpunktzetteln
4. Halten des Referats (Präsentation)

Lebendiges Profil (aus Klasse 9)

Um ein Profil „lebendiger" zu gestalten und so einen besseren Überblick über eine Region zu erlangen, kannst du der Profillinie Aussagen zu Klima, Vegetation, Relief oder beispielsweise zu Wirtschaftsräumen zuordnen.
So gehst du dabei vor:

1. Sieh dir das Profil genau an und lies die zugehörigen Aussagen bzw. sammle weitere Informationen.
2. Ordne jeder Aussage einen passenden Abschnitt auf der Profillinie zu. Dahinter notierst du die Begründung für deine Zuordnung. Das ist wichtig, denn vielleicht sortieren nicht alle deine Mitschüler die Aussagen genauso ein wie du.
3. Diskutiert in einer Abschlussbesprechung mit der ganzen Klasse über eure Zuordnungen.

Auswertung von Statistiken (aus Klasse 9)

Auf diese Weise untersuchst du eine Statistik:

1. Darstellung von Sachverhalten:
   Welche Zeiträume, Bevölkerungsgruppen, Länderangaben o. ä. sind dargestellt?
2. Statistikform überprüfen:
   Weist die Darstellung Ungenauigkeiten auf (Nullpunkt der y-Achse in Diagrammen, Abmessungen und Eingrenzungen der Werte)? Wurden besondere Darstellungsmittel (Farben, Linienstärken o. ä.) verwendet?
3. Grundaussagen formulieren:
   Gib die Inhalte der Statistik mit eigenen Worten wieder. Bleiben dabei Fragen offen?
4. Sinn und Vergleichbarkeit der Darstellung:
   Wurden die Daten sinnvoll ausgewählt, dargestellt und sind sie vergleichbar?
   Ist eine zuverlässige Quellenangabe vorhanden?

Anfertigen eines Werbeprospekts (aus Klasse 9)

So erstellst du einen Werbeprospekt:

1. Vorüberlegungen/Überblick verschaffen:
   Klären, für welche Zielgruppe und welchen Anlass der Werbeprospekt bestimmt ist;
   Wählen eines Formats für den Werbeprospekt;
   Festlegen des Themas des Werbeprospekts;
   Überblick zu Materialien/Informationen der Themenseiten im Lehrbuch verschaffen
2. Erarbeiten der Inhalte des Werbeprospekts:
   Zusammenstellen wichtiger Informationen zum Thema: Bildmaterial, Grafiken …
3. Anfertigen des Werbeprospekts:
   Anordnen des zusammengestellten Materials unter Berücksichtigung der Grundregeln zur Gestaltung von Werbeprospekten

Erstellen einer Film- oder Radio-Reportage (aus Klasse 9)

So entwickelst du eine Reportage:

1. Thema, Umfang und Technik festlegen
2. Material sammeln: Quellen (Fachliteratur, Internet), Interviews, Befragungen, Bilder, Filmaufnahmen
3. Findet einen gelungenen Einstieg, der das Interesse der Zuhörer/Zuschauer weckt.
4. Erstellt leicht verständliche, aber auch fachlich richtige Beiträge. Beurteilt Eure Ergebnisse.
5. Stellt die Abschnitte der Reportage zusammen und wählt einen Sprecher aus. Nun muss die Reportage noch auf die festgelegte Länge geschnitten werden.

Bevölkerungsdiagramme auswerten (aus Klasse 8)

Folgenden Ablauf solltest du beachten:

1. Beschreibe die Form des Diagramms (z.B. Pyramide ...)
2. Sind Abweichungen von der Idealform erkennbar? Gibt es „starke" oder „schwache" Altersgruppen, Unterschiede bei Männern und Frauen, Einschnitte?
3. Finde Ursachen für die Altersstruktur.
4. Schließe aus der Bevölkerungsentwicklung bis zur Gegenwart auf die zukünftige Entwicklung.
5. Kennzeichne Probleme der Altersstrukturentwicklung.

Kartographische Skizzen anfertigen (aus Klasse 8)

Folgenden Ablauf solltest du beachten:

1. Untersuche anhand einer Atlaskarte die Umrisse des Gebietes auf einprägsame Formen.
2. Zeichne die Umrisse stark vereinfacht und freihändig auf dein Arbeitsblatt.
3. Trage mit unterschiedlichen Farben und Formen die geographischen Inhalte ein.
4. Beschrifte die eingezeichneten Objekte, finde eine Überschrift und lege eine Legende an.

Orientierung im Gradnetz (aus Klasse 7)

Um sich auf der Erde zu orientieren, wird das Gradnetz genutzt. Im Gradnetz wurden verschiedene Hilfslinien festgelegt: die Längenkreise und die Breitenkreise. Ein halber Längenkreis heißt Meridian.
Die Gradangaben für die Länge stehen am oberen und/oder unteren Rand einer Karte und oft am Äquator. Die Breitenangaben befinden sich am linken und/oder rechten Kartenrand.

Die Angabe der Lage erfolgt in:
1. Längengradzahl;
2. östlich/westlich des Nullmeridians;
3. Breitengradzahl;
4. nördlich/südlich des Äquators.

Ein Beispiel hierfür ist 21° N / 20° W.
Gesprochen: 21 Grad nördliche Breite (Nord) und 20 Grad westliche Länge (West).

Zeichnen eines Profiles (aus Klasse 7)

So zeichnest du ein Profil:
1. Durch welchen Raum soll die Profilstrecke laufen?
2. Lege ein kariertes, gefaltetes Blatt an die Profilstrecke und übertrage die Profilstrecke und deren Endpunkte.
3. Markiere die Schnittpunkte der einzelnen Höhenlinien (mit Höhenangabe) auf der Faltkante deines Blattes.
4. Errichte über den Endpunkten zwei Senkrechten. Trage auf ihnen den Höhenmaßstab ab.
5. Markiere für die Schnittpunkte die Höhe auf deinem Blatt. Verbinde die Höhenpunkte zu einer Linie.
6. Beschrifte das Profil.

Wirkungsgefüge erstellen (aus Klasse 7)

In fünf Schritten zum Wirkungsgefüge.
1. Lies den Text und unterstreiche wichtige Aussagen.
2. Notiere die Aussagen in Kurzform auf einem Zettel.
3. Ordne die Zettel in einer logischen Abfolge. Gibt es mehrere Ursachen für eine Wirkung?
4. Schreibe die Stichwörter auf und verbinde die Aussagen mit Pfeilen.
5. Präsentiere dein Wirkungsgefüge der Klasse.

Satellitenbilder beschreiben und auswerten (aus Klasse 6)

Satellitenbilder müssen intensiv bearbeitet werden.
1. Was weiß ich über Aufnahmegerät und -zeitpunkt? Wo liegt der aufgenommene Raum? Wo ist Norden auf meinem Satellitenbild?
2. Welche Flächen mit gleicher Farbe erkenne ich? Erkenne ich Muster, z. B. linienförmige Straßen?
3. Nutze den Atlas oder andere Nachschlagewerke, um weitere Merkmale im Satellitenbild zu schlussfolgern. Beschreibe Zusammenhänge.
4. Fertige, wenn notwendig, mithilfe des Satellitenbildes eine eigene Kartenskizze mit Legende an.

Tabellen auswerten (aus Klasse 5)

Schritt für Schritt: Daten überblicken, beschreiben und erklären.
1. Wie ist das Thema der Tabelle? (siehe Abbildungsunterschrift, Tabellenkopf)
2. Auf welchen Zeitraum beziehen sich die Aussagen? Lassen sich Entwicklungen ablesen?
3. Welches sind die Extremwerte? Wie ist die Verteilung der anderen Zahlen zwischen den Extremwerten?
4. Kann man die einzelnen Zahlen vergleichen? In welchem Verhältnis stehen die Werte zueinander?
5. Gibt es Zusammenhänge zwischen den Spalten?
6. Wie ist die Gesamtaussage der Tabelle?

Mit Karten und dem Atlas arbeiten (aus Klasse 5)

Im Atlas unterscheidet man physische und thematische Karten.

Physische Karten:
Zeigen vor allem die Lage von Orten, den Verlauf von Flüssen und Grenzen sowie Höhen und Tiefen der Oberflächenformen.

Thematische Karten:
Enthalten Angaben zu einem bestimmten Thema. Jede Karte hat bestimmte Signaturen und einen Maßstab.
(1 : 1 000 000 = 1 cm auf der Karte ≙ 1 000 000 cm in der Natur ≙ 10 km).

Thematische Karten auswerten (aus Klasse 5)

Willst du eine Karte lesen, musst du folgende Fragen an sie stellen:

1. Wie ist das Thema der Karte? (Abbildungsunterschrift)
2. Welches Gebiet wird dargestellt?
3. Wie groß ist das dargestellte Gebiet? (Maßstab, Maßstabsleiste)
4. Was bedeuten die eingetragenen Signaturen? (Legende)
5. Wie ist der Karteninhalt? Sind die Signaturen über die Karte verstreut oder an einigen Punkten konzentriert?
6. Gibt es Zusammenhänge zwischen den Aussagen, die du bei der Beschreibung des Karteninhalts gemacht hast?

Bilder beschreiben und auswerten (aus Klasse 5)

Folgende Fragen sollte man stellen:

1. Was? Wo? Wann?
   Welche/n Ort/Landschaft zeigt das Bild?
   Wo und wann wurde es aufgenommen?
   Wo liegt der Ort/die Landschaft? (Atlas)
2. Welche Einzelheiten kann man erkennen?
3. Was ist die wichtigste Aussage des Bildes?
4. Wie kann man das auf dem Bild Dargestellte erklären? Wenn du alle Einzelheiten im Zusammenhang betrachtest: Was kannst du über den abgebildeten Ort/die Landschaft sagen?

Diagramme zeichnen und auswerten (aus Klasse 5)

Wir unterscheiden Säulendiagramme, Balkendiagramme und Liniendiagramme.

Diagramme lesen:

1. Zu welchem Thema werden Aussagen gemacht?
2. Wie sind die einzelnen Werte verteilt? (Extremwerte, Verteilung der anderen Werte)
3. Wie ist die Gesamtaussage des Diagramms?

Diagramme zeichnen – Beachte:

1. Zwei Achsen bilden ein Achsenkreuz, genau im rechten Winkel.
2. Die Achse, auf der die Werte eingetragen werden, sollte bei Null beginnen. Sie sollte über den höchsten Wert hinausreichen, damit man auch diesen Wert gut ablesen kann.
3. Bei Diagrammen, die eine Entwicklung aufzeigen, müssen die Abstände zwischen gleich langen Zeitabständen auch gleich groß sein.
4. Die Über- oder Unterschrift gibt das Thema eines Diagramms an.

Fachtexte themenbezogen auswerten (aus Klasse 5)

Texte wertest du in fünf Schritten aus:

1. Lies den Text aufmerksam durch. Schlage unbekannte Wörter nach.
2. Gliedere den Text und formuliere Zwischenüberschriften.
3. Schreibe aus jedem Abschnitt die wichtigsten Begriffe, die Schlüsselwörter, heraus.
4. Fasse den Text in vollständigen Sätzen zu einer Inhaltsangabe zusammen.
5. Überlege, welche Absichten der Verfasser dieses Textes verfolgt.

Geo-Lexikon

Agglomerationsvorteil (Seite 83)
Gute Bedingung, die eine räumliche Ballung oder Verdichtung, z.B. von Bevölkerung oder Industrie, möglich macht.

Agrobusiness (Seite 74)
Organisations- und Produktionsform in der Landwirtschaft, die der Industrie ähnlich ist. Ein Kennzeichen von Unternehmen im Agrobusiness ist die Zusammenfassung aller Produktionsabläufe von der Herstellung über die Verarbeitung bis hin zur Vermarktung.

Akkumulation (Seite 44)
Sammlung von Verwitterungs- und Abtragungsmaterial in Form von Ablagerungen.

Aktivraum (Seite 108)
Gebiet mit hoher wirtschaftlicher Leistung. Es ist ein Zuwanderungsgebiet. Menschen ziehen hierher, weil in modernen Industrien gut bezahlte Arbeitsplätze angeboten werden. Anspruchsvolle Dienstleistungsberufe, wie z. B. Rechtsanwälte oder Architekten, sind häufig vertreten. Der Lebensstandard der Bevölkerung ist höher als in anderen Gebieten.

Aquakultur (Seite 24)
Aufzucht von Fischen oder Muscheln in Küstennähe, die in engen Käfigen gemästet und anschließend vermarktet werden.

Ausschließliche Wirtschaftszone (Seite 21)
Teil des Meeresgewässers, in dem ausschließlich der angrenzende Küstenstaat über alle Ressourcen im Meer und am Meeresboden verfügt. Es besteht für andere Staaten die Freiheit der Schifffahrt, des Überflugs sowie der Verlegung von untermeerischen Kabeln und Rohrleitungen.

Auswaschungshorizont (Seite 63)
Als Auswaschungshorizont bezeichnet man eine Bodenschicht, die kaum organische Substanz, Tonminerale und Eisen enthält. Die Substanzen wurden mit dem Sickerwasser in die darunter liegende Schicht transportiert.

Außenmigration (Seite 88)
Wanderung einzelner Menschen oder von Menschen in Gruppen über Staatsgrenzen hinweg. Sie ist mit einem Wechsel des Wohnsitzes verbunden.

Baltische Staaten (Seite 117)
Zusammenfassende Bezeichnung für die drei Staaten Estland, Lettland und Litauen, die hinsichtlich ihrer kulturellen Prägung zu Nordeuropa und hinsichtlich ihrer geographischen Lage zu Osteuropa gezählt werden.

Blaue Banane (Seite 113)
Der Begriff Blaue Banane bezeichnet ein wirtschaftsstarkes Gebiet in Europa, das sich bandförmig von Nordwesten nach Süden erstreckt: von Mittelengland über Brüssel, entlang des Rheins bis Mailand. Der Raum ist geprägt von zahlreichen städtischen Zentren, hoher Bevölkerungsdichte, einer hohen Dichte an Industrie und Dienstleistungen sowie Forschung und Entwicklung.

Beifang (Seite 22)
Fische und Meerestiere, die bei der Fischerei durch Netze gefangen werden, aber nicht das Ziel des Fischfangs sind. Sie werden als Abfall zurück ins Meer geworfen, meist tot oder schwer verletzt.

Belastungsverhältnis (Seite 46)
Verhältnis zwischen Wasserführung (Transportkapazität) eines Flusses und seiner Sedimentfracht.

Billigflagge (Seite 30)
Begriff für die Flagge eines meist wirtschaftlich schwächeren Staates, unter der Schiffe ausländischer Reedereien fahren, die in diesem Land registriert sind. Die Registrierung unter einer Billigflagge bringt finanzielle Vorteile durch die Einsparung von Steuern bzw. geringere Sozial- und Sicherheitsvorschriften gegenüber der Registrierung im eigenen Staat.

Binnenmeer (Seite 10)
Meer, das fast vollständig von Festland umgeben ist und nur einen schmalen Zugang zum offenen Ozean hat (z.B. Ostsee).

Binnenmigration (Seite 88)
Wanderung einzelner Menschen oder Menschengruppen innerhalb von Staatsgrenzen. Sie ist mit einem Wechsel des Wohnsitzes verbunden.

Black Smoker (Seite 26)
Heiße Quelle am Tiefseeboden. Im heißen Wasser, das aus kegelförmigen Gebilden aus Mineralien austritt, sind Stoffe gelöst. In Kontakt mit kaltem Wasser fallen sie aus und erwecken so den Anschein eines rauchenden Schornsteins.

Bodenart (Seite 58)
Einteilung der Böden nach der Korngrößenzusammensetzung (z. B. Tonboden, Sandboden).

Bodenerosion (Seite 80)
Prozess der Abtragung des Bodens besonders durch Wasser und Wind. Sie führt meist zur Verminderung der Bodenfruchtbarkeit und im Extremfall zur Zerstörung der Bodendecke.

Bodenhorizont (Seite 58)
Unterschiedlich mächtige, mehr oder weniger parallel zur Erdoberfläche verlaufende und mit verschiedenen Merkmalen ausgestattete Bodenschichten.

Bodenorganismus (Seite 59)
Der Boden ist ein wichtiger Lebensraum für viele Pflanzen und Tiere. Alle dauerhaft im Boden le-

benden Lebewesen werden als Bodenorganismen bezeichnet. Hierzu gehören z. B. Algen, Pilze, Bakterien, Würmer und Insekten.

Bodentyp (Seite 58)
Grundlegende Einteilung der Böden, die die Gesamtheit der bodenbildenden Faktoren berücksichtigt. Die Benennung eines Bodentyps orientiert sich zumeist an der im Bodenprofil sichtbar werdenden Abfolge der Bodenhorizonte.

Cluster (Seite 83)
Das Cluster bezeichnet eine räumliche Konzentration miteinander verbundener Unternehmen und Institutionen (auch Forschungseinrichtungen, Hochschulen etc.) innerhalb eines bestimmten Wirtschaftszweiges.

Deflation (Seite 54)
Abtragungsform des Windes. Auf Gesteinsoberflächen vorhandenes Lockermaterial bzw. Lockersedimentdecken werden durch die Kraft des Windes ausgeweht und abtransportiert.

Denudation (Seite 46)
Oberbegriff für flächenhafte Abtragungsprozesse. Dies sind z. B. Erosion durch Flüsse oder Eis.

Diagenese (Seite 56)
Die Diagenese ist die Verfestigung von lockeren Sedimenten (z. B. Sand) zu festen Gesteinen (z. B. Sandstein). Dieser Vorgang ist ein Teil des Gesteinskreislaufs.

Direktsaat (Seite 80)
Anbaumethode, bei der die Aussaat erfolgt, ohne zuvor den Boden bearbeitet zu haben. Die Pflanzenreste der vorherigen Fruchtfolge bleiben auf dem Feld.

EFRE (Europäischer Fonds für regionale Entwicklung) (Seite 114)
Der Fonds dient der finanziellen Unterstützung für benachteiligte Regionen. Private und öffentliche Projekte können unterstützt werden, um so die Entwicklung einer Region zu fördern.

Ekliptik (Seite 50)
Scheinbarer Verlauf, den die Sonne innerhalb eines Jahres am Himmel nimmt.

El Niño (Seite 18)
Wetterphänomen im äquatorialen Pazifikraum (zwischen Südamerika und dem südostasiatischen Raum). In mehrjährigen Abständen (antizyklisch) kommt es zu veränderten Wind- und Meeresströmungen im Pazifik und somit zu einer Umkehrung der normalen Wettersituation. An der Westküste Südamerikas kommt es zu starken Regenfällen mit Überschwemmungen. An der Australischen Ostküste hingegen herrscht Trockenheit und es treten vermehrt Waldbrände auf.

Erosion (Seite 44)
Die Abtragung von Boden und Gestein durch fließendes Wasser, Eis oder Wind.

ESF (Europäischer Sozialfonds) (Seite 114)
Fonds der Europäischen Union, der finanziell Programme unterstützt, die Menschen in Beschäftigung bringen wollen. Er soll der wirtschaftlichen und sozialen Zusammenarbeit in weniger gut entwickelten Regionen Europas dienen.

ESI (Europäische Struktur- und Investitionsfonds) (Seite 114)
Die übergeordnete Bezeichnung für Fonds, die die Entwicklung Europas unterstützen. Dazu gehören z. B. der EFRE und der ESF. Förderbereiche sind unter anderem Arbeitsmöglichkeiten, Aus- und Weiterbildung und Regionalförderung.

Exzentrizität (Seite 50)
Griech.: „außerhalb der Mitte". Die Exzentrizität beschreibt die Bahn eines Himmelskörpers im Sonnensystem.

Fahlerde (Seite 63)
Extrem entwickelte Parabraunerde. Der Oberboden dieses Bodentyps ist stark versauert. Ton wird aus dem Ober- in den Unterboden verlagert oder zerstört. Der nahezu undurchlässige Tonanreicherungshorizont im Untergrund sorgt für Wasserstau (erhöhte Vernässungstendenz).

Feuersteinlinie (Seite 50)
Durch Mitteleuropa verlaufende Linie, die die südlichsten Vorkommen von Feuersteinen markiert. Da die Feuersteine ursprünglich aus dem Ostseeraum stammen und vom Gletschereis verfrachtet wurden, liefern sie den Beweis für das maximale Vordringen des Inlandeises.

Fluvialer Prozess (Seite 44)
Vorgang, der von fließendem Wasser bewirkt wird, wie z. B. Transport von Gesteinsmaterial, Erosion und Sedimentation.

GAP (Gemeinsame Agrarpolitik) (Seite 78)
Politik der Europäischen Union, die die gemeinsame Landwirtschaft betrifft. Mit ihrer Hilfe soll die Entwicklung der Landwirtschaft gelenkt und Landwirte unterstützt werden. Die politischen Maßnahmen beinhalten z. B. Direktzahlungen an Landwirte und gemeinsame Regelungen für landwirtschaftliche Erzeugnisse. Außerdem zielt sie auf die Entwicklung des ländlichen Raums ab.

Geröll (Seite 44)
Grobe Gesteinstrümmer, die beim Transport im fließenden Wasser gerollt und dabei abgerundet werden. Die Größe von Geröllen liegt zwischen 2 und 20 cm.

Geographisches Informationssystem (GIS) (Seite 110)
Als GIS wird eine Software bezeichnet, mit deren Hilfe man Daten über einen Raum in einer Dateneingabe erfassen, in einer Datenbank verwalten, in einer Datenauswertung analysieren und mit einer Datenausgabe präsentieren kann. Die Präsentation geschieht z. B. in Form einer Karte oder einer Tabelle.

Gleithang (Seite 48)
Uferform eines mäandrierenden Flusses. Es ist ein flaches Ufer und liegt dem Prallhang gegenüber. Hier fließt der Fluss langsamer und lagert daher mitgeführtes Gesteinsmaterial ab.

Gletscherschliff (Seite 50)
Schrammen, Kratzer und Furchen, die durch die Wirkung von Gletschern auf geglättete und polierte Felsoberflächen entstanden sind. Sie zeigen die Bewegungsrichtung des Eisvorstoßes an.

Gunstraum (Seite 72)
Naturraum mit guten Voraussetzungen z. B. für die landwirtschaftliche Nutzung (fruchtbare Böden, reiches Wasserangebot, klimatische Vorzüge).

GUS (Gemeinschaft Unabhängiger Staaten) (Seite 117)
Staatenbund, in dem sich nach dem Zusammenbruch der Sowjetunion zwölf der 15 Nachfolgestaaten zusammenschlossen.

Harte Standortfaktoren (Seite 82)
Voraussetzungen für die Ansiedlung eines Unternehmens an einem bestimmten Ort. Harte Standortfaktoren sind messbare, kostenwirksame Voraussetzungen, wie u. a. Steuern, Subventionen, gute Verkehrsanbindung und vorhandene Arbeitskräfte.

Hochseefischerei (Seite 23)
Fischfang in Meeresgewässer, das sich weit entfernt von einer Küste befindet.

Humus (Seite 59)
Abgestorbene pflanzliche und tierische Organismen, die im Nährstoffkreislauf von Kleinstlebewesen zersetzt werden. Humus ist sehr nährstoffreich, in der gemäßigten Zone meist im obersten Bodenhorizont.

Hypsometrische Kurve (Seite 11)
Grafische Darstellung der Anteile der verschiedenen Höhenstufen am Relief der gesamten Erdoberfläche. Die hypsometrische Kurve zeigt die Höhenverteilung eines geografischen Gebiets.

Intensivtierhaltung (Seite 74)
Wirtschaftsform, bei der ein Betrieb Tausende von Tieren (z. B. Hühner, Schweine, Rinder) hält. Diese Betriebe sind meist stark automatisiert und mechanisiert, um die anfallende Arbeit (z. B. Füttern) schnell erledigen zu können.

Just in time (Seite 83)
Organisation der Zulieferung von Teilen, die bei der Produktion verwendet werden. Die Lieferung der Teile erfolgt erst, wenn sie in der Produktion benötigt werden. So entfällt eine kostenintensive Lagerung.

Karst (Seite 43)
Diese Landschaftsform bezeichnet ein Gebiet, in dem aufgrund wasserlöslicher Gesteine (z. B. Kalk) Karstformen vorkommen: z. B. Höhlen, Grotten, unterirdische Flüsse, Tropfsteine, Dolinen.

Kationenaustauschkapazität (KAK) (Seite 60)
Die Fähigkeit des Bodens, Nährstoffe zu speichern und wieder abzugeben, wird Kationenaustauschkapazität genannt. Wichtige Kationen (positiv geladene Ionen) sind z. B. Calcium, Magnesium, Aluminium und Kalium.

Kerbtal (Seite 46)
Tal mit steilen Wänden und einer schmalen Talsohle. Wegen seiner Form auch als V-Tal bezeichnet.

Klamm (Seite 46)
Tal mit senkrechten, oft hohen Talwänden. Eine Klamm entsteht, wenn ein Fluss ausschließlich in die Tiefe von sehr widerständigen Gesteinen erodiert.

Kohäsionspolitik (Seite 114)
Politik der Europäischen Union, die auf den Zusammenhalt zwischen Staaten und Regionen zielt. Ein Ziel ist, die wirtschaftliche Entwicklung zwischen reicheren und ärmeren Regionen auszugleichen.

Kontinentalabhang (Seite 11)
Bereich des Ozeanbodens, der sich von der Schelfkante (100–200 m Tiefe) bis zum Kontinentalfuß (in etwa 2000–4000 m Tiefe) absenkt. Er ist der Rand zwischen der kontinentalen und der ozeanischen Kruste und gehört zur kontinentalen Kruste. Kontinentalabhänge treten überall an den Kontinenten auf.

Kontinentalschelf (Seite 11)
Umfasst den Flachmeerbereich des Weltmeeres als Teil des Festlandsockels zwischen der Küste und einer Meerestiefe von ca. 200 m.

Konventionelle Landwirtschaft (Seite 74)
Die konventionelle Landwirtschaft ist eine Form der Landwirtschaft, bei der großflächig Monokulturen angebaut werden. Ackerflächen werden ohne Pause für den Boden genutzt und es kommen Chemikalien zur Düngung und Schädlingsbekämpfung zum Einsatz.

Korrasion (Seite 54)
Abtragung von Gesteinsoberflächen bzw. deren Formung durch die Kraft des Windes. Durch diese Art der Erosion, ähnlich der eines Sandstrahlgebläses, können Erosionsformen wie Windkanter oder Pilzfelsen entstehen.

Küstenfischerei (Seite 23)
Fischfang in Meeresgewässer in Küstennähe mit kleineren Booten bis 16 m Länge.

Küstenwüste (Seite 16)
Wüste in Küstennähe, bedingt durch kalte Meeresströmungen. Küstenwüsten liegen an den Westküsten der Kontinente im Bereich der Wendekreise. Sie sind eine Sonderform der Wendekreiswüsten.

La Niña (Seite 18)
Wetterereignis, das meist im Anschluss an ein El-Niño-Ereignis auftritt. Es ist das entgegengesetzte Phänomen zu El Niño. Die typischen Klimaverhältnisse einer Region verstärken sich, d.h. in Gebieten mit hohen Niederschlägen gibt es zusätzlich starke Regenfälle.

Mäander (Seite 48)
Fluss- und Talschlingen die in nahezu regelmäßigen Schwingungen auftreten. Charakteristisch sind Prall- und Gleithang. Die Entstehung eines Mäanders wird durch ein geringes Gefälle des Fließgewässers verursacht.

Manganknolle (Seite 26)
Unregelmäßig geformte Gesteinsverfestigung aus Mangan- und Eisenverbindungen sowie weiteren Elementen/Metallen auf dem Tiefseeboden. Sie kommt in Tiefen von 3000–6000 m vor. Der Durchmesser einer Manganknolle beträgt wenige Zentimeter bis mehrere Meter. Ihr Kern ist in Schalen mit weiteren Materialien (Magmatite, Sedimente oder Fossilien) aufgebaut.

Mineralisierung (Seite 58)
Als Mineralisierung bezeichnet man in der Bodenkunde den Abbau von organischen zu anorganischen Substanzen durch Bakterien oder Pilze. Sie sorgen dafür, dass beispielsweise Stickstoff oder Phosphor von den Pflanzen aufgenommen werden können.

Mittelozeanischer Rücken (Seite 11)
Langgestreckte, untermeerische Erhebung, die in allen Ozeanen vorkommt und in die erdumspannenden Bewegungen von kontinentalen und ozeanischen Platten eingebunden ist.

Mulchsaat (Seite 80)
Anbaumethode, bei der die Aussaat auf dem mit den Pflanzenresten der vorhergehenden Bepflanzung bedeckten Boden erfolgt. Der Mulch wird nicht untergepflügt und dient so als Schutz für Pflanzen und Boden.

Muldental (Seite 46)
Flaches Tal mit muldenförmigem Profil. Ein Muldental ist gekennzeichnet durch sanfte Übergänge zwischen seinem tiefsten Teil und den umgebenden Hängen. Muldentäler bilden sich in Gebieten mit starker flächenhafter Abtragung und entstehen z.B. in den Periglazialgebieten und in den wechselfeuchten Tropen.

Nachhaltigkeit (Seite 24)
Im Rahmen der Agenda 21 erklärten 178 Staaten Nachhaltigkeit zu einem wichtigen Ziel ihrer Entwicklung. Nachhaltig zu leben bedeutet, dass man bei der Deckung seiner Bedürfnisse immer darauf achtet, dass keine Schäden (z.B. ökologische oder wirtschaftliche) entstehen, die zukünftigen Generationen das Leben auf unserem Planeten erschweren. Ein Projekt bzw. ein Unternehmen arbeitet dann nachhaltig, wenn zukünftig keine Schäden in der natürlichen Umwelt auftreten (Ökologie), sich die Lebensbedingungen der Menschen verbessern (Soziales) und trotzdem wirtschaftliche Gewinne (Ökonomie) erzielt werden.

Natürliche Bevölkerungsbewegung (Seite 86)
Die natürliche Bevölkerungsbewegung wird durch die Differenz zwischen Geburten- und Sterbefällen bestimmt.

Nebenmeer (Seite 10)
Oberbegriff zu einem von Land oder einer Inselgruppe umgebenen Meeresteil mit Zugang zu einem Ozean. Nebenmeere können Rand- oder Binnenmeere sein.

Oberflächenströmung (Seite 14)
Eine Meeresströmung, bei der Wassermassen im Weltmeer transportiert werden. Die Oberflächenströmung entsteht u.a. durch die Schubkraft der Winde, die über längere Zeit aus denselben Richtungen wehen, wie z.B. die Passat- und Monsunwinde. Sie wird auch als Drift bezeichnet.

Offshore (Seite 26)
Engl.: „küstenfern". Verfahren zur Förderung von Erdöl und Erdgas im Meer, vor der Küste auf dem das Festland umgebenden Schelf. Gefördert wird meist von Bohrinseln oder von Schiffen aus.

Ökologischer Landbau (Seite 76)
Die ökologische Landwirtschaft ist eine Form der Landwirtschaft, die nur natürliche Einsatzstoffe zum Anbau von Pflanzen oder zur Aufzucht von Tieren nutzt. Es werden Naturdünger (z.B. Kuhmist), biologische Schädlingsbekämpfung und weniger Zusatzstoffe im Tierfutter eingesetzt.

Passivraum (Seite 108)
Ein Passivraum ist ein Gebiet mit geringer wirtschaftlicher Leistung. Vor allem junge Menschen wandern aus Passivräumen ab, weil diese kaum Arbeitsplätze bieten.

Pedosphäre (Seite 58)
Die Pedosphäre ist eine Teilhülle der Geosphäre, der Hülle der Erde. Sie umfasst alle Böden der Erdoberfläche.

Prallhang (Seite 48)
Teil des Flussufers, an den der Fluss prallt und die Uferböschung unterspült. Der Prallhang am Fluss ist immer steil. Er liegt dem Gleithang gegenüber.

Präzession (Seite 50)
Kreiselbewegung der Rotationsachse der Erde. Die Präzession ist eine langfristige und wiederkeh-

rende Richtungsänderung der Erdrotationsachse. Ein Umlauf dauert etwa 22000 Jahre. Ursache sind die Gravitationskräfte von Mond und Sonne.

Primärer Sektor (Seite 70)
Der Teil der Wirtschaft, der sich mit der Produktion von Rohstoffen beschäftigt: Landwirtschaft, Forstwirtschaft, Fischerei und Bergbau (ohne Förderproduktaufbereitung).

Quartärer Sektor (Seite 70)
Höherwertige Tätigkeiten aus dem Bereich des tertiären Sektors (Dienstleistungssektor), die eine qualifizierte Ausbildung und ausgeprägte Verantwortungsbereitschaft erfordern.

Randmeer (Seite 10)
Unterform des Nebenmeeres. Vom offenen Meer durch Inseln, Halbinseln und Inselketten abgetrennter Meeresteil an einem Kontinentrand (z.B. die Nordsee).

Raumanalyse (Seite 96)
Komplexe Untersuchung und umfassende Darstellung der in einem bestimmten Raum gegebenen natur- und kulturgeographischen Verhältnisse.

Räumliche Disparität (Seite 108)
Unterschiedliche Ausstattung von Regionen. Diese zeigt sich im unterschiedlichen Angebot an Arbeitsplätzen oder an unterschiedlichen Lebensbedingungen.

Seamount (Seite 11)
Unterwasserberge, die ihre Umgebung um etwa 1000–4000 m überragen, aber nicht über den Meeresspiegel reichen. Sie entstehen durch Hot-Spot-Vulkanismus oder durch divergierende Plattengrenzen, besonders in der Nähe von mittelozeanischen Rücken.

Sedimentation (Seite 44)
Ablagerung von verwittertem Gesteinsmaterial verschiedener Größe durch Gewässer, Gletscher und Wind.

Seerechtskonferenz (Seite 20)
Treffen der Staatengemeinschaft der Vereinten Nationen, um über das Seerecht zu verhandeln. Die ersten zwei Seerechtskonferenzen fanden 1958 und 1960 in Genf statt. Themen waren die Nutzung der Meeresressourcen und Meeresverschmutzung. Verträge wurden geschlossen, z.B. über ein Verbot der Stationierung nuklearer Waffen auf dem Meeresboden. 1982 schloss man die Konferenz mit dem Seerechtsübereinkommen ab.

Seerechtsübereinkommen (Seite 20)
Abkommen über das internationale Seerecht, das von mehr als 160 Staaten anerkannt ist. Es enthält z.B. Regelungen über die Breite des Küstenmeeres, die Einführung einer neuen Wirtschaftszone auf dem Meer und zum Meeresschutz.

Seitenerosion (Seite 44)
Die seitliche Abtragung eines Flusses (Erosion am Ufer) nennt man Seitenerosion. Hierbei werden die Talhänge unterschnitten und Hangmaterial bricht nach.

Sektorentheorie (Seite 70)
Wirtschaftstheorie, mitbegründet vom Wirtschaftswissenschaftler Jean Fourastié in der ersten Hälfte des 20. Jahrhunderts. Nach der Sektorentheorie werden die Beschäftigten eines Landes in drei Wirtschaftssektoren unterteilt: primärer, sekundärer und tertiärer Sektor. Zudem beschreibt die Theorie den Übergang eines sich wirtschaftlich entwickelnden Landes von einer Agrar- über eine Industrie- zu einer Dienstleistungsgesellschaft. Die Anteile der Beschäftigten an den jeweiligen Sektoren verändern sich zugunsten des tertiären Sektors.

Sekundärer Sektor (Seite 70)
Der Teil der Wirtschaft, der sich mit der Bearbeitung, Verarbeitung und Aufbereitung von Rohstoffen beschäftigt: Industrie, Handwerk, Bauwirtschaft, Energiewirtschaft, Heimarbeit.

Sohlenkerbtal (Seite 46)
Talform mit steilen, gestreckten Hängen und breiter Talsohle. Die Form entsteht durch starke Tiefenerosion und starke Hangdenudation. Verstärkte Seitenerosion führt zu einer Ausweitung des felsigen Talbodens.

Sohlental (Seite 46)
Talquerprofil, das bei starker Seitenerosion und aussetzender Tiefenerosion entsteht. Die Talhänge werden soweit seitlich verlegt, dass das Tal zwar eine große Breite, aber nur kurze Talhänge aufweist. Die Talsohle ist zumeist mit akkumuliertem Erosionsschutt bedeckt.

Solifluktion (Seite 53)
Form des Bodenfließens, die sich unter periglazialen Bedingungen vollzieht. Es ist eine langsame Massenbewegung von wassergesättigtem Material hangabwärts.

Sorptionsvermögen (Seite 60)
Das Sorptionsvermögen (auch: Austauschkapazität) ist die Fähigkeit des Bodens, Nährstoffe in Form von positiv und negativ geladenen Ionen (Kationen und Anionen) zu speichern und bei Bedarf wieder abzugeben.

Standortanforderung (Seite 82)
Bedingungen, die ein Unternehmen an seinen Standort, seine Umgebung stellt, um wirtschaftlich erfolgreich zu sein.

Staunässe (Seite 63)
Nicht in den Untergrund versickernde Niederschläge, insbesondere bei lehmig-tonigen Böden.

Stromstrich (Seite 48)
Gedachte Linie, welche die Punkte mit maximaler Oberflächengeschwindigkeit des abfließenden Wassers in einem Fluss verbindet. Sie verläuft über dem tiefsten Bereich des Flussbettes. Dort findet die stärkste Tiefenerosion statt.

Tertiärer Sektor (Seite 70)
Der Teil der Wirtschaft, der Dienstleistungen erbringt: Handel, Banken, Verkehr, Tourismusgewerbe, Verwaltung, Bildungs- und Gesundheitswesen, freie Berufe (Ärzte, Rechtsanwälte, Architekten etc.).

Tiefenerosion (Seite 44)
Das Einschneiden des Flusses in seinen Untergrund.

Tiefenströmung (Seite 14)
Meeresströmung, die am oder nahe des Meeresgrundes verläuft.

Tiefseebecken (Seite 11)
Oberflächenform des Meeresbodens, die sich zwischen den Kontinentalrändern und den mittelozeanischen Rücken erstreckt. Sie nehmen etwa ein Drittel des Meeresbodens ein. Die Tiefseebecken werden durch Ebenen, Hügelzonen, Schwellen und Bruchzonen gegliedert.

Tiefseerinne (Seite 11)
Zone mit einer Wassertiefe bis über elf Kilometer, an der eine Platte subduziert.

Ton-Humus-Komplex (Seite 60)
Ton-Humus-Komplexe sind Verbindungen aus Humus und Tonmineralen. Sie werden vor allem durch ein aktives Bodenleben geschaffen, so z.B. als Verdauungsprodukte von Regenwürmern. Viele Ton-Humus-Komplexe führen zu einer stabileren Bodenstruktur.

Tonmineral (Seite 59)
Sind blättchenförmige OH-haltige Silikate mit unterschiedlichem Schichtaufbau (Zweischicht- und Dreischichtsilikate), deren Einzelpartikel fast immer kleiner als 0,002 mm sind. Tonminerale sind für den Stoffhaushalt der Böden ausgesprochen wichtig.

Transformationsprozess (Seite 116)
Umwandlungsprozess eines (meist) politischen Systems in ein anderes und die damit einhergehenden Veränderungen der sozialen, wirtschaftlichen, politischen und kulturellen Prägungen der Gesellschaft.

Überfischung (Seite 22)
In einem Fanggebiet wurden so viele Fische gefangen, dass nicht mehr genügend junge Tiere nachwachsen können. Der Fischfang kommt zum Erliegen.

Ungunstraum (Seite 72)
Raum, der aufgrund seiner naturräumlichen Ausstattung wenig für eine (landwirtschaftliche) Nutzung geeignet ist.

Verbraunung (Seite 62)
Vorgang, bei dem durch Versauerungserscheinungen im Oberboden der Boden eine braune Färbung annimmt. Eisenoxide und Eisenhydroxide werden dabei freigesetzt und auf den Bodenmineralen als brauner Belag sichtbar.

Verlehmung (Seite 62)
Prozess der Bodenbildung, bei dem die Korngrößen durch chemische Verwitterung und Neubildung von Tonmineralen kleiner werden. Der Boden wird immer feiner.

Verwitterung (Seite 40)
Zerfall von Gesteinen an der Erdoberfläche unter Einwirkung physikalischer und chemischer Kräfte (Frost, Hitze, Wasser). Die Verwitterung ist die Voraussetzung für die Abtragung und beeinflusst damit wesentlich die Formung der Erdoberfläche, außerdem lockert sie diese und ermöglicht somit die Bodenbildung.

Virtuelles Unternehmen (Seite 83)
Eine zeitlich begrenzte Kooperation von unabhängigen Unternehmen. In einem virtuellen Unternehmen werden Wissen, Kosten und Zugang zu Märkten für die Erstellung eines Produkts oder einer Dienstleistung miteinander geteilt.

Wasserhaushaltsgleichung (Seite 12)
Beziehung, welche die mengenmäßige Beschreibung des Wasserhaushalts gestattet. Die einfache Wasserhaushaltsgleichung für Einzugsgebiete lautet $N=V+A$ (Niederschlag = Verdunstung + Abfluss), sie ist nur langjährig gültig. Bei kurzfristigen Betrachtungen muss die Speicheränderung berücksichtigt werden. Die Gleichung wird demzufolge durch die Glieder R (Rücklage) und B (Aufbrauch) ergänzt und lautet: $N=A+V+(R-B)$.

Weiche Standortfaktoren (Seite 82)
Voraussetzungen für die Ansiedlung eines Unternehmens an einem bestimmten Ort. Weiche Standortfaktoren sind kaum messbare Voraussetzungen, wie u.a. günstiges Klima, Mentalität der Bevölkerung, Freizeitwert, Image als Wirtschaftsstandort.

Windschliff (Seite 55)
Abtragung von Gestein durch Wind. Bei starker Windströmung können feinste Sedimentteilchen/Sandkörner das Gestein abschleifen.

Wirtschaftssektor (Seite 70)
Wirtschaftsbereich, in dem ähnliche Wirtschaftszweige zusammengefasst sind. Unterschieden wird in primären, sekundären und tertiären Sektor.

Bildquellenverzeichnis

123RF.com, Hong Kong: 6/7 (nisanga), 17 M4, 24 M1, 24 M3, 28 M1 (Eugene Suslo), 40 M1 (Dale Wagler), 40 M2 (Risto Hunt), 42 M1 (Wacharachat Vaiyaboon), 46 M1 li. (Kan Khampanya), 74 M1, 75 M5, 76 M1 (Marina Kuchenbecker), 88 M1 (Arne Bramsen), 88 M2 (artono9), 99 M5 o.re., 128 M1 (skyfish555); action press, Hamburg: 22 M3 (Nibor); Anders, Uwe, Cremlingen/Destedt: 64 M2 Fotos; Audi AG/Media Services, Ingolstadt: 99 M5 o.li., 99 M6 li.; Baaske Cartoons, Müllheim: 35 o.re. (Espermüller), 77 M7 (Langer); beck*cartoons/www.schneeschnee.de, Leipzig: 23 M7; Bildarchiv Boden-Landwirtschaft-Umwelt, Creglingen: 64 M1; BMW Group PressClub, München: 82 M1; Bräuer, Kerstin, Leipzig: 114 M1, 116 M1, 117 M3 re., 117 M4; Bundesamt für Bauwesen und Raumordnung (BBR), Bonn: 89 M3 (aus: Analysen Bau.Stadt.Raum 2 „Deutschland anders sehen, Atlas zur Raum- und Stadtentwicklung"); Bundesanstalt für Landwirtschaft und Ernährung (BLE), Bonn: 104 Foto o.; CNH Deutschland GmbH, Heilbronn: 70 M1 li.o.; Colourbox.com, Odense: 74 M3; Corbis, Berlin: Titel (Bernard Radvaner); Ditzel, Heribert, Denzlingen: 54 M2; dreamstime.com, Brentwood: 20 M1 (Mike K.), 30 M2 (Wimclaes), 30 M3 (Kajornyot), 46 M1 re.u. (Zwawol), 68/69 (Kornelija), 80 M3 (Lithiumphoto), 96 M2 (Hiro1775), 112 M1 (7xpert), 123 M5 (02irina), 124 u.re. (Kriegig); Eitel, Bernhard, Heidelberg: 63 M4 re.; ELBEPARK Dresden: 84 M2; eoVision, Salzburg: 15 M4; ESO, Garching bei München: 16 M1 (Clem & Adri Bacri-Normier/wingsforscience.com); Fondation Jacques Rougerie, Paris: 8 M1 (©SeaOrbiter®/Jacques Rougerie); fotolia.com, New York: 10 M2 (Anton Balazh), 14 M1 (babimu), 16 M3 (Carsten Krüger), 22 M1 (qvattro), 26 M2 (Daniel Strauch), 36/37 (andregleichmann), 39 M5 (amadeusamse), 44 M1 (reimax16), 46 M1 re.o. (aotearoa), 48 M1 (U. Gernhoefer), 48 M3 (mimadeo), 56 M1 (fm), 57 M5 (xangai), 60 M1 (cmfotoworks), 70 M1 li.u. (Gernot Krautberger), 70 M1 re.o. (Lottchen), 72 M3 (Edith Czech), 78 M1 (Dreadlock), 92 M1 (Marcel Schauer), 104 Foto u. (Johan Larson), 108 M1 (nmann77), 117 M3 und 124 Flaggen (cunico), 118 M1 (yulenochekk), 126/127 (seqoya), 132 M1 (LianeM); Gerber, Wolfgang, Leipzig: 94 M1, 94 M3; Görmann, Felix, Berlin: 86 M1; Hachette Jeunesse, Paris: 11 M3; Haitzinger, Horst, München: 105 u.li.; Harreck-Haase, Frank/www.historisches-chemnitz.de, Chemnitz: 98 M4 (Sächsische Maschinenfabrik vorm. Richard Hartmann AG); Image & Design - Agentur für Kommunikation, Braunschweig: 146 Vorsatz vorn; Institut für Bodenwissenschaften, Göttingen: 63 M6 re.; iStockphoto.com, Calgary: 18 M1, 30 M1 (Dan Barnes), 84 M1, 96 M1, 130 M1 (Abenaa); Jenni Energietechnik AG, Oberburg: 119 M7 (Orlando Eisenmann); Knigge, Hannover: 63 M5 re.; Kotztin, S., Meissen: 54 M1; Kristian Kretschmann/boersenblog.biz, Hamburg: 108 M3; Liebmann, Ute, Leipzig: 50 M1, 55 M3; Morgeneyer, Frank, Leipzig: 110 M1, 111 M3, 111 M4; NASA/JPL: 19 M5; Nationalparkverwaltung Sächsische Schweiz, Bad Schandau: 57 M3 (Archiv Nationalparkverwaltung); noble kommunikation GmbH, Neu-Isenburg: 33 M3 (Royal Caribbean International); Picture-Alliance, Frankfurt/M.: 18 M3 (epa efe Prefectura del Beni), 35 u.li. (AFP), 106/107 (PIXSELL), 122 M1 li. (ZB); punctum FOTOGRAFIE, Leipzig: 39 M3 (Andreas Schmidt); Rieke, Michael, Hannover: 62 M3 re.; Sächsisches Landesamt für Umwelt, Landwirtschaft und Geologie, Dresden: 55 M4 (Archiv Naturschutz LfULG, D. Synatzschke); Sächsisches Staatsministerium für Wirtschaft, Arbeit und Verkehr - Verwaltungsbehörde ESF, Dresden: 115 M2; Sakurai, Heiko, Köln: 35 o.li.; Schönauer-Kornek, Sabine, Wolfenbüttel: 26 o.re., 57 M4; Schoßig, Uwe, Leipzig: 70 M1 re.u.; Spitzbergen.de/Rolf Stange, Dresden: 52 M1; TCC Technologie Centrum Chemnitz GmbH, Chemnitz: 85 M3; The Siberian Times, Ugakhan: 121 M4 (Will Stewart); Tourismusverband Sächsisches Elbland e.V./www.elbland.de, Meißen: 72 M1 (Rainer Weisflog); Träupmann, Dietmar, Augustusburg: 98 M1; Umweltbundesamt, Dessau: 80 M1 (S. Marahrens); Verein Internationales Trabant Register e.V., Zwickau: 99 M6 re.o.; Visum Foto GmbH, Hannover: 49 M4 (Aufwind-Luftbilder); Volkswagen AG, Wolfsburg: 97 M3, 99 M5 u., 99 M6 re.u.; Vorwerk Podemus, Biofleisch- und Wurstwaren, Dresden-OT Podemus : 79 Logo; Wanner, Monique, Berlin: 95 M4; weberag - Westsächsische Entwicklungs- und Beratungsgesellschaft Glauchau mbH, Glauchau: 103 M2 (Karte: Stadt Glauchau, Bearbeitung: weberag mbH); Weisflog, Rainer, Cottbus: 39 M4; Wiedenroth, Götz/www.wiedenroth-karikatur.de, Flensburg: 125 u.li.; wikipedia.org: 122 M1 re.; www.isa.org, Kingston: 26 M1 (Karte: NOAA).

Sachsen-Anhalt
Thüringen
Bayern
Brandenburg
Halle
Leipzig
Chemnitz
Leipziger Tieflandsbucht
Dübener Heide
Annaburger Heide
Dahlener Heide
Großenhainer Pflege
Lommatzscher Pflege
Vogtland
Erzgebirge
Elstergebirge
Duppauer Gebirge
Petersberg 250
Bitterfeld-Wolfen
Bad Düben
Torgau
Falkenberg
Finsterwalde
Delitzsch
Eilenburg
Elsterwerda
Gröditz
Großenhain
Riesa
Schkeuditz
Taucha
Merseburg
Leuna
Weißenfels
Böhlen
Grimma
Meißen
Coswig
Radebeul
Döbeln
Waldheim
Borna
Zeitz
Meuselwitz
Altenburg
Mittweida
Freital
Freiberg
Dippoldiswalde
Schmölln
Gera
Limbach-Oberfrohna
Crimmitschau
Glauchau
Werdau
Zwickau
Weida
Zeulenroda
Greiz
Reichenbach
Stollberg
Aue
Annaberg-Buchholz
Marienberg
Grünhainichen
Seiffen
Auerbach
Plauen
Oelsnitz
Klingenthal
Hof
Rehau
Selb
Karlsbad (Karlovy Vary)
Falkenau (Sokolov)
Komotau (Chomutov)
Brüx (Most)
Leutensdorf (Litvínov)
Saaz (Žatec)
Laun (Louny)
240
731 Greifensteine
Fichtelberg 1215
1244 Keilberg
991 Spitzberg
994 Hassberg
859 Bärenalleeberg
956 Wieselsteinberg
911 Bornhau
Grasberg 828
Burgstadlberg 934
535 Džbán
679
733
758
vodní nádrž Nechranice
Elbe
Mulde
Zwickauer Mulde
Freiberger Mulde
Chemnitz
Zschopau
Parthe
Pleiße
Wyhra
Weiße Elster
Jahna
Große Röder
Schwarze Elster
Kleine Elster
Pulsnitz
Würschnitz
Zwönitz
Flöha
Wilde Weißeritz
Müglitz
Schwarzwasser
Trieb
Eger (Ohře)
Rohlaubach (Rolava)
Zwodau (Svatava)
Biela (Bílina)
Goldbach (Blšanka)
Saale
Fuhne
Strengbach
Neugraben
13° östl. L.v. Gr.
12°
13°